Torey L. Hayden, 1951 in Montana/USA geboren, verdiente sich ihr Studium der Biomedizin als Verkäuferin und später als Betreuerin in einer Vorschule, wobei sie feststellte, daß hier ihre eigentliche Begabung lag. Für ihre Doktorarbeit an der Universität von Minnesota führte sie Forschungsarbeiten über »elektiven Mutismus« (Stummheit bei vorhandener Sprechfähigkeit) durch und entwickelte eine Methode, die international Aufsehen erregte. Sie wurde zu Referaten in Amerika und Europa eingeladen. Seit 1980 lebt Torey L. Hayden mit ihrem schottischen Ehemann auf einer Farm in Wales, bewirtschaftet ihren kleinen Bauernhof und arbeitet unentgeltlich in einem Kinderspital. Inzwischen hat die Autorin drei erfolgreiche Bücher geschrieben. – »Die direkte Arbeit mit Menschen, mit Kindern, ist für mich das wichtigste. Aber schreiben ist eine so schöne und reiche Erfahrung, daß ich darauf nicht verzichten möchte.«

D1533831

Weitere biographische Berichte über die erfolgreiche Behandlung eines behinderten Kindes, die als Knaur-Taschenbücher erschienen sind:

Virginia M. Axline: »*Dibs – Die wunderbare Entfaltung eines menschlichen Wesens*« (Band 813)

Richard D'Ambrosio: »*Der stumme Mund – Die Erlösung eines jungen Menschen aus seelischer Erstarrung zu einer lebensbejahenden Existenz*« (Band 794)

Marie Killilea: »*Karen – Dieses Buch berichtet von mitmenschlicher Hilfsbereitschaft, der psychologischen Medizin, genannt Hoffnung, und von praktischer Therapie*« (Band 2302)

Mary MacCracken: »*Lovey – Die Verwandlung eines ›schwierigen‹ Kindes durch die befreiende Kraft der Liebe*« (Band 779)

Clara C. Park: »*Eine Seele lernt leben – Die authentische Geschichte eines autistischen Kindes, das durch jahrelange, nie erlahmende Aufopferung von den Qualen seiner inneren Einsamkeit befreit wurde*« (Band 2308)

Hartmut Gagelmann: »*Kai lacht wieder*« (Band 2338)

Vollständige Taschenbuchausgabe
Droemersche Verlagsanstalt Th. Knaur Nachf., München
Lizenzausgabe mit freundlicher Genehmigung des
Scherz Verlags, Bern und München
Copyright © 1981 by Torey L. Hayden
Alle Rechte vorbehalten durch Scherz Verlag, Bern und München
Titel der Originalausgabe »Somebody Else's Kids«
Aus dem Amerikanischen von Annemarie Bänziger
Umschlaggestaltung Graupner + Partner
Druck und Bindung Ebner Ulm
Printed in Germany   7 6 5 4
ISBN 3-426-02329-6

Torey L. Hayden:
Bo und die anderen

Die Geschichte einer ungewöhnlichen Schulzeit,
in der die Lehrmethode Verständnis und der Lernstoff
Liebe heißen.

ISBN 3-426-02329-6   780

1

Es war eine Klasse, die sich von selbst ergab.

Einem alten physikalischen Gesetz nach läßt die Natur kein Vakuum zu. Ein Vakuum mußte in jenem Herbst aber doch vorhanden gewesen sein. Wir hatten es nur nicht bemerkt, denn auf einmal war eine Klasse da, wo keine hätte sein sollen. Nur geschah dies nicht auf einen Schlag – wie das Auffüllen eines Vakuums –, sondern allmählich, wie die Natur alle großen Dinge vollbringt.

Zu Beginn des Schuljahres im August arbeitete ich als Nachhilfelehrerin. Die schwächsten Kinder aller Elementarklassen kamen einzeln, zu zweit oder dritt für etwa eine halbe Stunde täglich zu mir. Ich sollte sie so weit fördern, daß sie in ihren Klassen mitkamen, vor allem im Lesen und Rechnen, manchmal auch in anderen Fächern. Ich führte also keine eigene Klasse.

Ich arbeitete bereits sechs Jahre in diesem Schulkreis. Vier Jahre hatte ich eine Klasse mit einem eigenen Klassenzimmer, deren Kinder keinen Kontakt mit den andern Schülern im Schulhaus hatten; sie waren alle seelisch schwer geschädigt.

Dann kam ein neues Schulgesetz, wonach Sonderklassenschüler in einem möglichst normalen Rahmen geschult werden sollten, indem ihre Schwächen mit zusätzlichem Nachhilfeunterricht angegangen wurden. Jede Absonderung sollte aufgehoben werden. Welch schönes, idealistisches Gesetz! Und da war die Wirklichkeit: ich und meine Kinder.

Als das Gesetz in Kraft trat, wurde meine Klasse aufgelöst. Meine elf Schüler wurden in die Normalklassen verteilt, zusammen mit vierzig anderen schwer geschädigten Kindern des Schulkreises. Nur noch eine Sonderklasse für die Schwerstbehinderten, die weder gehen, sprechen noch allein die Toilette benützen konnten, blieb übrig. Ich selbst wurde als Nachhilfelehrerin in einem anderen Schulhaus eingesetzt. Das war vor zwei Jahren. Wahrscheinlich hätte ich spüren können, wie sich das Vakuum während dieser Zeit bildete, und hätte nicht überrascht zu sein brauchen, als es offenbar wurde.

Es war Mittagspause, und ich packte gerade den mitgebrachten Hamburger aus. Meine Gedanken kreisten überhaupt nicht um die Schule.

«Torey?»

Ich schaute auf. Vor mir stand groß und mächtig, mit einer erkalteten Pfeife im Mund, Birk Jones, der Direktor für Sonderschulung. Ich war so in meinen Hamburger vertieft gewesen, daß ich sein Kommen nicht bemerkt hatte.

«Oh, hallo Birk.»

«Hast du einen Augenblick Zeit?»

«Natürlich, ja», sagte ich, obwohl ich keine hatte. Es blieben nur noch fünfzehn Minuten, in denen es galt, den Hamburger zu verdrücken, das Cola runterzuleeren und einen Riesenstapel unkorrigierter Arbeiten in Angriff zu nehmen.

«Ich habe da ein kleines Problem und hoffe auf deine Hilfe», sagte er.

«Um was geht's denn?»

Birk nahm die Pfeife aus dem Mund und inspizierte den Pfeifenkopf. «Um einen siebenjährigen Jungen.» Er lächelte mich an. «Drüben in Marcy Cowens Kindergarten. Ich glaube, daß der Junge autistisch ist. Du kennst das ja. Ruckartige, verkrampfte Bewegungen. Führt Selbstgespräche, genau wie deine Kinder es getan haben. Marcy weiß nicht mehr weiter. Sie hat ihn schon mehr als ein Jahr, und sogar zu zweit wurden sie mit ihm nicht fertig. Wir müssen etwas anderes versuchen.»

Ich kaute gedankenvoll. «Und wie kann ich dir behilflich sein?»

«Nun ...» Lange Pause. Birk schaute mir so intensiv beim Essen zu, daß ich mich beinahe verpflichtet fühlte, ihm etwas anzubieten. «Nun, ich dachte, Torey, daß wir ihn vielleicht hierher verfrachten könnten.»

«Was soll das heißen?»

«Du könntest ihn übernehmen.»

«Übernehmen?» Ein Bissen blieb mir im Halse stecken. «Du weißt genau, daß ich zur Zeit nicht eingerichtet bin, auch nur ein einziges autistisches Kind aufzunehmen, Birk.»

Er zwinkerte mir zu und beugte sich vertraulich vor. «Du schaffst das doch bestimmt irgendwie?» Er legte eine Kunstpause ein und wartete. «Er kommt ja nur halbtags. Normaler Kindergartenstundenplan. In Marcys Klasse verkümmert er. Ich dachte, du könntest vielleicht zusätzlich mit ihm arbeiten. Wie du das früher mit den anderen Kindern getan hast.»

«Aber Birk! Ich habe doch hier keinen passenden Raum mehr. Ich bin doch jetzt zu Höherem berufen! Was mache ich mit meinen Nachhilfeschülern?»

Birk sagte zuversichtlich: «Wir werden uns etwas einfallen lassen.»

Der Junge sollte täglich um zwölf Uhr vierzig kommen. Bis um zwei Uhr waren meine andern Schüler noch anwesend, aber nachher hatten wir eineinhalb Stunden für uns. Birk war es natürlich einerlei, ob das Kind *mein* Zimmer auf den Kopf stellte, während ich mit meinen Nachhilfeschülern arbeitete, oder das von Marcy Cowen. Dank der vier Jahre im eigenen Klassenzimmer verfügte ich über das geheimnisvolle Etwas, das Birk «Erfahrung» nannte. Im Klartext hieß das doch wohl, daß ich mich nicht mehr aufregen konnte, weil ich so abgebrüht war.

Ich schaffte Platz für den Jungen. Tat alles Zerbrechliche außer Reichweite, räumte alles Verschluckbare in einen Schrank, rückte Pulte und Tische zur Seite, damit wir freien Raum hatten, um uns auf handfestere Art auseinanderzusetzen, als dies mit meinen anderen Schülern nötig war. Nach diesen Vorbereitungen fühlte ich plötzlich Freude in mir aufsteigen. Die Nachhilfestunden hatten mich nicht besonders befriedigt. Ich vermißte einen eigenen Raum, eine eigene Klasse. Aber was mir am meisten fehlte, war das überströmende Glücksgefühl, das ich bei der Arbeit mit seelisch geschädigten Kindern immer empfunden hatte.

Am Montag der dritten Septemberwoche sah ich Nicky Franklin zum ersten Mal. Er war siebenjährig und hatte etwas Märchenhaftes an sich, wie so viele meiner Kinder. Er war eine Gestalt wie aus einem Traum: unwirklich und doch greifbar. Seine Haut, von der Farbe englischen Tees mit frischer Sahne, wies auf einen Mischling hin. Sein Haar war nicht völlig schwarz, ein richtiger Wuschelkopf. Seine Augen waren geheimnisvoll grün, umwölkt, meergrün, weich und schillernd. Er war wie aus einem Bilderbuch. Ein kleiner Knirps für seine sieben Jahre. Ich hätte ihn kaum auf fünf geschätzt.

Seine Mutter schob ihn durch die offene Tür, wechselte ein paar Worte mit mir und ging. Nicky gehörte nun mir.

«Grüß dich, Nicky», sagte ich.

Er stand wie angewurzelt dort, wo ihn seine Mutter zurückgelassen hatte. Ich kniete zu ihm nieder.

«Hallo, Nicky.»

Er schaute weg.

«Nicky?» Ich berührte seinen Arm.

«Nicky?» wiederholte er sanft, das Gesicht immer noch abgewandt.

«Nicky, ich heiße Torey. Ich bin deine neue Lehrerin. Das ist dein neues Klassenzimmer.»

«Das ist dein neues Klassenzimmer», wiederholte er im gleichen Tonfall.

«Komm, ich zeig dir, wo du deine Jacke aufhängen kannst.»

«Ich zeig dir, wo du deine Jacke aufhängen kannst.» Seine Stimme war sehr leise, kaum mehr als ein Flüstern, und sonderbar künstlich. Sie war hoch und wie der Singsang einer Mutter, die zu ihrem Kind spricht.

«Komm mit mir.» Ich stand auf und streckte eine Hand aus. Er rührte sich nicht und hielt das Gesicht immer noch abgewandt. Schließlich schlug er mit den Handflächen auf den Stoff seiner Hose. Das gedämpfte Klatschen war das einzige Geräusch im Zimmer.

Zwei Viertkläßler saßen noch vor ihren aufgeschlagenen Lesebüchern. Beide starrten wie gebannt auf die Szene. Ich hatte ihnen Nickys Kommen angekündigt. Sie hatten von mir besondere Aufgaben zur stillen Beschäftigung bekommen, damit Nicky und ich einander in Ruhe beschnuppern konnten. Doch die Jungen sperrten Mund und Augen auf, beugten sich neugierig und fasziniert dem Geschehen zu.

Nicky schlug noch immer die Hände gegen die Hosenbeine. Ich wollte ihn nicht drängen. Wir hatten Zeit. Ich trat einen Schritt zurück. «Willst du nicht deine Jacke ausziehen?» Keine Bewegung, kein Ton, nur die immer heftiger schlagenden Hände. Er schaute mich immer noch nicht an.

«Was hat er denn?» fragte einer der Viertkläßler.

«Ich hab's euch doch gestern erklärt, Tim. Weißt du nicht mehr?» gab ich zur Antwort, ohne mich nach ihm umzudrehen.

«Kannst du nicht machen, daß er aufhört?»

«Laß ihn doch, er tut ja niemand was zuleide. Macht jetzt eure Aufgaben, bitte.»

Tim gab nach und blätterte in seinem Buch herum. Nicky stand völlig starr da, die Arme an den Körper gepreßt. Nur die schlagenden Hände. Die Beine stocksteif. Der Kopf wie seitlich aufgeschraubt.

Plötzlich schrie er. Kein kurzer Schrei. Anhaltend und mark-durchdringend. «AHHHHHHHHHHHH! AHHHH-AHHHH! AWWWRRRKK!» Wie ein Tier, das zur Schlachtbank geführt wird. Er schlug die Hände vors Gesicht und fiel, sich windend, zu Boden. Stand gleich wieder auf, bevor ich bei ihm war. Raste im Zimmer umher. «ARRRRR!» Eine menschliche Sirene. Die Arme flogen empor; er schlug sie wild über dem Kopf zusammen wie ein Tänzer in Ekstase. Wieder fiel er zu Boden. Er wand und krümmte sich wie im Todeskampf. Die Hände vor dem Gesicht, schlug er den Kopf auf den Boden. Und schrie ununterbrochen. «AAAAAAHHHHHHH! EEEEEEEEEEE-AAAHHHH-AWW-WWWWKKKKK!»

«Er hat einen Anfall! Er hat einen Anfall! Schnell, Torey, mach etwas!» Tim weinte. Er war auf den Stuhl geklettert, und seine eigenen Hände zitterten in panischer Angst. Brad, der andere Viertkläßler, saß wie versteinert an seinem Pult.

«Er hat keinen Anfall, Tim», übertönte ich Nickys Schreie, während ich ihn aufzuheben versuchte. «Er ist okay. Du mußt keine Angst haben.» Ehe ich mehr sagen konnte, entwand sich Nicky meinem Griff und raste wieder im Zimmer umher. Mit einem Satz über einen Stuhl, um ein Bücherregal herum, über den von mir geräumten Platz in der Mitte, zur Tür und hinaus.

2

«Nicky? Nicky?» rief ich halblaut in den stillen Flur hinaus und kam mir vor wie ein Geist, der die Geisterstunde verpaßt hat.

Ich hatte gerade noch die Türschwelle geschafft, um ihn wie eine kreischende Rakete am Ende des Flurs um die Ecke schwir-ren zu sehen. Er war verschwunden und ließ mich mit meinen Nicky-Rufen allein.

Ich suchte ihn im andern Flügel des Schulhauses. Wo immer er war, er hatte zu schreien aufgehört. Die Klassenzimmer waren leer, die Kinder draußen in der Pause. Es war mäuschenstill. Acht Zimmer mußte ich durchkämmen. Ich steckte meinen Kopf durch jede Tür. Panik überfiel mich. Ich mußte Nicky um jeden Preis einfangen und zurückschaffen, Tim und Brads Arbeit nachsehen, sie beide beschwichtigen, bevor sie wieder in ihre Klassenzimmer zurückkehrten, und mich schließlich auf Bo Sjokheim, meine nächste Nachhilfeschülerin, vorbereiten.

«Nicky?» Ich schaute in sämtlichen Schulzimmern nach. «Nikky, komm, wir müssen zurückgehen. Bist du hier?»

Schließlich öffnete ich die Tür zum Kindergarten. Da lag er unter einem Tisch, einen Teppich über den Kopf gezogen. Nur sein kleiner grüner Cord-Po guckte hervor. Wußte er, daß dies der Kindergarten war? Wollte er zu Marcy zurück? Oder war es bloßer Zufall, daß er sich hier unter einem Teppich verkroch?

Sanft auf ihn einredend, näherte ich mich ihm vorsichtig. Ich hörte die Kindergartenschüler aus der Pause zurückkommen. Was wohl die fremde Lehrerin hier zu suchen hatte, und wo kam bloß der Junge mit der grünen Hose her? Neugierig verfolgten die Kleinen den seltsamen Auftritt.

«Nicky?» hauchte ich. «Wir müssen unbedingt zurück, die Kinder brauchen dieses Zimmer.»

Die Kindergartenschüler beobachteten uns genau, hielten aber gebührend Abstand. Ich berührte Nicky sanft, fuhr zuerst außen mit der Hand über den Teppich, dann innen über seinen Körper, um ihn allmählich an meine Berührung zu gewöhnen. Ganz vorsichtig wickelte ich den Kopf aus der Umhüllung, nahm den leblosen Körper in meine Arme und kroch unter dem Tisch hervor. Nicky war stumm und starr wie eine Holzpuppe. Arme und Beine waren stocksteif. Diesmal jedoch wandte er sein Gesicht nicht ab. Er starrte vielmehr durch mich hindurch, als wäre ich Luft. Mit weit aufgerissenen, leeren Augen wie ein Toter.

Ein kleiner Junge mit Sommersprossen wagte sich näher, als ich mich anschickte, Nicky aus dem Zimmer zu bringen. Forschend sahen seine blauen Augen zu mir auf, mit einer Intensität, wie nur kleine Kinder sie haben. «Was hat er in meinem Zimmer gemacht?» fragte er.

Ich lächelte. «Er hat etwas gesucht unter eurem Teppich.»

Bo wartete schon vor dem Zimmer, als ich endlich mit dem steifen Nicky in meinen Armen ankam. Tim und Brad waren bereits gegangen, hatten die Tür geschlossen und das Licht ausgelöscht. Bo, ihr Lesebuch unter dem Arm, wußte nicht so recht, ob sie das dunkle Zimmer betreten sollte oder nicht.

«Ich wußte gar nicht, wo du warst», sagte sie vorwurfsvoll. Erst jetzt gewahrte sie Nicky. «Ist das der Junge, von dem du mir erzählt hast? Bleibt er mit mir zusammen?»

«Ja, das ist er.» Nur mit Mühe öffnete ich die Tür und machte Licht. Ich stellte den Jungen auf den Boden. Er blieb regungslos stehen, während Bo und ich uns zum Arbeitstisch auf der andern Seite des Zimmers begaben. Als Nicky sich nicht rührte, trug ich ihn zu uns herüber. Er stand jetzt zwischen Wand und Tür wie in einer Totenstarre. Kein Funken Leben glomm in seinen trüben Augen.

«Hallo, du kleiner Kerl», sagte Bo und setzte sich neben ihn. Sie beugte sich mit vor Teilnahme leuchtenden Augen zu ihm und fragte: «Wie heißt du denn? Ich heiße Bo. Ich bin sieben. Wie alt bist du?»

Nicky schenkte ihr keine Beachtung.

«Sein Name ist Nicky. Er ist auch sieben.»

Bo musterte ihn.

«Du bist ein kleiner Knirps für deine sieben Jahre. Ich glaube, ich bin größer als du, obwohl ich doch auch ziemlich klein bin. Bist du auch ein Zwilling?»

Bo. Was für ein Kind! Ich hätte ihr am liebsten den ganzen Tag zugehört. Sie war einzigartig. Während meiner ganzen Lehrtätigkeit war mir nie ein solches Kind begegnet. Sie sah aus wie das Urbild eines Kindes, so wie Kinder in meiner Vorstellung immer aussehen. Sie hatte langes, langes Haar – fast bis zu den Hüften. Sie trug es seitlich gescheitelt; eine Haarspange bändigte die gerade glatte Flut, die braun glänzte, ganz genau wie die polierte Mahagonikommode meiner Großmutter. Sie hatte einen großen, ausdrucksvollen Mund, der immer zum Lächeln bereit war.

Üble Umstände hatten sie zu mir geführt. Sie und ihre Zwillingsschwester waren mit fünf Jahren adoptiert worden. Ihre Schwester schaffte die Schule mühelos. Bo hingegen hatte von Anfang an mit Schwierigkeiten zu kämpfen gehabt. Sie war überaktiv, aber im schulischen Sinn kaum lernfähig. Sie konnte nicht einmal säuberlich vorgeschriebene Wörter nachschreiben. Dieser erschütternde Mangel war im zweiten Kindergartenjahr, das man aus Ratlosigkeit für sie eingeschaltet hatte, nicht mehr zu übersehen.

Bo war von ihren leiblichen Eltern schwer mißhandelt worden. Schläge hatten einen Schädelbruch bewirkt, bei dem ein Knochensplitter ins Hirn eingedrungen war. Röntgenaufnahmen zeigten deutlich die massiven Verletzungen. Der Knochensplitter war zwar entfernt worden, doch wie groß der bleibende Schaden sein würde, konnte niemand sagen. Epileptische Anfälle waren eine der Folgeerscheinungen. Zugleich war auch die optische Merk- und Wiedergabefähigkeit tangiert worden. Außerdem litt sie unter den bei Hirnschädigungen typischen Begleiterscheinungen wie Konzentrationsschwäche und motorische Unruhe. Dennoch war es wie ein Wunder für mich, wozu Bo trotz dieser Verletzung fähig war. Sie hatte wenig oder überhaupt nichts von ihrer Intelligenz, ihrer Wahrnehmungs- und Einfühlungsgabe eingebüßt. Sie war ein kluges Kind. Man sah ihr die Behinderung nicht an: sie schien rundum normal. Es bestand deshalb die Gefahr, daß ihre Umwelt, mich eingeschlossen, vergaß, daß sie es nicht war. Das Kind wurde dann für etwas getadelt, für das es nichts konnte.

Ihre Heilungsaussichten waren unsicher. Gehirnzellen, im Unterschied zu andern Zellen, können sich nicht regenerieren. Die Ärzte ließen nur die Hoffnung offen, daß andere Hirnteile mit der Zeit die ausgefallenen Funktionen übernehmen und dem Kind somit ermöglichen könnten, Lesen und Schreiben zu lernen. In der Zwischenzeit blieb Bo nichts anderes übrig, als sich abzumühen.

Bo war außergewöhnlich. Ihr Kopf funktionierte vielleicht nicht immer tadellos, aber ihr Herz war in Ordnung. Sie sah von Natur aus nur das Gute im Menschen. Obwohl sie selber soviel Übles erlitten hatte, war sie ohne Arg. Sie umarmte uns, Gute und Böse, in naiver Gutgläubigkeit. Und sie kümmerte sich um jeden. Das Wohl der ganzen Welt lag ihr am Herzen. Dieser Zug ärgerte und freute mich zugleich. Sie ließ nichts und niemanden in Ruhe und gab sich so vollständig und rückhaltlos einer Welt hin, die mit sensiblen Naturen nicht zimperlich umsprang, daß ich oft um sie bangte. Aber Bo war ohne Furcht. Die Liebe dieses siebenjährigen Kindes war vielleicht etwas ungestüm, noch nicht von gesellschaftlichen Normen zurechtgestutzt, aber – was mehr zählte – sie war echt.

Bo machte sich Gedanken über Nicky.

«Kann er nicht sprechen?» flüsterte sie mir zu, nachdem alle Versuche, eine Konversation in Gang zu bringen, gescheitert waren.

Ich schüttelte den Kopf. «Nicht besonders gut, deshalb kommt er zu mir.»

«Armer Nicky.» Sie ging zu ihm und fuhr ihm verständnisvoll über den Arm. «Mach dir nichts draus, du wirst es schon noch lernen. Ich habe auch Mühe, ich weiß, wie das ist. Du mußt nicht traurig sein, du bist trotzdem ein netter Junge.»

Nickys Finger begannen zu flattern, und ein Anflug von

Leben regte sich in seinem leeren Blick. Ein Flackern zu Bo hin, und schon drehte er sich wieder zur Wand.

Ich entschloß mich, Nicky stehen zu lassen und mit Bo die Arbeit aufzunehmen. «Ich bin hier drüben, Nicky», sagte ich. Er stand reglos, starrte die Wand an. Ich wandte mich Bo zu.

Sie schlug das Sprachheft auf. «Das blöde Lesen heute wieder.» Sie kratzte sich gedankenverloren am Kopf. «Diese Lehrerin und ich, mit uns zwei klappt das nicht so recht. Sie glaubt, daß du mir das besser beibringen solltest.»

Ich lachte und schaute mir das Heft genauer an. «Hat sie dir das gesagt?»

«Nein, aber ich weiß, daß sie das denkt.»

Nicky wagte eine Bewegung, einen zögernden Schritt. Zwei Schritte. Trippelnd wie eine Geisha. Noch ein Schritt. Über Bos Heft gebeugt, beobachtete ich ihn aus den Augenwinkeln. Nickys Gang war so steif, als wäre er eine Pappfigur. Die Muskeln am Hals waren völlig verkrampft. Sporadisch flatterten seine Hände. Versuchte er krampfhaft, sich unter Kontrolle zu halten? Und was hielt er so verzweifelt zurück?

«Er benimmt sich schon etwas komisch, Torey, aber das macht nichts», sagte sie. «Wir alle sind manchmal etwas komisch, weißt du.»

«Ja, ja, ich weiß. Komm, wir arbeiten jetzt.»

Nicky ging auf Entdeckungsreise. Das Zimmer war groß, quadratisch und sonnig. In einer Ecke stand mein vollbeladenes Pult, und der Fensterreihe entlang erstreckte sich der Arbeitstisch. Die wenigen Schulbänke standen an den Wänden. Auf der einen Seite waren meine Garderobe, der Ausguß, ein Geschirrschrank und zwei riesige Schränke für das Schulmaterial. Niedrige Bücherregale unterteilten das Zimmer in die Lese-Ecke und in unseren Zoo, wo zwei Grünfinken in einem großen, selbstgebastelten Käfig hausten, sowie Sam, der Einsiedlerkrebs, und Benny, die Boa constrictor, unsere alte Schulschlange.

Nicky tapste im Zimmer umher, bis er auf die Tiere stieß. Vor den Vögeln machte er halt, und ganz langsam näherte er sich mit flatternden Händen dem Käfig. Er begann auf den Fersen hin- und herzuwippen «Ti-witt, ti-witt.» Er bewegte Arme und Hände auf und ab wie zum Flügelschlag. «Ti-iii-iiii, aaa-aaa-ooo-ooo!» tönte es wie in einem Affenhaus.

Bo schaute von der Arbeit auf. Ein vielsagender Blick traf zuerst Nicky und dann mich. Kopfschüttelnd klemmte sie sich wieder hinter ihre Arbeit.

Aus Nickys Augen strahlte ein inneres Leuchten. Alles Steife in seinem Körper schmolz hinweg. Fröhlich schallte seine Stimme durch den Raum. Er sah mir voll ins Gesicht.

«Das sind unsere Vögel, Nicky.» Aufgeregt hüpfte er vor dem Käfig auf und ab. Zwischendurch schaute er immer wieder zu uns. Ich lächelte.

Plötzlich schoß Nicky wie ein Pfeil durchs Schulzimmer. Schrilles Lachen durchbrach die Stille. Die Arme ausgestreckt, segelte er wie ein Flugzeug durch den Raum.

«Torey!» Bo sprang von ihrem Stuhl hoch. «Schau nur! Er zieht alle seine Kleider aus!»

Genau das tat Nicky. Ein Schuh. Eine Socke. Ein Hemd – alles ließ er in seinem rasenden Lauf hinter sich liegen. Es war eine artistische Leistung, wie er sich seiner grünen Cordhose entledigte, ohne aus dem Rhythmus zu fallen. Er schnellte vor und zurück und lachte dabei wie im Delirium. Fasziniert schaute Bo dem entsetzlichen Spektakel zu. Sie hielt sich die Augen zu, konnte es sich aber doch nicht verkneifen, durch die Finger auf den tollen Nicky zu blinzeln. Einen Nackedei im Schulzimmer gab es ja auch nicht alle Tage!

Ich verzichtete auf eine Verfolgungsjagd. Was immer das für ein irrer Auftritt sein mochte, ich wollte mich nicht einmischen. Mein größter Kummer war die Tür. Nicky war jetzt splitternackt. Ich hatte schon den bekleideten Nicky kaum zu fassen bekommen, noch viel weniger würde mir das mit dem unbekleideten gelingen! Wir waren hier in einer braven, gepflegten und etwas langweiligen Schule, in der es nie vorkam, daß verrückte Kinder herumtobten. Dan Marshall, unser lieber Herr Direktor, würde bei Nickys Anblick auf der Stelle vom Schlag getroffen werden. Daran wollte ich auf keinen Fall schuld sein.

Während ich den Türhüter spielte, tanzte Nicky lachend durchs Zimmer. Hätte ich nur einen Riegel an der Tür gehabt! Dann hätte ich sie in aller Ruhe absperren und weiterarbeiten können. So hatte mich Nicky zum Spielball seiner Laune gemacht. Meine Statistenrolle machte ihm unendlich Spaß.

Das irrwitzige Spiel ging noch fünfzehn Minuten so weiter. Manchmal hielt er in meiner Nähe inne und sah mich herausfordernd an, nackt wie er war. Ich versuchte, in seinen meergrünen Augen zu lesen. Irgend etwas sah ich. Aber was war es nur?

Während einer dieser Pausen begann er die Daumen vor seinen Augen zu drehen, und der Vorhang ging auf einmal zu. Die Schnecke kroch in ihr Schneckenhaus. Alles Leben wich aus seinem Blick. Wie zum Schutz preßte er die Arme wieder an seinen steifen Körper. Die Pappfigur stand einen Augenblick reglos und stampfte dann los, um sich in der Mitte des Zimmers unter dem Teppich zu verkriechen. Bald waren nur noch ein Häufchen Teppich und zwei bloße Füße zu sehen.

Als ich zum Arbeitstisch zurückkehrte, warf mir Bo einen resignierten Blick zu. «Ich glaube, das geht lange, bis der wieder in Ordnung ist, Torey. Der spinnt nicht nur ein bißchen, sondern ziemlich stark.»

«Er hat Schwierigkeiten, das stimmt.»

«Auf jeden Fall hat er keine Kleider an.»

«Das ist jetzt egal, wir werden uns später darum kümmern.»

«Das ist überhaupt nicht egal, Torey. Ich glaube nicht, daß man in der Schule nackt herumgehen darf. Mein Vater sagte, das ist verboten.»

«Du hast sicher recht, Bo, aber . . .»

«Man kann ja sein Ding sehen, und für ein Mädchen schickt sich das nicht.»

Lächelnd sagte ich: «Du meinst sein Pfeifchen?»

Bo nickte und mußte sich das Lachen verbeißen.

«Ich hatte den Eindruck, daß du ziemlich interessiert zugeguckt hast, oder täusche ich mich da?»

«Nun, es war schon ziemlich spannend.»

So brachten wir den ersten Tag hinter uns, Nicky und ich. Nicky blieb die ganzen eineinhalb Stunden, die wir übrig hatten, unter dem Teppich. Ich ließ ihn dort. Als die Zeiger auf 15.15 Uhr rückten, zog ich ihn unter dem Teppich hervor und begann ihn anzukleiden. Nicky lag mit steifen, doch immer noch biegsamen Gliedern da, den Kopf zurückgeworfen, den Blick zur Decke gerichtet. Während ich ihn ankleidete, redete ich unaufhörlich auf ihn ein. Ich erzählte ihm vom Schulzimmer, von den Vögeln, von der Schlange, dem Krebs, was wir miteinander unternehmen würden, was für andere Kinder noch hier seien: Tim, Brad und Bo. Einfach alles, was mir in den Sinn kam. Ich schaute ihm in die Augen. Nichts. Absolut nichts. Ein Körper ohne Seele.

Er begann zu sprechen, wenn ich sprach, und wenn ich aufhörte, hörte er auch auf. Er starrte immer noch mit vagem Blick zur Decke.

«Was hast du gesagt, Nicky?»

Keine Antwort.

«Wolltest du mir etwas sagen?»

Immer noch verlor sich sein Blick in einer unbestimmten Ferne. «Die Tagestemperatur für heute bewegt sich im Maximum um 15 Grad, die nächtliche Tiefsttemperatur um 7 Grad. In den Bergtälern ist mit Frost zu rechnen.»

«Nicky, Nicky?» Ich berührte sanft seine Wangen. Einige seiner schwarzen Locken hingen auf den Teppich. Wie eine Maske lag die Bilderbuch-Schönheit auf seinem Gesicht. Seine Finger fummelten ruhelos am Teppich. Langsam, aber sicher knöpfte ich ihm das Hemd zu. Mir war, als fingerte ich an einer Puppe herum. Er plapperte in einem fort, wiederholte endlos die Wettervorhersage der Frühnachrichten, lückenlos, Wort für

Wort. Verzögerte Echolalie, um es fachmännisch auszudrücken.

«Heute noch vereinzelt Niederschläge, in der Nacht Aufklarung und morgen schönes Herbstwetter. Und jetzt kommen wir zum Sport. Hören Sie mit, bleiben Sie dabei.»

Nur keine Angst, ich bleibe.

3

In diesem Jahr führten wir gerade ein Leseversuchsprogramm in den Elementarklassen durch. Für mich war es nichts Neues. In meiner früheren Schule war dieses Programm auch schon ausprobiert worden. So wurde mir diese Katastrophe zweimal beschert.

Optisch gesehen, war das Programm hervorragend. Für die graphische Gestaltung hatte der Verlag offensichtlich Künstler beauftragt und keine Mühe gescheut. Die abgedruckten Geschichten waren teilweise literarisch hochstehend und machten beim Lesen richtig Spaß.

Sofern man lesen konnte.

Die Lesebücher richteten sich an Erwachsene – an solche Erwachsenen, die schon lange vergessen hatten, wie ein sechsjähriges Kind fühlen mochte, das noch nicht lesen konnte. Unzufriedene Vierzigjährige waren es leid, sich mit dem beschränkten Vokabular eines Erstkläßlers abfinden zu müssen, und das Produkt dieser Unlust waren die Lesebücher. Als Kinderbücher für Erwachsene waren sie unüberbietbar. Ich muß gestehen, daß ich sie am Anfang richtig verschlang. Ich war begeistert, ich wollte sie unbedingt lesen, aber ich war sechsundzwanzig Jahre alt! Wir kauften die Bücher im Grunde genommen für uns selbst.

Für die Kinder sah die Sache anders aus. Für meine Kinder

jedenfalls. Ich hatte immer mit Anfängern und Versagern zu tun gehabt, und für diese war das Programm verheerend.

Bei früheren Leselernmethoden war darauf geachtet worden, daß Wörter und Sätze nicht zu lang und der Wortschatz überblickbar waren. Im neuen Programm war das nicht mehr so. Sogar die Illustrationen, obschon künstlerisch wertvoll, erhöhten kaum das Verständnis. Der erste Satz in der ersten Folge des Programms, das sich an sechsjährige ABC-Schützen richtete, bestand aus acht Wörtern, wovon eines aus drei Silben zusammengesetzt war. Einige Kinder kamen damit zurecht. Sie schafften den ersten Satz und alle folgenden Sätze auch. Die Mehrheit der Kinder jedoch – und dazu gehörten selbstverständlich meine – schlugen sich ein volles Jahr mit der ersten Folge herum, ein Pensum, das sonst spielend bis Weihnachten bewältigt worden war. Sie kamen überhaupt nie in den Genuß der Fortsetzung.

Auch andere Lehrer hatten ihre liebe Not mit dem unglückseligen Lesestoff. Fast alle Erst- und Zweitklaßlehrer stöhnten und waren vom angestrebten Lernziel weit entfernt. Es war üblich, daß die Herausgeber eines neuen Leseprogramms bei uns in der Schule eine Tabelle anschlugen, wo genau markiert war, wie weit der Lehrer mit seinen Schülern bis zu einem bestimmten Stichtag sein sollte. So eine Tabelle gab es auch für diese Leseserie. Geknickt standen wir fünf betroffenen Lehrer davor und fanden bestätigt, was wir schon ahnten: Wir waren hoffnungslos im Rückstand. Keiner von uns würde das Programm in der vorgeschriebenen Zeit schaffen.

Nach fünf Monaten erfolglosen Ringens brach bei uns ein Sturm der Entrüstung los. Wir meldeten uns beim Schulamt und verlangten Rechenschaft für diesen Wahnsinn. Worauf uns die Ehre eines Besuchs des Verlagsvertreters zuteil wurde, der uns Rede und Antwort zu stehen hatte. Ich hatte erwartet, er würde meiner Feststellung, daß mehr als die Hälfte der Kinder die Anforderungen des Programms nicht erfüllten, entgegen halten, wir seien halt einfach schlechte Pädagogen. Aber weit gefehlt.

Der Mann war entzückt. Wir hätten unsere Sache prima gemacht, denn nur von 15% aller Anfänger werde überhaupt erwartet, daß sie das Erstklaßprogramm im ersten Schuljahr wirklich beherrschten. Bei den restlichen 85% werde gar nicht damit gerechnet.

Ich war sprachlos. Das Entsetzen packte mich. Da benützten wir also ein Programm, das sage und schreibe darauf angelegt war, die Schüler zum Scheitern zu bringen. Alle, ausgenommen einige Musterschüler, waren demzufolge dazu verurteilt, als «schwache Leser» abgestempelt zu werden. Alle jene Lehrer, die die Ziele des Verlages nicht kannten, mußten weiterhin annehmen, daß die Tabelle stimmte; sie würden ihre Kinder weiterhin durch das Erstklaßprogramm hetzen, in der falschen Annahme, der ganze Stoff müsse in einem einzigen Jahr bewältigt werden. Katastrophal aber waren die Folgen. Zwangsläufig fielen durchschnittlich intelligente Kinder im Laufe der Zeit immer weiter zurück. In der fünften oder sechsten Klasse waren sie bereits mit zwei Büchern im Rückstand, fühlten sich als Versager, obwohl sie leistungsmäßig genau dort waren, wo der Verlag sie haben wollte. Niemand konnte einem Kind, das in der sechsten Klasse beim Viertklaß-Lesebuch angelangt war, plausibel machen, es sei trotzdem ein völlig normaler und guter Schüler. Man hatte ihm ja bewiesen, daß es dumm war. Für den Verlag bedeutete die ganze Angelegenheit nicht mehr als eine statistische Spielerei. Für die Kinder war es bitterer Ernst. Sie mußten einen zu hohen Preis für ein ästhetisch ansprechendes Buch zahlen.

Bo war eines der unfreiwilligen Opfer dieses Leseprogramms. Dieses Kind, das schon mit genug Schwierigkeiten zu kämpfen hatte, dem Lesen und Schreiben in jedem Fall schwerfielen, war nun noch zusätzlich mit diesen verhängnisvollen Büchern und einer Lehrerin, die diese Bücher samt allen Sonderschülern haßte, geschlagen.

Edna Thorsen, Bos Lehrerin, war eine ältere Dame mit unendlich viel Erfahrung. Sie hatte seit Menschengedenken Schule gegeben und stand jetzt ein Jahr vor ihrer Versetzung in den Ruhestand. Edna war in vielen Beziehungen eine ausgezeichnete Lehrerin. Die Sonderschüler jedoch lagen ihr gar nicht. Sie war fest davon überzeugt, daß behinderte, gestörte oder sonst irgendwie auffällige Kinder nicht in eine normale Klasse gehörten. Erstens belasteten sie den Lehrer ungebührend, und zweitens hinderten sie die klügeren Schüler am Weiterkommen, wie sie meinte. Außerdem glaubte Edna, daß Sechsjährige durch die Konfrontation mit schwierigen Kindern Schaden erleiden würden. Sie seien noch zu jung, um mit Blinden und Gebrechlichen umzugehen.

Edna war noch eine Lehrerin von altem Schrot und Korn. Ihre Schüler saßen in Reihen, erhoben sich für jede Antwort, standen stramm und durften nicht sprechen, bevor sie angesprochen wurden. Die Lesefibel wurde im Gleichschritt mit der veröffentlichten Tabelle durchexerziert. Das angestrebte Ziel mußte auf Biegen oder Brechen erreicht werden. Sie hatte keine Ahnung, daß nur 15% der Kinder so weit hätten sein müssen. Ihr ausschließlicher Ehrgeiz bestand darin, daß am letzten Schultag im Juni alle siebenundzwanzig Kinder den Stoff vorgesetzt bekommen hatten. Was sie damit anfingen, war nicht ihr Problem. Sie war schließlich dazu da, den Stoff durchzunehmen, und nicht, um sich Gedanken zu machen, wenn ein Schüler diese Bücher gar nicht lesen konnte. Das war sein Fehler und nicht der ihre.

Bo hatte große Mühe. Die erhoffte Heilung der Hirnschädigung ließ auf sich warten. Zu ihren optischen Auffassungsschwierigkeiten kamen weitere typische Merkmale fast aller hirngeschädigten Kinder, wie Überaktivität und Konzentrationsschwäche. Ursprünglich war Bo nicht auf meiner Liste der Nachhilfeschüler aufgeführt gewesen. Einige Tage nach Schulbeginn stand sie in Ednas Begleitung vor meiner Tür. Wir hatten es da, wie Edna sich auszudrücken pflegte, mit einer «Schwachen» zu tun, der man nicht mal mit dem Hammer das Alphabet einbleuen konnte.

So stellten Bo und ich uns unermüdlich jeden Nachmittag eine halbe Stunde zur Schlacht um die Eroberung der Buchstaben auf. Zugegeben, wir kamen nur langsam vorwärts. Bo kannte nach den ersten drei Wochen die Buchstaben ihres Vornamens noch nicht. Mit viel Weh und Ach hatten wir dies schließlich geschafft. Sie konnte jetzt so was wie B-O aufs Papier malen. Manchmal verwechselte sie zwar das B und das O, ein Buchstabe stand vielleicht auf dem Kopf, oder alles war spiegelverkehrt. Meistens aber kam sie der Sache ziemlich nahe, darauf konnte ich mich inzwischen verlassen. Ich hatte darauf verzichtet, die Vorschullesefibel nochmals in Angriff zu nehmen, da Bo diesen Stoff schon dreimal vorgesetzt bekommen hatte und ihn immer noch nicht beherrschte. Da hatte ich schon lieber mit den Buchstaben ihres Namens begonnen. Von der Motivation her gesehen, schien mir dieses Vorgehen vielversprechender.

Ihre Schwierigkeit lag allein im Umgang mit Symbolen: Buchstaben, Zahlen, alles Geschriebene, das etwas anderes darstellte als ein konkretes Bild. Sie kannte schon lange alle Buchstaben und Laute des Alphabets. Aber es gelang ihr einfach nicht, ihr Wissen im Lesen und Schreiben anzuwenden.

Ihr etwas beibringen zu müssen, war tatsächlich frustrierend. In dieser Hinsicht hatte Edna recht. Innerhalb von drei Wochen hatte ich meine gesamten didaktischen Fähigkeiten in bezug aufs Lesen erschöpft. Ich hatte alle erdenklichen Methoden ausprobiert. Auch solche, an die ich nicht glaubte. Ich hatte nur den einen Wunsch, daß sie lesen lernte.

Wir begannen mit einem einzigen Buchstaben, dem B. Auf jede mögliche und unmögliche Art versuchte ich, Bo diesen Buchstaben nahezubringen; riesengroß malte ich ihn auf Pappkarton, damit ihr Auge sich an die Form gewöhnte, ich ließ sie die Konturen aus Glaspapier ausschneiden, um ihren taktilen Sinn zu schärfen; sie mußte tausendmal mit dem Finger in einer

Schüssel mit Salz den Buchstaben eingraben, damit sie ihn auch wirklich spürte; ich schrieb ihr das B auch auf Handfläche, Arm und Rücken. Auf das Riesen-B am Boden klebten wir unzählige kleine B-Männchen, tanzten um sie herum, liefen, sprangen und krochen auf ihnen umher und sangen dabei gellend Be-Be-Be-Be-Be! Nachher kam das O dran, und wieder ging's los, mit allen Kniffen, die ein Menschenhirn ersinnen kann. Nach endlosen drei Wochen standen wir erst mit dem B und dem O auf vertrautem Fuß.

Unsere Arbeit ging tagtäglich ungefähr so vor sich: «Sag mal, was ist das für ein Buchstabe?» Ich halte ihr eine O-Karte unter die Nase.

«M», triumphiert Bo siegesgewiß.

«Schau doch mal die Form an, ganz rund, kugelrund. Welcher Buchstabe ist so rund wie ein Ball?» Ich zeichne das O mit dem Finger nach.

«Ah, jetzt weiß ich es. Q.»

«Aber Bo. Wir arbeiten doch nur mit B und O. Nicht mit dem Q.»

«Klar doch, ich dumme Gans.» Sie greift sich an den Kopf. «Wart mal. Hm! Eine Sechs vielleicht? Ach Quatsch. Jetzt hab ich's: Es ist ein A.»

Ich beuge mich über den Tisch und sage eindringlich: «Schau ihn dir noch mal an, Bo. Er ist ganz rund. Welcher Buchstabe ist so rund wie dein Mund, wenn du ihn sagst? So wie meiner jetzt.»

«Sieben?»

«Sieben ist doch eine Zahl. Wir suchen jetzt keine Zahl. Wir sind auf der Suche nach einem B oder einem O.» Noch einmal mache ich ein ganz übertriebenes Kußmündchen und sage beschwörend: «Es gibt doch nur einen Laut, der dir jetzt zum Mund herauspurzelt, wenn du die Lippen so hältst. Welcher ist das?»

Bo schürzt die Lippen so weit sie kann, und so sehen wir denn mit unseren Spitzmäulchen wie zwei Liebhaber in höchster Spannung aus. Ihre Lippen sind zwar zu einem perfekten O geformt, aber aus ihrer Kehle dringt röchelnd ein «Llllll».

Flüsternd entweicht meinem schnappenden Fischmund ein enttäuschtes «Ohhhhhhh».

«O!» ruft Bo erfreut. «Das ist ein O!»

«Bravo, jetzt hast du's erfaßt, Bo!»

Ich halte ihr die nächste Karte hin, wieder ein O, aber diesmal mit rotem Filzstift geschrieben und nicht mit blauer Tinte. «Was ist das für ein Buchstabe?»

«Acht?»

So ging es immerfort. Stunde für Stunde. Bo war nicht dumm. Sie hatte einen ziemlich hohen IQ. Aber der Sinn dieser Buchstaben blieb ihr gänzlich verschlossen. Für sie sahen sie wohl völlig anders aus. Nur dank ihrer Zuversicht und ihrem Frohsinn machten wir nicht schlapp und hielten das Schiff auf Kurs. Sie ermüdete und verzweifelte wohl einige Male, aber sie war im Innersten von der Tatsache überzeugt, daß es mit dem B und O eines Tages klappen würde.

Einen Tag nach Nickys Ankunft kam Bo mit Tränen in den Augen ins Klassenzimmer. Sie weinte nicht richtig, aber sie wirkte abgespannt und niedergeschlagen. Sie beachtete mich nicht, ging schleppenden Schrittes zum Arbeitstisch und ließ ihr Buch müde auf ihren Platz fallen.

«Was ist denn, mein Kleines?» fragte ich.

Sie zuckte resigniert die Achseln, gab dem Stuhl einen Puff und ließ sich hineinfallen. Sie stützte den Kopf in die Hände.

«Komm, wir plaudern ein bißchen zusammen, bevor wir beginnen.»

Sie schüttelte den Kopf und fuhr sich grob mit dem Ärmel über die feuchten Augen.

Ich setzte mich neben sie auf den Rand des Tisches und nahm sie etwas genauer unter die Lupe. Ihr schwarzes Haar war in zwei lange Zöpfe geflochten und wurde von einer leuchtend roten Schleife zusammengehalten. Sie zog ihre mageren Schultern hoch, atmete seufzend ein und versuchte krampfhaft, Haltung zu bewahren. Was für ein eigenartiges Kind! Trotz ihrer heiteren Natur, ihrer Offenherzigkeit und Feinfühligkeit war sie selbst unglaublich verschlossen. Ich kannte sie eigentlich nicht sehr gut, obwohl sie mich normalerweise glauben ließ, mir sei kein Winkel ihrer Seele verborgen.

Wir schwiegen beide. Ich erhob mich nach einer Weile, um nach Nicky zu sehen. Er stand wie immer bei den Tieren und beobachtete im Augenblick die Schlange. Dabei wippte er auf den Fersen hin und her, Auge in Auge mit Benny, die sich wohlig unter einer Wärmelampe um einen dicken Holzklotz gewunden hatte und den Kopf baumeln ließ. Es war eine verrückte Position für eine Schlange, und jeder, der sie nicht kannte, hätte geglaubt, sie sei tot. Benny aber wollte gestreichelt werden. Nicky stand wie angewurzelt, schaukelte und starrte. Ich ging zurück zu Bo und stellte mich hinter sie. Sanft begann ich ihr die Schultern zu massieren.

«Ärger?»

Sie nickte.

Nicky sah zu uns hin mit großen, fragenden Augen. Bo interessierte ihn.

«Ich durfte nicht in die Pause», murmelte Bo vor sich hin.

«Warum denn?»

«Weil ich meine Sprachübungen falsch gemacht habe.» Ruhelos glitten ihre Finger über den Umschlag der Vorschulfibel.

«Aber die machst du doch normalerweise hier bei mir, wenn wir mit Lesen fertig sind.»

«Mrs. Thorsen hat das jetzt geändert. Vor der Pause müssen alle Übungen fertig sein. Wer schnell arbeitet, darf früher in die Pause. Ich darf nie.» Bo schaute auf. «Ich muß die Aufgaben schnell *und* richtig machen.»

«Aha.»

Da quollen die Tränen wieder, sie fielen nicht, sondern hingen zitternd an den Wimpern. «Ich hab's versucht, wirklich! Aber es war alles falsch, und ich mußte die ganze Zeit drinnen bleiben. Wir wollten doch Schlagball spielen, und ich wollte unbedingt Mary Ann Marks in meine Mannschaft wählen. Dann hätten wir bestimmt gewonnen. Mary Ann spielt am besten. Sie hat mir versprochen, daß ich nach der Schule bei ihr zu Hause mit ihrer Puppe spielen darf und daß sie meine Freundin wird, wenn ich sie wähle. Aber ich durfte ja nicht gehen. Und jetzt hat Mary Ann bestimmt eine andere Freundin!» Sie wischte sich eine verirrte Träne weg. «Das ist einfach gemein. Ich war an der Reihe, die Mannschaft zu wählen, und durfte nicht in die Pause. Die andern dürfen immer. Ich nie. Gemein ist das.»

Nach der Schule suchte ich Edna Thorsen auf. Wir verstanden uns meistens ganz gut. Obwohl mir manche ihrer Methoden und Ansichten nicht paßten, respektierte ich doch ihr pädagogisches Wissen, das sie sich durch ihre große Erfahrung angeeignet hatte.

«Ich befolge jetzt deinen Ratschlag», sagte sie zu mir auf dem Weg ins Lehrerzimmer.

«Was für einen Ratschlag hab ich dir denn gegeben?»

«Ich hab mich doch früher mal darüber aufgeregt, daß ich die Kinder einfach nicht dazu bringe, ihre Arbeit in der Stunde fertig zu kriegen.»

Ich nickte.

«Dein Rat war, die Schnellen zu belohnen.» Edna lächelte. «Genau das habe ich mit den Übungsbüchern gemacht. Ich sagte den Kindern, sie könnten in die Pause gehen, wenn sie ihre Übungen gemacht hätten. Dein Trick ist Gold wert, sag ich dir! Die Arbeit ist seither in einer Viertelstunde geschafft.»

«Schaust du dir diese Übungen an, bevor sie hinausgehen?»

«Ach nein, die sind schon richtig.»

«Und Bo Sjokheim?»

Edna seufzte tief. «*Ihre* Arbeiten muß ich korrigieren. Dieser

Bo fehlt es ganz einfach an gutem Willen. Zuerst ließ ich sie mit den andern Kindern rausgehn, aber dann schaute ich mir einmal an, was sie da gekritzelt hatte. Alles falsch. Keine einzige richtige Antwort. Ein Kind, das die Toleranz der Erwachsenen bei jeder Gelegenheit ausnützt.»

Mein Herz krampfte sich zusammen. Ich konnte Edna nicht mehr in die Augen blicken. Arme Bo, die nicht lesen und nicht schreiben konnte und alle Fragen falsch beantwortete. «Aber ich dachte, die Sprachübungen würde sie mit mir zusammen machen», wagte ich einzuwenden.

«Ach, Torey.» Herablassendes Wohlwollen schwang in ihrer Stimme. «Das ist etwas, was du noch lernen mußt. Du darfst rebellische Kinder auf keinen Fall päppeln, schon gar nicht in der ersten Klasse. Zuerst müssen sie spüren, wer der Herr im Haus ist. Bo braucht eine strenge Führung. Die Kleine ist klug genug, laß dich nicht von ihr an der Nase herumführen. Du mußt ihr zeigen, wie der Hase läuft. Da kannst du sehen, wo diese moderne Kindererziehung hinführt – die Kinder lernen überhaupt nichts mehr.» Ein wissendes Lächeln umspielte Ednas Lippen.

«Bei allem Verständnis für deinen Einsatz, Torey, ich verstehe dich wirklich nicht. Ihr all diese Extrastunden zu geben, das ist doch reine Zeitverschwendung. Ich habe ein Auge dafür, bei wem sich der Aufwand lohnt und bei wem nicht, glaube mir. Es ist mir einfach schleierhaft, weshalb so viel Geld und Energie in die Schwachen gepumpt wird. Klüger wäre es meiner Meinung nach, diejenigen zu fördern, bei denen der ganze Aufwand auch anschlägt.»

Ich fummelte mit unterdrückter Wut an dem Coca-Automaten herum. Mir war klar, daß ich meinem Zorn freien Lauf hätte lassen und Edna zurechtweisen sollen, statt mich an der Coca-Maschine schadlos zu halten. Das war entschieden feige von mir, ich gebe es zu, aber ich hatte ein bißchen Angst vor Edna. Sie war so verdammt überzeugt von ihrer Sache. Und hatte eine so immense Erfahrung im Umgang mit Kindern. Ich war verunsichert – vielleicht war ich selbst auf dem Holzweg?

Unglücklicherweise blieb Edna bei ihren Prinzipien. Auch am nächsten Tag mußte Bo in der Pause durcharbeiten und schleppte nach der Schule ihr Übungsheft, das vor Fehlern strotzte, zu mir. Sie resignierte immer mehr. Tränenlose Trauer. Das ging immer so weiter. Wenn wir es in unserer Stunde nicht schafften, ein fehlerfreies Blatt hinzukriegen, mußte Bo auch nach der Schule bei Edna nachsitzen. Nichts, aber auch gar nichts brachte Edna von ihrer Überzeugung ab, Bo sei einfach faul und unkonzentriert. Bo ihrerseits beugte sich zähneknirschend Ednas Regiment.

Die Folgen dieser Taktik waren aber bald auf beiden Seiten nicht mehr zu übersehen. Bo konnte sich bei mir überhaupt nicht mehr konzentrieren. Eine verzweifelte Ruhelosigkeit überfiel sie. Sie konnte keinen Augenblick still sitzen. Kaum saß sie am Arbeitstisch, sprang sie wieder hoch. Pausenlos. Begann sie schließlich zu arbeiten, lehnte sie sich alle Augenblicke im Stuhl zurück, schloß die Augen und schüttelte die Hände, um den unerträglichen Druck loszuwerden. Auch Edna kam nicht ungeschoren davon. Sie litt plötzlich unter Migräne.

Am nächsten Montag spitzte sich die Lage zu. Bo erschien nicht. Ich wartete. Ich versuchte mein ungutes Gefühl loszuwerden, indem ich Nicky Tiergeschichten erzählte. Mein Blick heftete sich an die Uhrzeiger. Ich wußte, daß Bo im Haus war. Nach einer weiteren Viertelstunde hielt ich es nicht mehr aus. Mit Nicky an der Hand wollte ich der Sache auf den Grund gehen.

«Ich hab sie zum Direktor geschickt», empfing mich Edna unter der Tür. «Dieses Kind ist zum letzten Mal in meiner Klasse gewesen, darauf kannst du dich verlassen. Stell dir vor, sie hat das Sprachbuch quer durchs Zimmer geschmissen, knapp vorbei an Sandy Lathams Kopf. Sie hätte ein Auge verlieren können. Du hättest Bo sehen sollen, als ich ihr sagte, sie solle das Buch sofort aufheben. Stolz wie eine Prinzessin drehte sie sich um und schleuderte mir ein Wort entgegen, das ich nicht zu wiederholen wage. Sieben Jahre und schon so verdorben! Ich muß auch an die andern Schüler denken. Ich kann es nicht hinnehmen, daß meine Klasse diese unflätige Sprache lernt. Deshalb habe ich sie zu Mr. Marshall geschickt. Sie hat eine Standpauke verdient.»

Nicky hinter mir her schleifend, machte ich mich auf zu Mr. Marshalls Büro. Da saß Bo tränenüberströmt im Vorraum. Sie nahm Nicky und mich gar nicht wahr.

«Darf ich Bo mitnehmen?» fragte ich die Sekretärin. «Sie hat jetzt Nachhilfeunterricht.»

Die Sekretärin schaute von ihrer Schreibarbeit auf und äugte nach Bo. «Ich glaube schon. Sie sollte da sitzen bleiben, bis sie zu weinen aufhört. Bist du soweit?»

Bo nickte.

«Willst du jetzt ein braves Mädchen sein und dich diesen Nachmittag benehmen?» fragte die Sekretärin.

Wieder nickte Bo.

Zu mir gewandt, sagte sie gnädig: «Sie können sie mitnehmen.»

So gingen wir drei Hand in Hand den Flur hinunter. Den Kopf gesenkt, betrachtete ich unsere vereinten Hände und Bos blutig abgekaute Fingernägel.

In unserem Klassenzimmer ließ ich beide los. Nicky gesellte sich wie immer zu Benny, und Bo ging zum Arbeitstisch. Inzwischen schob ich den neuerstandenen Riegel zu.

Auf dem Arbeitstisch lag noch von der Stunde zuvor eine Vorschullesefibel. Bo betrachtete das Buch ernst und zugleich abwesend, wie ein Besucher im Museum. Sie fixierte zuerst mich und dann die Tür. In ihrem Gesicht spiegelte sich ein Gefühl, das ich nicht einordnen konnte.

Plötzlich wischte Bo das Buch vom Tisch und schlug es gegen den Heizkörper. Sie zerfetzte die bunten Bilder. «Ich hasse diesen Ort! Ich hasse ihn, ich hasse ihn!» schrie sie mir zu. «Ich will nicht lesen lernen, nie. Ich *hasse* Lesen!» Der Rest ihrer Worte ging in Schluchzen unter, während die Buchseiten im Zimmer umherwirbelten.

Wie ein Sturzbach ergossen sich die Tränen über Bos Gesicht. Sie war außer sich. In ihrem Zorn gruben sich ihre Fingernägel in die Seiten und zerrten und zogen, bis nur noch der Buchdeckel übrigblieb, den sie gegen die Fensterscheiben schmiß. Sie rannte zur Tür, die aber, was sie nicht wußte, verriegelt war. Ein dumpfer Aufprall war zu hören, ein klägliches Winseln, und wie ein Häuflein Elend lag sie am Boden.

Nicky und ich waren wie gelähmt. Wahrscheinlich waren nur Sekunden vergangen. Es war keine Zeit zum Eingreifen geblieben. In der tödlichen Stille waren nur mehr der dumpfe Laut von Nickys flatternden Händen und Bos Schluchzen zu hören.

4

Jetzt waren wir eine Klasse.

Nach dem Debakel mit Edna wurde mir Bo für den ganzen Nachmittag zugeteilt. Tim und Brad, meine beiden anderen Nachhilfeschüler, wurden auf den Morgen verlegt, und so konnten Nicky, Bo und ich fast drei Stunden täglich ungestört miteinander verbringen. Offiziell war ich zwar eine Nachhilfelehrerin und die beiden Kinder nichts weiter als meine Nachhilfeschüler, aber wir wußten alle, daß ich wieder eine Klasse hatte.

Bos Stunden bei mir hießen in der Amtssprache «Förderunterricht», aber alle Beteiligten – Dan Marshall, Edna, ich und wahrscheinlich sogar Bo – waren sich bewußt, worum es ging: Wir waren der Katastrophe nur um Haaresbreite entronnen und konnten so was nicht noch einmal riskieren. Unter günstigen Voraussetzungen hätte Bo vielleicht auch ganztägig in einer normalen Klasse Fuß fassen können. Aber nicht unter Ednas konservativer Ägide. Bos Schwächen waren für Ednas sturen Betrieb zu groß. So war ein Kompromiß gefunden worden. Am Morgen erhielt sie in ihrem regulären Klassenzimmer Rechen- und Leseunterricht, am Nachmittag aber, wenn Edna sich mit ihren Schülern an schwierigere Aufgaben machte, kam Bo zu mir.

Da waren wir also, wir drei.

Nicky war und blieb ein engelhaftes Geschöpf. Wie so viele autistische Kinder war er von einer unwirklichen Schönheit und paßte nicht in unsere Welt. Vielleicht gehörte er nicht hierher. Er und seinesgleichen kamen mir manchmal vor wie Wechselbälge aus alten Sagen. Der kalten, gleißenden Schönheit eines Mär- chens entsprungen, schien er ein Gefangener auf Erden, der die Unvereinbarkeit beider Welten in sich trug. Meine Erfahrung hatte mich gelehrt, daß autistische oder schizophrene Kinder etwas von ihrer Schönheit einbüßen, wenn es gelang, die Mauer zu durchbrechen und eine Kommunikation herzustellen, als ob wir sie damit irgendwie beschmutzt hätten. Nicky aber war noch ganz vom stillen Glanz eines Traumes umhüllt; ich hatte ihn noch nicht berühren können.

Unsere Tage liefen gleichmäßig ab. Jeden Nachmittag wurde Nicky von seiner Mutter zur Schule gebracht. Die Tür öffnete sich, Nicky wurde hereingeschoben. Ein Abschiedswinken, ein Gruß zu mir hin, und weg war sie. Es war mir bis jetzt noch nie gelungen, sie über die Schwelle zu bringen und einige Worte mit ihr zu wechseln.

Nicky pflegte darauf reglos und stumm im Zimmer stehenzu- bleiben, bis ich ihm seine Jacke auszog. Da ich aber von jenem Enthüllungsakt her wußte, daß er durchaus fähig war, sich selber auszuziehen, wollte ich eines Nachmittags die Probe aufs Exem- pel machen und schauen, was geschah, wenn ich ihm nicht half. Er stand sage und schreibe fast zwei Stunden da, bis ich es aufgab und ihm beistand.

Nickys Interesse schien sich ausschließlich auf die Tiere zu richten. Besonders Benny hatte es ihm angetan. Kaum im Zimmer, stand er schon vor den Tierkäfigen. Nickys einzige Kommunikationsversuche zur Außenwelt waren zu beobachten, wenn er vor Bennys Terrarium stand, mit den Fingern vor der Schlange herumschnippte und leise, glucksende Laute von sich gab. Die übrige Zeit wiegte er sich auf den Fersen, ruderte mit den Armen, flatterte mit den Händen oder drehte und beroch alles, was im Zimmer war. Er sog jeden Tag als erstes den Geruch der Farbe an den Wänden ein, um sich danach intensiv Teppich und Boden zu widmen. Alle Gegenstände wurden erst berochen, manchmal abgeleckt und dann auf ihre Beweglichkeit geprüft. Nicky konnte anscheinend nur auf diese Weise seine Umgebung aufnehmen und kennenlernen.

Mit ihm zu arbeiten, war keine leichte Sache. Er roch so intensiv an mir herum wie an den Wänden. Während ich ihn stillzuhalten versuchte, schnüffelte und schleckte er wie wild an meinen Händen, Armen und Kleidern. Wollte man seine Aufmerksamkeit auf ein bestimmtes Objekt lenken, mußte man ihn mit eisernem Griff festhalten. Trotz meiner Umklammerung wiegte und schaukelte er sich unaufhörlich hin und zurück. Die einzige Lösung war, sich der Bewegung anzupassen und mitzuschaukeln. Jeden Abend nach der Schule mußte ich zuerst alles, was in Nickys Reichweite gewesen war, vom Speichel befreien: Gesicht, Hals, Hände, Bluse ...

Nickys Bewegungen im Raum glichen einer Art starrem, mechanischem Tanz. Er trippelte auf den Zehenspitzen, wie die Gaukler im Stadtpark. Manchmal, ganz selten, fuhr sprudelndes Leben in ihn. Meistens wurden diese Zustände durch eine Art stummer Zwiesprache mit Benny oder den Vögeln ausgelöst. Diese Phase wurde immer mit Affengekreisch eingeleitet, seine Augen leuchteten auf, und er sah mich direkt an, was sonst nie geschah. Darauf bewegte er sich in rasendem Tempo im Zimmer herum, alles Steife fiel von ihm ab; die Bewegungen waren jetzt vielmehr weich und anmutig. Er warf alle Kleidungsstücke ab und flitzte splitternackt, wie ein der Badewanne entflohener Dreikäsehoch, quietschend vor Vergnügen durch die Gegend. Dieser Augenblick von Freiheit war ebenso plötzlich vorbei, wie er gekommen war.

Nickys Kommunikationsmöglichkeiten beschränkten sich auf die vereinzelten glucksenden und surrenden Laute, die er von sich gab. Er wiederholte aber pausenlos und ohne Sinn Texte, die er irgendwo gehört hatte. Manchmal gab er das wieder, was ich unmittelbar zuvor gesagt hatte. Weitaus am häufigsten leierte er Werbesendungen, Radio- und TV-Shows, Wettervorhersagen, Nachrichten und sogar Wortgefechte zwischen seinen Eltern herunter – alles Dinge, die zeitlich weit zurücklagen und die er gespeichert hatte. Es war fast unglaublich, wie genau und in welchem Umfang er das Gehörte wiedergeben konnte. Er traf den Ton der Sprechenden haarscharf. Eine gespenstische Stimmung breitete sich dann im Zimmer aus, wenn wir über unserer Arbeit saßen und im Hintergrund längst vergangene Nachrichten und Gesprächsfetzen dahinplätscherten.

In der ersten Zeit war ich ratlos, wie ich diese beiden so verschiedenen Kinder an den Nachmittagen miteinander nutzbringend schulen sollte. Bo konnte ich wohl still beschäftigen, um mit Nicky arbeiten zu können, aber umgekehrt funktionierte das nicht. Wenn man mit Nicky etwas erreichen wollte, mußte man ständig seine Hände, seinen Mund, seinen ganzen Körper und seine Sinne in Bann schlagen und zielgerichtet beschäftigen. Dennoch lag oft ein unwirklicher Zauber auf uns. Nicky zeigte Interesse an Bo. Wenn er auch sonst nichts wahrzunehmen schien, Bo sandte er öfter verstohlene Blicke zu. Erwähnte sie seinen Namen in einem Gespräch, so konnte es geschehen, daß er aufhorchte und sich nach ihr umdrehte. Seine zärtlich glucksenden Laute waren nicht ausschließlich Benny vorbehalten. Sie richteten sich auch an Bo, wenn sie in seiner Nähe saß. Nach der ersten Woche unserer gemeinsamen Nachmittage fühlte ich mich glücklich und zufrieden. Sicherlich war es nicht die einfachste Art, diese Nachmittage zu verbringen, aber über Langeweile würden wir nie zu klagen haben. Ich war froh, daß wir jetzt eine richtige Klasse waren.

Es war nicht zuletzt der Begegnung mit Bos Vater zuzuschreiben, daß bei mir der Entscheid zugunsten der Nachmittagsbeschäftigung gefallen war. Mr. Sjokheim war ich das erste Mal begegnet, als wir mit Dan und Edna zusammen über Bos Klassenzuteilung berieten. Er war mir auf Anhieb sympathisch. Bos Vater war ein gutmütiger Mann, groß und wohlbeleibt, dem man ansah, daß er den schönen Seiten des Lebens etwas abzugewinnen verstand. Er hatte eine tiefe, weiche Stimme, und sein ansteckendes Lachen hallte weit auf den Flur hinaus. Sofort war mir klargeworden, von wem Bo einen Großteil ihrer lieben, fürsorglichen Art gelernt hatte.

Ich bat Mr. Sjokheim zu einem ausführlicheren Gespräch nach Schulschluß ins Klassenzimmer. Von Beruf war er Ingenieur und arbeitete in der Forschungsabteilung eines Flugzeugwerks – im besonderen auf dem Gebiet der Bekämpfung von Abgas- und Lärmemissionen. Mit Begeisterung sprach er von seinem Anliegen, die umweltschädigenden Einflüsse der Luftfahrt einzudämmen.

Sein Privatleben hingegen war von Schicksalsschlägen gezeichnet. Seine eigene Tochter war vierjährig durch ein Spiegelglasfenster gestürzt. Die Splitter waren ihr in den Hals gedrungen, und sie wäre fast verblutet. Die Ärzte konnten zwar ihr Leben retten, nicht aber ihr Bewußtsein. Nach dem Unfall lag sie drei Jahre künstlich ernährt und beatmet in einem Spital im Koma. Sie starb schließlich, ohne jemals das Bewußtsein wiedererlangt zu haben.

So waren die Sjokheims, vom Schicksal geschlagen und mit erschöpften Finanzen, in unsere Gegend gezogen, um ein neues Leben aufzubauen. Etwas später wurden Bo und ihre Zwillingsschwester Libby zu ihnen in Pflege gegeben. Sie entschlossen sich bald, die beiden Vierjährigen zu adoptieren. Sie wagten den Schritt, obwohl sie von den schweren seelischen und körperlichen Schädigungen der Kinder durch Mißhandlungen Kenntnis hatten. Schließlich, meinte er lächelnd, haben sie uns nötig gehabt und wir sie. Das war die Hauptsache.

Mitten im Adoptionsverfahren erkrankte Mrs. Sjokheim an Krebs und starb noch vor Bos und Libbys sechstem Geburtstag.

Für Mr. Sjokheim war es keine Frage, daß er die Kinder behalten würde. Sie waren zuvor aufeinander angewiesen gewesen und jetzt erst recht. Die Verwirklichung dieses verständlichen Wunsches gestaltete sich aber äußerst schwierig. Die bürokratischen Richtlinien bei Adoptionen standen ihm im Weg. Er hatte das zulässige Alter für Adoptiveltern überschritten. Die Kinder waren ihnen zuvor nur zugesprochen worden, weil seine Frau jünger war und die beiden Mädchen für eine Adoption schon recht alt waren. Die Adoptionsbehörde wehrte sich gegen die neue Situation, daß nur noch ein Elternteil und zudem nur der männliche vorhanden war. So gab es ein Tauziehen, das schließlich doch zugunsten von Mr. Sjokheim ausfiel, da die Mädchen schwer unterzubringen und die Adoptionsvorbereitungen beim Tode der Frau schon beinahe beendet gewesen waren.

Die letzten eineinhalb Jahre waren schwer gewesen für den fünfundvierzigjährigen Mann, der sich plötzlich mit der Situation konfrontiert sah, alleiniger Fürsorger zweier Töchter zu sein. Die Zwillinge ihrerseits mußten mit der schrecklichen Tatsache fertig werden, zwei Mütter innerhalb von zwei Jahren verloren zu haben. Mr. Sjokheims Leben veränderte sich von Grund auf. Er zog in ein kleineres Haus und gab seine Stellung als leitender Ingenieur auf, da er mehr Zeit für die Erziehung der Kinder benötigte. Die Betreuung der beiden Kinder wurde ihm zur hauptsächlichen Lebensaufgabe. Es gab wohl Zeiten, in denen er seinen Entschluß, die Kinder zu behalten, in Frage stellte, aber niemals war es ihm wirklich Ernst damit.

Bos Schwierigkeiten zeigten sich frühzeitig. Mrs. Sjokheim hatte den Mädchen vor der Einschulung das Schreiben ihres Namens beizubringen versucht. Libby konnte das im Nu, Bo überhaupt nicht. Das erste Kindergartenjahr war katastrophal. Bos Unfähigkeit, geschriebene Symbole zu erkennen oder zu schreiben, und die fortschreitende Krankheit ihrer Mutter überforderten das Kind bei weitem. Es war überaktiv und unkonzentriert. Zu Hause wirkten sich die unverarbeiteten Probleme in Bettnässen und Alpträumen aus. In Anbetracht der schwierigen Lebensumstände und des Alters der Kinder – sie waren im Herbst geboren und zählten somit zu den Jüngeren – hatten sich der Vater und die Schulleitung für beide Mädchen zu einem zweiten Kindergartenjahr entschlossen. Libby profitierte von dieser Rückstellung und wurde später eine ausgezeichnete Schülerin. Bo war nicht dasselbe Glück beschieden. Bald wurde allen klar, daß Bos Schwierigkeiten nicht nur auf mangelnde Schulreife und familiäre Umstände zurückzuführen waren. Auch gab es merkwürdigerweise Dinge, die Bo besser konnte als Libby: mündlich rechnen zum Beispiel. Hingegen lernte sie weder ihren Namen schreiben noch einen Buchstaben lesen. Die Probleme erreichten einen Höhepunkt, als Bo in der Schule einen epileptischen Anfall erlitt.

Der Arzt überwies das Kind in das Universitätsspital einer anderen Stadt. Hier wurde sie neurologisch untersucht. Auf Grund der Röntgenbilder, die einen Schädelbruch und Hirnquetschungen zeigten, wurden Bos Akten genau durchgesehen, und so kam die Mißhandlung mit anschließender Operation zur Extraktion der Knochensplitter zutage.

Die Ärzte waren vorsichtig mit ihrer Diagnose. Die Epilepsie war nach ihrer Ansicht eindeutig auf die Hirnverletzung zurückzuführen. Kleine, bisher unbemerkte Anfälle konnten allein schon der Hauptgrund des Schulversagens sein. Über die Ursachen der Schwierigkeiten auf dem Gebiet der Sprachsymbole etwas Genaues auszusagen, schien hingegen unmöglich. Die Auswirkungen von Gehirnoperationen lagen noch zu sehr im dunkeln, und außerdem spielten wohl noch andere Umstände mit. Vielleicht Geburts- oder Erbschäden? Sie war die Zweitgeborene der Zwillinge und zudem eine Frühgeburt. Wer konnte wissen, ob das einen Einfluß gehabt hatte. Die auf dem Röntgenbild sichtbare Schädelfraktur jedoch bewog auch den Chef-Neurologen zur Annahme, alles habe mit der erlittenen Mißhandlung zu tun.

Nach den neurologischen Untersuchungen im Spital wurde Bo mit Medikamenten gegen die epileptischen Anfälle nach Hause entlassen. Die äußeren Krankheitszeichen waren jetzt zwar unter Kontrolle, aber die Schulschwierigkeiten blieben. Im Juni trat Bo in die erste Klasse ein. Sie konnte das Alphabet nur so herunterhaspeln und spielend bis 1000 zählen, die Buchstaben ihres Namens jedoch kannte sie nicht.

Der einzige Lichtblick war die Hoffnung der Ärzte, Bos Zustand könne sich im Laufe der Zeit bessern. Da die Verletzung in so jungen Jahren stattgefunden hatte, bestand die Möglichkeit, daß ihr Gehirn noch vor der Pubertät Wege finden würde, die verletzten Teile zu kompensieren.

Mr. Sjokheim war froh, daß das Kind halbtags von der ersten Klasse dispensiert und zu mir gebracht worden war. Er hatte erkannt, wie sehr Bo unter Ednas Druck gelitten hatte, und sah die Notwendigkeit einer Spezialbetreuung ein.

Er schilderte mir Bos Verhalten während der letzten Wochen. Er schüttelte sorgenvoll den Kopf und sagte: «Ich mach mir solche Gedanken über das Kind. Es ist nicht das Lesen, was mir am meisten Sorgen macht. Sie wird es schon lernen, wenn ihr das bestimmt ist. Aber...» Er starrte auf den Tisch vor sich. «Aber manchmal wache ich nachts auf, und ich muß an sie denken. Es quält mich zu sehen, wie sehr sie bemüht ist, ihre Niederlagen tapfer zu ertragen und so zu tun, als machte sie sich nichts daraus. Ich aber weiß, wie sie darunter leidet.»

Während er mir dies alles anvertraute, versuchte ich mich in Bos Lage zu versetzen. Das war gar nicht so einfach. Ich hatte es immer leicht gehabt in der Schule und mich nie anstrengen müssen. Ich hatte Mühe, mir vorzustellen, wie sich eine Siebenjährige fühlen mußte, die bei allen Anforderungen versagte, obwohl sie sich doch so sehr anstrengte. Jeden Morgen aufstehen und Tag für Tag sechs Stunden an einem Ort verbringen zu müssen, wo einem ununterbrochen bewiesen wurde, wie unfähig man war, das mußte fürchterlich sein. Und das Schulgesetz schrieb ihr mindestens noch weitere sieben qualvolle Jahre vor. Nicht einmal Mörder wurden so hart bestraft. Bo war in die falsche Familie hineingeboren worden, das war ihre einzige Schuld.

5

Als kleines Mädchen äußerte ich meiner Mutter gegenüber den heißen Wunsch, später einmal eine Hexe zu werden und einen Dinosaurier zu heiraten. Das schien mir mit meinen vier Jahren der Gipfel der Glückseligkeit. Wir Kinder erfanden mit Leidenschaft vorsintflutliche Abenteuer, und ich konnte mir nichts Schöneres ausmalen, als ein Leben lang meiner Lieblingsbeschäftigung nachgehen zu können.

In dieser Hinsicht habe ich mich bis auf den heutigen Tag nicht sehr verändert. Irgendwo sitzt in mir noch das vierjährige kleine Mädchen, das seinen Dinosaurier sucht. Mein Privatleben nicht völlig von der Schule auffressen zu lassen, wurde immer mehr zu meinem Hauptproblem.

Ich war mir bewußt, daß ich selbst an dieser Entwicklung schuld war. Ich liebte meine Arbeit. Sie erfüllte mein ganzes Dasein und prägte auch mein Denken. Die Arbeit in den vier

Wänden meines Klassenzimmers hatte meine Ansichten über Leben und Tod, über Liebe und Haß, Gerechtigkeit, Wirklichkeit und über die schillernde Schönheit des menschlichen Geistes weitgehend geformt. Sie hatte mir die Augen für den Sinn des Lebens geöffnet. Ich fand umfassende Befriedigung in dieser Arbeit und gehörte jetzt zu den Menschen, die am Freitagabend schon wieder sehnlichst auf den Montag warten.

Gegen diese Ausschließlichkeit war hart anzukommen. Das wußte ich und gab mir alle Mühe, auch meine Freizeit zu genießen. Meine Gier nach geistigen und emotionalen Extremen, nach permanenter Herausforderung machte aus mir jedoch eine äußerst schwierige Lebensgefährtin.

Joc und ich waren schon beinahe ein Jahr miteinander befreundet. In unserem Fall traf das alte Sprichwort zu, daß Gegensätze sich anziehen. Er arbeitete als Chemiker in einem Forschungslaboratorium des Spitals und beschäftigte sich ausschließlich mit Dingen. Er liebte das konkret Greifbare, wie schnelle Autos, alte Gewehre, guten Wein und schöne Kleider. Er war stolzer Besitzer eines Smokings. Noch nie hatte ein Freund von mir so etwas besessen. Mit Dingen mußte man nicht reden, und vielleicht war das der Grund, weshalb Joc so wenig sprach. Er war an sich kein schweigsamer Typ, aber er redete nur über Konkretes. Es schien ihm nicht sinnvoll, über etwas zu reden, das man doch nicht ändern konnte. Joc zog es vor, sich schön anzuziehen, zum Essen auszugehen, eine Party oder ein Tanzlokal zu besuchen. Kurzum, sich zu amüsieren.

Und da war auf der anderen Seite ich, mit meinen drei Paar Jeans und der alten Militärjacke, einem Überbleibsel aus meiner Studentenprotestzeit, ich, die am liebsten abends zu Hause blieb, etwas Gutes kochte und ein interessantes Gespräch führte. Worte waren mir eine Notwendigkeit. Ich brauchte sie zur Lebensbewältigung und um Luftschlösser zu bauen.

Wir waren ein sehr ungleiches Paar. Aber irgendwie schafften wir es immer wieder, unsere Verschiedenheit zu überbrücken.

Wir stritten uns zwar unaufhörlich, aber wir versöhnten uns auch unaufhörlich. Ich liebte Joc. Er war Franzose, was ich exotisch fand, und er sah zudem sehr gut aus. Ich hatte noch nie einen so gutaussehenden Freund gehabt, was mir natürlich ungemein schmeichelte. Aber er besaß auch noch wichtigere Qualitäten. Er hatte Sinn für Humor, war romantisch veranlagt und dachte immer an all die kleinen Dinge, die ich so leicht vergaß. Was aber wahrscheinlich für mich am wichtigsten war: er schärfte meinen Sinn für die Wirklichkeit und brachte mich immer wieder von meinen Höhenflügen auf den Boden der Realität zurück. Es war eine gute, wenn auch keine einfache Freundschaft.

Der Oktober kam und mit ihm ein herrlich warmer Altweibersommer. Joc und ich sahen uns jetzt häufiger, aber er mäkelte auch häufiger an meiner Arbeit herum als zuvor. Er beschwerte sich, meine Gedanken würden auch am Feierabend um die Schule kreisen, was sicher der Wahrheit entsprach. Bo und Nicky beschäftigten mich intensiv, und ich wollte diese Probleme mit jemandem besprechen. Ich wollte Joc zeigen, wie besonders Nicky und Bo waren und weshalb ich sie liebte. Einfacher gesagt, ich brauchte jemanden, der meine Last und meine Freude mit mir teilte.

Joc aber deprimierten meine Erzählungen über all die schwierigen Kinder, wie er sagte. Weshalb mußte ich den ganzen Ballast nach Hause schleppen? Weshalb konnte ich das alles nicht hinter mir lassen? Ich hörte mir seine Vorwürfe schweigend an. Sie machten mich traurig. Ich wußte plötzlich, daß Joc niemals mein Dinosaurier sein würde.

Ich hatte eigentlich die Absicht gehabt, ein Abendessen zu kochen. Joc würde noch vorbeikommen. Wir hatten uns am Abend zuvor wieder einmal nicht einigen können. Joc wollte den neuesten Coppola-Film sehen, und ich wollte zu Hause etwas grillieren. Wie immer, wenn wir keine Einigung erzielen konnten, sagte Joc schließlich, er würde einfach mal vorbeischauen.

Als ich an diesem Abend von der Schule heimkam, erwartete mich ein Brief meiner alten Freundin Candy, die mit seelisch gestörten Kindern in einem anderen Teil des Landes arbeitete. Sie berichtete, wie sie mit ihren Kindern in der Schule Eis hergestellt hatte. Statt einer komplizierten Eiscreme-Maschine hatte sie einfach Konservendosen verschiedener Größen benützt, die sie ineinanderstellte. Auf einfachste Art war das Eis so in zehn Minuten hergestellt, und jedes Kind hatte zudem seine eigene Eismaschine.

Dieser Gedanke zündete Funken in mir. Genau das richtige für Bo, Nicky und mich! Endlich hätten wir eine gemeinsame Beschäftigung und würden auf diese Weise eine echte Klasse. Bo wäre begeistert, und Nicky würde von der Erfahrung viel profitieren. Wie leicht konnte ich das Experiment in den Rechen- und Sprachunterricht einbauen. Meine Gedanken jagten mit mir davon.

Ich suchte gerade im Tiefkühlfach eine zweite Dose gefrorenen Fruchtsaft, als Joc in meiner Wohnung erschien.

«Was, zum Teufel, machst du denn hier?» fragte er unwirsch.

«Sei doch ein Schatz und kauf mir schnell im Laden drüben noch eine Dose Orangensaft, ja?» hauchte ich aufgeregt vom Tiefkühlfach her.

«Da steht doch schon eine.»

Ich richtete mich auf, schloß den Kühlschrank und sagte: «Ich brauche aber drei Dosen und habe hier nur zwei gefunden. Sei doch ein Engel und tu mir den Gefallen, ich kümmere mich inzwischen ums Abendessen.»

Joc meinte stirnrunzelnd: «Ich dachte eigentlich, daß wir ausgehen würden, und hab bereits einen Tisch reserviert.»

Ich überdachte die ganze Angelegenheit nochmals. Auf dem Tisch lag Candys Brief, der mich so in Schwung gebracht hatte. Andrerseits stand da Joc mit einer neuen Stereokassette in der Hand, die er mir im Auto offensichtlich vorspielen wollte.

Candys Brief lockte mich wie eine Sirene. Das würde ich Joc niemals klarmachen können. Wir waren im Augenblick Lichtjahre voneinander entfernt.

«Nicht heute, Joc, ein andermal gerne. Ich mach uns jetzt etwas zum Essen, einverstanden?»

Sein Gesicht verfinsterte sich zusehends.

«Weißt du, ich wollte Eiscreme ausprobieren. Meine Freundin hat da so eine Idee...» versuchte ich mich zu rechtfertigen.

«Aber wir können das Eis doch *kaufen*, Torey.»

Stille vor dem Sturm. Ich beobachtete ihn ahnungsvoll.

«Das geht nicht, Joc. Ich muß es selbst machen. Es ist wegen der Kinder. Meine Freundin arbeitet in einer Schule wie ich.»

Zutiefst enttäuscht und verärgert legte er die Hand über die Augen. «Nicht schon wieder», stöhnte er auf.

Ich hegte im stillen immer noch die Hoffnung, daß er begreifen würde, wenn ich es ihm nur klar genug darlegen konnte. Er mußte doch einsehen, daß ich heute einfach nicht ausgehen konnte. An einem anderen Tag würde ich ja freudig mitgehen, nur heute nicht, bitte, bitte.

Ich sah seine Augen an. Sie waren grün, aber ganz anders als Nickys. Kaleidoskopisch waren sie, wie Kieselsteine auf dem Grund eines Bergbaches. Seine Augen sprachen Bände. Aber ich gab nicht auf. «Ich dachte, wir könnten das Eis heute abend ausprobieren, damit ich es morgen mit den Kindern versuchen kann, ich dachte... nun, ich hoffte...» Mir erstarben die Worte im Mund, ohne daß er überhaupt etwas sagen mußte. Ich fühlte mich wie ein kleines Mädchen. «Die Kinder hätten solche Freude daran», gelang es mir noch beizufügen.

«Deine Kinder hätten Freude daran, was?» Seine Stimme war verdächtig leise und ausgeglichen.

«Wir hätten das schnell gemacht.»

«Und was ist mit mir?»

Ich schaute betreten vor mich hin.

«Wo bin ich eigentlich in deinem Spiel?»

«Sei friedlich, Joc. Komm, wir wollen uns wieder vertragen.»

«Wir streiten nicht, sondern wir führen ganz einfach ein Gespräch unter Erwachsenen. Falls du das kapieren kannst. Was haben diese Kinder eigentlich Besonderes, was wir alle nicht haben? Warum kannst du sie nicht vergessen, wenigstens ein einziges Mal? Für dich zählen ja nur diese verrückten Kinder, sonst niemand, und das soll einer verstehen!»

«Das stimmt nicht, es zählen noch viele andere Dinge für mich.»

Wieder wurde es still. Warum, fragte ich mich, werden die wichtigsten Dinge immer wieder von diesen kleinen Pausen erstickt?

«Aber nicht wirklich. Dein Herz hängt immer an der Schule, was immer du sonst auch machst.»

Ich wußte nicht, was ich antworten sollte. Ich verstand mich nicht einmal selbst. Wie sollte ich da Joc etwas erklären können? Wir standen immer noch in der dunkel gewordenen Küche. Joc spielte mit der Kassette in seinen Händen. Ich konnte seinen Atem hören.

Schließlich schüttelte er den Kopf. Langsam. Unwillig. Ich muß gestehen, daß es mich trotz meines schlechten Gewissens Joc gegenüber unwiderstehlich zu Candys Eisrezept hinzog. Er hatte recht. Mein Herz hing an den Kindern und nicht an einem guten Nachtessen. Wie so oft zuvor stand ich vor dem unlösbaren Dilemma, es sowohl ihm wie auch mir recht machen zu wollen.

«Joc?»

Unsere Blicke trafen sich.

«Es tut mir leid.»

«Hol dir deine Jacke, wir gehen.»

Candys Rezept wurde nicht mehr an jenem Tag ausprobiert, sondern erst gegen Morgen. Nachdem mich Joc zu Hause abgeladen hatte, ging ich in ein Geschäft, das rund um die Uhr offen hat, um die dritte Fruchtsaftdose zu erstehen. Um ein Uhr dreißig konnte der Ballon steigen. Als das Experiment so richtig angelaufen war, entdeckte ich, daß ich keine Eiswürfelchen hatte. Viel zu müde, um mich darüber aufzuregen, sank ich erschöpft ins Bett.

Am nächsten Tag ging ich mit Candys Brief, einem halben Dutzend Dosen und allen für Vanille-Eis nötigen Zutaten bewaffnet zur Schule.

«Was hast du da?» fragte Bo, als ich meine ganzen Utensilien ausbreitete.

«Wir machen was Lustiges zusammen.»

«Was Lustiges», war prompt Nickys Echo zu hören.

«Was denn?» fragte Bo mißtrauisch. Zu oft war ihr schon Arbeit unter dem Deckmäntelchen von «lustigem Spiel» untergeschoben worden. Sie war auf der Hut.

«Wir werden zusammen Eis machen.»

«Eis? Solches Eis habe ich aber noch nie gesehen.» Sie stand so nahe bei mir, daß ihr Atem mich auf dem Nacken kitzelte.

«Hast du überhaupt schon mal gesehen, wie man Eis macht?»

«Nein, eigentlich nicht. Aber so habe ich es mir nicht vorgestellt.»

«Nicky! Nimm das sofort herunter!» Er hatte die große Schüssel wie einen Helm auf den Kopf gestülpt und schrie aus Leibeskräften.

«Ach, du lieber Himmel», rief Bo in weiser Voraussicht aus, «jetzt wird er alle Kleider ausziehen. Du hättest nicht so zu ihm sprechen sollen, Torey.»

«Bo, nimm ihm die Schüssel vom Kopf, bevor sie herunterfällt. Nicky, komm augenblicklich hierher und hör mit dem Geschrei auf. Nicky!»

Wir setzten Nicky nach, und eine wilde Jagd nach der Schüssel begann. Das Gefäß auf dem Kopf raste er kreischend im Zimmer herum. Plötzlich flog es in hohem Bogen in eine Ecke – und, o Wunder, es war noch ganz. Bo und ich machten uns an die Vorbereitungen. Nicky überließen wir seinem irren Taumel. Er war jetzt bereits splitternackt. Ich konnte mir nicht helfen, aber er sah wirklich aus wie ein Äffchen, das schreiend im Zoo herumhopst.

Ich zerkleinerte Eiswürfel im Ausguß, und Bo rührte das Eiscreme-Pulver in einer Schüssel an. Nicky tanzte närrisch lachend um uns herum. Neben mir hatte ich drei große Konservendosen mit drei kleineren darin bereitgestellt. Sorgfältig füllte ich den Zwischenraum mit Salz und Eisstückchen.

«Torey, ich bring dir jetzt das Eiscremezeugs», rief Bo.

«Bitte, Bo, laß das. Die Schüssel ist viel zu schwer für dich. Ich bringe die Dosen lieber zu dir.»

«Klar schaff ich das. Du weißt nicht, wie stark ich bin.»

«Bo, hast du nicht gehört, was ich gesagt habe?»

Sie hörte nicht, sondern versuchte, die Riesenschüssel, die sie kaum umfassen konnte, vom Fleck zu bringen. Ich sah das Verhängnis kommen, mußte ihm aber seinen Lauf lassen, da ich nicht schnell genug zur Stelle sein konnte. Die Schüssel fiel zu Boden und brach entzwei. Sie hatte den Sturz kein zweites Mal überlebt. Alles war voll Creme: Bos Kleider, die Tischdecke, der Boden, einfach alles.

Bo war vor Schreck wie versteinert. Sogar Nicky hielt einen Augenblick inne.

«Ich hab es nicht absichtlich getan», flüsterte sie mit einem hohen, tränenerstickten Stimmchen.

Ihre Reaktion rührte mich. Ich schluckte die unwillige Bemerkung, die ich auf der Zunge hatte, herunter. Es wäre jetzt billig gewesen zu sagen, ich hätte sie ja gewarnt. Statt dessen sagte ich: «Das kann jedem mal passieren, ist nicht so schlimm.»

«Ich hab's nicht absichtlich getan, es tut mir leid.»

«Ist schon gut, Bo. Es war ein Mißgeschick, und wir können nichts Gescheiteres tun, als sauberzumachen.»

«Ich habe es aber nicht absichtlich getan.»

«Bo, ich weiß das. Du mußt nicht weinen. So wichtig ist das doch nicht. Komm, hilf mir.»

Sie nahm meine Worte nicht auf. Ihr Gesicht war naß vor Tränen. Ihre Augen waren auf die zerbrochene Schüssel geheftet. Nicky hatte aufgehört, herumzutoben. Er kam zu mir. Alles Irre war von ihm abgefallen. Ich begann die Glassplitter zusammenzulesen.

Wieder sagte Bo: «Es tut mir leid, ich habe es nicht absichtlich getan.»

Ich sah sie forschend an. «Fühlst du dich in Ordnung, Bo? Schau mich mal an.»

«Ich habe es nicht absichtlich getan.»

Mir wurde wind und weh. Etwas stimmte da nicht. Ich versuchte, ihr in die Augen zu blicken. «Ich weiß, daß du nichts dafür kannst. Ich bin dir nicht böse. Vergiß es!»

«Es tut mir leid», piepste sie mit der Stimme eines verschüchterten Kindes. Sie schaute mich noch immer nicht an, stand wie festgenagelt noch am selben Ort, wo die Schüssel zu Boden gefallen war.

«Bo! Bo! Was hast du?» Ich hatte plötzlich Angst um sie. Etwas Schwerwiegendes ging in ihr vor. Es war nicht mehr nur die Schüssel. Bereitete sich ein Anfall vor? Ich zweifelte daran, da viele meiner Kinder schon epileptische Anfälle gehabt hatten, aber keines hatte vorher so ausgesehen. Mechanisch wiederholte sie, wie leid es ihr täte und daß sie es nicht absichtlich gemacht habe. Ich wußte nicht, wie ich auf dieses ungewöhnliche Verhalten reagieren sollte. In meiner Ratlosigkeit fuhr ich mit Aufwischen fort. Bo blieb wie angewurzelt mitten in der Cremepfütze stehen. Durch unheimliche Mächte gebannt.

Nicky teilte meine Angst. Sorgenvoll beobachtete er uns. Er nahm am Geschehen teil, stand nicht mit abwesendem Blick herum wie sonst.

Die Spannung wurde unerträglich. Ich suchte verzweifelt nach einer Möglichkeit, sie abzubauen. Es fiel mir nichts anderes ein, als ein Lied zu singen. Das einzige, das Nicky kannte.

«Der Bauer hatte einen Hund und Bingo war sein Name»,

trällerte er mit. «B-I-N-G-O!» rief er Bo eindringlich zu. «B-I-N-G-O!»

Aber alle Mühe war vergebens. Bo rührte sich nicht. Ich kniete vor sie hin und begann ihre Kleider abzuwaschen. Ich hörte ihren ängstlich verhaltenen Atem. Ihre Augen waren ausdruckslos. Geisterblick.

Wir waren jetzt gleich groß und dicht beieinander. Ich nahm ihr Gesicht sachte in meine Hände.

«Was ist los, Bo? Willst du nicht mit mir sprechen?»

«Du hast mir gesagt, ich soll's nicht tun. Ich habe nicht gehorcht. Ich bin schuld. Aber ich habe es nicht absichtlich getan.»

«Bo?»

«Wirst du mich jetzt schlagen?»

Sie sprach nicht zu mir. Sie richtete die Worte an eine unsichtbare Person. Meine Hände zitterten. Ich stand diesem Phänomen hilflos gegenüber. Ich fühlte die weiche, warme Haut ihrer Wangen und die angespannten Muskeln ihres Kinns unter meinen Händen. Obwohl wir so nahe beieinander waren, daß ich ihren heißen Atem in meinem Gesicht spürte, sah sie durch mich hindurch jemand anders an.

«Bitte, schlag mich nicht, bitte, bitte!»

Nicky kam zu uns und streckte die Hand abwechselnd nach Bo und nach mir aus, ohne uns jedoch wirklich zu berühren.

«Bo, ich bin's doch. Torey. Wir sind hier in der Schule.»

Was ging bloß in ihr vor? Ich nahm sie in die Arme und setzte mich mit der kostbaren Last im Schoß in den Kinder-Schaukelstuhl. Die Spannung in ihrem Körper war so groß, daß ihre Glieder steif waren. Ich mußte sie wie eine Puppe in die richtige Position biegen. Plötzlich löste sich der Krampf, und sie entspannte sich in meinen Armen. Ich schaukelte hin und her. Ihr Verhalten war und blieb ein Rätsel. Ich habe auch später nicht herausgefunden, wie dieser Zustand einzuordnen war. Eine Art

Anfall? Eine psychotische Episode? Eine Streß-Reaktion? Ich hatte keine Ahnung. Bo hat auch später nie davon gesprochen. Es war eines der erschreckendsten Erlebnisse meiner Lehrerlaufbahn.

Da ich sonst nichts zu tun wußte, schaukelte ich einfach hin und zurück, hin und zurück. Immer wieder. Wir waren eigentlich zu groß für den Stuhl. Bos lange Beine baumelten fast auf den Boden. Nicky beobachtete uns. Auf seinen Fersen schaukelte er im selben Rhythmus wie wir. Er war hellwach. Nichts Schlafwandlerisches war im Augenblick an ihm zu erkennen. Er tat etwas, was er noch nie getan hatte. Er berührte mich mit voller Absicht. Sanft legte er die Hand auf meine Wange und fuhr mit dem Finger über Lippen und Kinn. Dabei schaute er mich mit demselben forschenden Blick an wie ein Wissenschaftler seine Entdeckung. Nach dieser eingehenden Prüfung stieg er zu uns auf den Schaukelstuhl.

Was für ein Bild muß das gewesen sein! Wie eine kleine Pyramide türmten wir drei uns auf dem Kinder-Schaukelstuhl. Bo hielt ich an meine Brust gepreßt, und Nicky saß auf der Lehne, seine bloßen Beine lagen auf Bos Schoß. Er legte zärtlich meinen freien Arm um seine Schultern, und sein Kopf ruhte auf Bos Haar. Mit der einen Hand hielt er seinen Penis und mit der anderen streichelte er Bos Wange. «B-I-N-G-O», klang seine helle, klare Engelsstimme durch den Raum, «und B-I-N-G-O war sein Name.»

Wir boten einen absurden Anblick. Was würde wohl einer denken, der jetzt hereinkäme! Im Schaukelstuhl der nackte Nicky, die fassungslose Bo und ich. Meine Gedanken wanderten merkwürdigerweise zu Joc. Ich fühlte Mitleid mit ihm, weil er das nie verstehen würde.

6

Ich mußte die Eltern sehen, mit ihnen sprechen. Das war unbedingt nötig, damit sich die vielen Mosaiksteinchen zu einem Bild fügten. Ich mußte doch wissen, was die achtzehn Stunden außerhalb der Schule mit den Kindern geschah. Manchmal half mir auch die Erkenntnis, daß Mutter und Vater ebenso ratlos waren wie ich.

Ich versuchte mich in die Lage der betroffenen Eltern zu versetzen, aber da ich keine eigenen Kinder hatte, gelang es mir nur bruchstückhaft, wie sehr ich mich auch anstrengte. Mathematisch gesehen, kam es auf dasselbe heraus, ob man vier Kinder sechs Stunden am Tag betreute oder ein einziges während vierundzwanzig Stunden. Aber zwischen Mathematik und Gefühlen liegt eine ganze Welt.

Deshalb lag mir so viel daran, Nickys Mutter zu erwischen. Ich mußte von ihr erfahren, wie Nicky zu Hause lebte, damit ich wußte, was für ihn gut war. Außerdem sollte sie auch spüren, wie sehr Nicky mir am Herzen lag.

Jeden Tag lieferte sie mir den Jungen ab, kam aber nie herein. Erwartete ich sie vor der Tür, hatte sie immer eine Entschuldigung, um sich schnellstens davonzumachen. Es war nicht mehr zu übersehen, daß Frau Franklin mir aus dem Weg ging.

Die letzte Woche im Oktober war jeweils für Gespräche zwischen Eltern und Lehrern reserviert. Die Kinder hatten in dieser Zeit frei. Als Nachhilfelehrerin hatte ich unglaublich viele Gespräche zu führen. Es war kein Problem, mit Bos Vater in einem solchen Fünfzehnminuten-Gespräch ein wichtiges Thema zu behandeln, da wir uns regelmäßig trafen und uns gut genug kannten. Aber mit Frau Franklin war das anders. Ich konnte ihr nicht zumuten, siebeneinhalb Jahre in einer Viertelstunde zusammenzufassen. Ich ließ sie deshalb als letzte kommen.

Sie war eine kleine, feingliedrige Negerin mit einem überaus ängstlichen Ausdruck. Als sie in ihrer scheuen Art mir gegenüber Platz nahm, fragte ich mich, was sie wohl schon alles über ihren «Engel» gehört haben mußte.

«Mein Junge, wie steht's mit ihm?» Die Frage war so leise gestellt, daß ich sie bitten mußte, sie zu wiederholen. «Ich möchte so gern, daß er sprechen lernt. Wie die anderen Kinder. Kann er jetzt richtig sprechen? Haben Sie es ihm schon beigebracht?»

«Ich habe den Eindruck, Nicky macht schöne Fortschritte bei uns, Mrs. Franklin.»

Ich versuchte meiner Stimme eine zuversichtliche Note zu geben. «Wir haben noch viel vor, Nicky und ich, aber wir sind auf dem besten Weg, habe ich das Gefühl. Ich freue mich, daß er in meiner Klasse ist.»

«Sie haben ihn auch noch nicht dazu gebracht, richtig zu reden, stimmt's?»

«Nein, noch nicht.»

Sie senkte den Kopf, rutschte nervös auf dem Stuhl hin und her. Ich hatte Angst, sie wolle gehen.

«Ich will nicht, daß sie ihn mir wegnehmen. Daß er in eine Irrenanstalt kommt. Ich will meinen Jungen behalten.»

«Ich kann mir nicht vorstellen, daß jemand das im Sinn hat, Mrs. Franklin.»

«Charles, das ist mein Mann, hat das aber schon gesagt. Er sagt, wenn Nicky nicht richtig reden lernt wie andere Jungens, sperren sie ihn später in eine Anstalt, und wir können nichts mehr für ihn tun. Charles kennt sich in solchen Dingen aus. Er sagt, Nicky ist krank, und solche Kranke nehmen sie den Eltern weg.»

«Nicky ist nicht krank. Er ist nur anders.»

«Charles sagt aber, daß sie ihn wegnehmen. Die Ärzte, die werden das tun. Sie haben zu Charles gesagt, sie holen ihn, wenn er nicht richtig sprechen kann.»

Die Frau war so angsterfüllt, daß es schwierig war, ihr irgend etwas klarzumachen.

«Die Irrenhäuser, die sind nicht gut, Miß. Ich war mal in einem. Ich weiß es. Den Bruder meiner Mutter haben sie eingesperrt. Ich weiß, was ich sage.» Sie hielt inne, und das Schweigen gab mir einen Stich bis ins Herz hinein. «Dort war dieser große Junge», sagte sie mit weicher Stimme. «Groß war er, fast schon ein Mann. Er hatte Locken, genau wie mein Nicky. Und da stand er nackt in seinem eigenen Urin und weinte. Der große Junge. Er war doch schon fast ein Mann.» Ihre Augen waren voller Tränen. «Und dieser Junge war doch auch der Sohn einer Mutter.»

Ihre Angst war so groß und vielleicht sogar berechtigt, daß ich Mühe hatte, sie zu beschwichtigen. Wir sprachen lange miteinander. Sie war um drei Uhr gekommen, und jetzt fiel langsam die Oktober-Dämmerung herein. Braunes Herbstlaub wirbelte vor dem halboffenen Fenster, und ein kühler Wind versuchte unsere düstere Stimmung aufzufrischen. So ging das Gespräch immer weiter. Wir sprachen lange von nebensächlichen Dingen, weil die Wahrheit immer noch zuviel Angst einflößte. Ihr Hobby waren Quiltarbeiten, wie sie mir erzählte. Sie hatte damit schon einen Preis gewonnen, und ihre Großmutter hatte ihr eine hundertfünfzig Jahre alte Quiltarbeit hinterlassen, die noch in einer Sklavenhütte hergestellt worden war. Ich sprach von meiner ungestillten Sehnsucht nach dem fernen Wales. Schließlich kamen wir wieder auf ihren Sohn zu sprechen.

Nicky war kein Wunschkind gewesen. Seine Eltern waren damals nicht verheiratet. Die Schwierigkeit hatte darin bestanden, daß er weiß und sie schwarz war. Die Familien widersetzten sich einer Heirat aus Angst vor dem Wirbel, den eine solche Mischehe in einer kleinen Provinzstadt im Süden auslösen würde. Die beiden brannten durch und flohen nach Norden, in der Hoffnung, dort ein gemeinsames Leben aufzubauen. Die Familie von Charles wollte nichts mehr von ihm wissen, und

Mrs. Franklin hatte ihre Mutter seit dem Tag ihrer Flucht vor acht Jahren nie mehr gesehen; ihr Vater war inzwischen gestorben. Die übrige Verwandtschaft hingegen pflegte einen normalen Kontakt mit ihr.

Während der ersten Monate nach der Geburt hatten die Franklins nichts Außergewöhnliches an Nicky wahrnehmen können. Er war vielleicht ein ungewöhnlich ruhiges Baby gewesen, das schon, aber der Kinderarzt sah darin keinerlei Anlaß zur Beunruhigung. Er hatte zwar etwas spät sitzen und gehen gelernt, aber immer noch im Rahmen einer normalen Entwicklung, höchstens geringfügig verspätet. Kriechen konnte er nicht. In den ersten Jahren konnte er sogar einige Worte sprechen. Wau-wau, ade, bäng-bäng. Und kleine Verschen. Nie aber hörte man ihn Mama oder Papa sagen. Nach etwa achtzehn Monaten wurde sein Verhalten auffällig. Er weinte ununterbrochen. Nichts und niemand konnte ihn trösten. Er strampelte die ganze Nacht in der Wiege und schlug mit dem Kopf gegen die Wand. Etwas, das leuchtete, glänzte oder sich bewegte, wie sein eigener Finger zum Beispiel, erweckte sein Interesse mehr als die Menschen um ihn herum. Er sprach kein Wort mehr.

Erst als er drei Jahre alt war, begannen die Franklins sich ernsthaft Sorgen zu machen. Der Kinderarzt hatte sie immer mit «das ist sicher nur eine vorübergehende Phase» vertröstet. Nicky sei eben ein Spätentwickler, und er würde schon noch alles nachholen. Als sie ihn dann aber mit drei Jahren in den Kindergarten schickten, erkannte eine Lehrerin, daß der Junge autistisch war.

Die Jahre zwischen der erschütternden Diagnose und Nickys Eintritt in meine Klasse waren voller Leid und finanzieller Schwierigkeiten, da sich die Eltern alles am Munde absparten, um das erträumte Wunderheilmittel zu finden. Sie verkauften ihr kleines Haus und alles, was sie sonst noch besaßen, und zogen mit den beiden Kindern nach Kalifornien. Sie hatten gehört, es gebe hier eine Sonderschule für Kinder wie Nicky. Nach neun

Monaten zähen Bemühens gab die Schule auf. Sie fuhren in ihre Heimat zurück, diesmal mit einer Vitaminkur in der Tasche. Nach einer Weile zog die Familie um nach Pennsylvania, weil es da eine Schule für Hirngeschädigte gibt. Hier versuchte man, die Kinder zu heilen, indem die früheste Kindheit wiedererlebt wurde, der Mutterleib, die Geburt, das Wachsen. Nickys Eltern investierten ihr gesamtes Geld und ihre gesamte Hoffnung in diese Therapie. Vollkommen ruiniert, kehrten sie nach Hause zurück. Drei Jahre waren seither vergangen. Mr. Franklin hatte inzwischen zwölf verschiedene Stellungen angenommen, manchmal drei gleichzeitig, um für die immensen Ausgaben aufzukommen und die Familie zusammenzuhalten. Die Ehe, die Gefühle, das Geld, alles war erschöpft. Und Nicky hatte noch immer keine Fortschritte gemacht. Sein Zustand wurde für sie im Gegenteil immer unverständlicher. Jede neue Schule hatte mit einer neuen Therapie, einer neuen Methode, einer neuen Diagnose zu erklären versucht, weshalb sie gescheitert war. Immer wieder das alte Lied, in neuer Variation. Trotz des ungeheuren Aufwands wußten die Franklins kein bißchen mehr über ihren kleinen Engel als zu Beginn. Ausgelaugt und entmutigt waren sie für immer zurückgekehrt und hatten Nicky in der öffentlichen Schule angemeldet. Das war letztes Jahr gewesen.

Die Ehe, auf so unsicherem Boden geschlossen, war wohl arg mitgenommen nach all diesen Strapazen, aber sie hielt stand. Die Franklins waren beide keine gebildeten Leute, und die Probleme mit diesem Jungen überforderten sie. Mrs. Franklin gab zu, daß es manchmal schwer sei, nicht einen Schuldigen für dieses Unglück suchen zu wollen. Besonders, da die Umwelt genußvoll mit dem Finger zeigte. Aber sie liebten Nicky, trotz allem, das sei keine Frage.

Diese Art von Geschichten nahmen mich mehr mit als die schrecklichsten Berichte über rohe Gewalt, Vernachlässigung und körperlichen Schmerz. Ich haßte diese Geschichten, auf die es keine Antwort gab. Schuldlose Menschen in unverschuldeten

Umständen. Mein ausgeprägter Sinn für Gerechtigkeit litt unter all diesen Geschichten, die ich mitanhören mußte. Wo blieb da der Sinn, weshalb mußten Unschuldige leiden? Ohnmacht und Wut gegen eine Welt, die ich nicht begreifen konnte, loderten in mir hoch.

«Es ist so schwer», sagte Mrs. Franklin und starrte auf die polierte Tischplatte. «Wissen Sie, meine Schwester hat einen kleinen Jungen, einige Monate jünger als Nicky. Sie schreibt mir oft von ihm. Er ist jetzt in der zweiten Klasse und darf sogar im Kirchenchor mitsingen.» Sie sah mich an. «Ich wäre ja schon glücklich, wenn er Mama zu mir sagen würde.»

Allerheiligen war an einem Freitag. Nicky, Bo und ich nutzten jede freie Minute, unser Schulzimmer auszuschmücken. Am Morgen wurde jeweils der normale Stundenplan eingehalten, am Nachmittag jedoch fand in jedem Klassenzimmer ein Kostümfest statt. Bo wollte sich unbedingt verkleiden, und so schlug ich ihr vor, in Ednas Klassenzimmer mit den anderen Schülern zu feiern statt nur mit Nicky und mir.

Die Frage der Verkleidung versetzte Bo in große Aufregung. Eine Idee nach der andern wurde aufgegriffen und wieder verworfen. Schließlich entschloß sich Bo, sich als Hexe zu verkleiden. Geduldig hörte ich mir alle Phasen der Hexengeburt an.

«Mein Daddy hilft mir», erzählte sie mir aufgeregt. «Das Kleid ist lang und schwarz und hat einen Schal. Er hat einen Mop gefärbt, und jetzt habe ich lange schwarze Haare. Einen spitzen Hut werde ich auch aufhaben. Und rate mal, was noch?»

«Ich habe wirklich keine Ahnung, du mußt es mir sagen.»

Eine Lachsalve ging los. «*Warzen* werde ich haben!»

«Das glaube ich nicht!»

«Doch, bestimmt! Man kann sie im Laden kriegen. Ich hab's aus meinem Taschengeld gekauft. Und weißt du, was ich noch machen werde?»

«Keinen Dunst.»

«Ich werde meiner Schwester einen Schrecken einjagen. Mein Kostüm ist besser als ihres. Sie hat keine Warzen, weil sie das ganze Taschengeld für Schleckwaren ausgibt.»

«Die wird vor Schreck bestimmt umfallen, wenn sie dich sieht.»

Nicky und ich hatten unsere eigenen Pläne für diesen Nachmittag. Er hatte noch immer nicht gelernt, die Toilette selbständig zu benützen, und doch widerstrebte es mir, ihn ständig in Windeln zu halten. Auch fiel es ihm schwer, den Verschluß der Wegwerfwindeln zu öffnen, so daß seine seltenen Versuche, die Toilette rechtzeitig zu erreichen, meist mißglückten. Davon zeugten etliche Pfützen. Wenn Bo da war, hatten wir keine Zeit fürs Töpfchen-Training! Also nutzten wir jetzt die Gelegenheit. Nachher wollte ich Nicky noch zum Einkaufen mitnehmen. Er war noch nie in einem Lebensmittelladen gewesen. Wir beabsichtigten, Zutaten für unsere Eis-Kochkünste zu erwerben. Ich hatte die Hoffnung auf gutes Gelingen noch nicht gänzlich aufgegeben.

Es war bereits später Nachmittag, nach der Pause. Wir befanden uns im Ruheraum der Mädchen. Mit einem Exemplar von «Wie krieg ich mein Kind in einem Tag aufs Töpfchen» und einer Flasche Orangensaft bewaffnet, versuchten wir unser Bestes. Damit ich ihm etwas beibringen konnte, mußte er natürlich wacker trinken.

«Torey!» rief eine schluchzende Stimme. «Torey!»

Ich schaute auf den Flur hinaus. Es war Bo, das Hexchen. Ein Tränenstrom hatte die schwarze Schminke verschmiert, die Perücke war verrutscht, die kleine Gestalt war ganz aufgelöst. Sie klammerte sich verzweifelt an mich. «Was ist denn, Liebes?»

«Ich hatte solche Angst, als ich dich nicht fand», stammelte sie.

«Was ist denn passiert? Du hättest doch heute nachmittag in

Mrs. Thorsens Klassenzimmer sein sollen, weißt du nicht mehr?»
Ich hob ihr Kinn hoch. Eine Gummiwarze klebte jetzt an meiner
Bluse. Nicky kam mit heruntergelassener Hose aus dem Bade-
zimmer gehopst.

Bo wich meinem Blick aus. Sie warf den Kopf zurück, als ich
ihr ins Gesicht sehen wollte. Schließlich zog ich Nicky die Hose
wieder an und sagte beruhigend zu ihr: «Willst du wieder zu uns
kommen, Bo? Wir haben dich vermißt.»

Sie nickte.

Bo ließ sich auf einen Stuhl fallen. Ich hatte immer noch keine
Ahnung, was geschehen war. Der spitze Hut war ihr beinahe
über die Augen gerutscht. Die Diskrepanz zwischen ihrem
Aufzug und ihrem jämmerlichen Zustand war herzergreifend.
«Was ist denn? Komm, sag es mir. Hattest du einfach Angst, als
du uns nicht gleich fandest? Ist es nur das?»

Sie hörte mir nicht einmal zu. Die Tränen hatten noch eine
Warze gelöst, die jetzt auf den Tisch gespült wurde. Bo zer-
quetschte sie mit dem Fingernagel.

«Ist etwas im Schulzimmer geschehen?»

Sie nickte wieder.

«Glaubst du nicht, es wäre besser, wenn du's mir sagen
würdest?»

Sie schüttelte den Kopf.

Aus den Augenwinkeln sah ich, daß Nicky sich an seiner Hose
zu schaffen machte. Ich stand auf, um das Schlimmste zu
verhüten.

«Bleib bei mir», bat Bo.

Ich setzte mich wieder hin und ließ es bei einem mahnenden
Blick zu Nicky hin bewenden.

«Mikey Nelson hat gesagt, ich sei dumm», murmelte Bo. «Er
sagt, daß das eine Klasse für Dumme ist.»

Sie hielt den Kopf immer noch gesenkt und nestelte an einer
Strähne ihrer Perücke herum.

«Ich sei das dümmste Kind in der ganzen Schule, sagt er. Ich könnte nicht einmal die Bücher von einem Kindergartenschüler lesen, so dumm sei ich.»

«Auslachen ist etwas Häßliches, ich verstehe, daß dir das weh getan hat.»

Sie verstummte wieder.

«Vielleicht ist das schon richtig», sagte sie sanft. «Ich bin schließlich länger im Kindergarten gewesen als die anderen, und wahrscheinlich bleibe ich in der ersten Klasse auch noch mal sitzen.»

Nicky saß auf der anderen Seite des Zimmers bei seiner geliebten Schlange. Wie er so im Schneidersitz dasaß und uns unverwandt ernst und aufmerksam beobachtete, hätte man meinen können, er verstünde jedes Wort und leide mit.

Bo schaute mich an. «Stimmt das, Torey? Bin ich dumm?»

Ich hob ihren Kopf hoch, damit ich ihre Gesichtszüge in der Dämmerung besser erkennen konnte. Was für ein schönes Kind! Was war es, das mir diese Kinder so schön erscheinen ließ? Eines Tages würde mir noch das Herz brechen, so wunderbar kamen sie mir vor. Äußerlich waren sie bestimmt nicht hübscher als andere Kinder, sagte ich mir immer wieder. Es mußte also etwas anderes sein. Oder bildete ich mir alles nur ein? War ich verblendet?

«Torey?» Ihre fragende Stimme holte mich in die Wirklichkeit zurück. Die Frage, die sie gestellt hatte, lag jenseits aller Worte und lag jetzt in ihren Augen.

Es gab keine Antwort auf meine Frage. Es gab keine Antwort auf ihre Frage. Wie würde eine ehrliche Antwort lauten? Eine Antwort, die sie befriedigte? Sollte ich ihr sagen, daß sie nicht dumm war, daß ihr Gehirn aus einem anderen Grund nicht richtig funktionierte und Mikey Nelson den falschen Ausdruck gewählt hatte? So etwas hätte ich vielleicht sagen können, oder ich hätte sagen können, daß das alles eine Lüge sei. Für mich jedenfalls war es eine. Mikey Nelson wußte nicht, was er sagte. Aber in einer Welt, die vom Leistungsdenken beherrscht war, klangen meine unausgesprochenen Worte wie Hohn. *Ich* wäre plötzlich der Lügner. Es war gut möglich, daß kein Lehrer, keine Therapie, kein Bemühen, ja sogar nicht einmal Liebe genügte, um wiedergutzumachen, was der Zorn einer Nacht angerichtet hatte. Wenn das stimmte, käme ich gegen Mikey Nelsons Worte nicht an.

Sanft strich ich ihr das Haar aus der Stirn, richtete den Zauberhut wieder auf und sagte: «Dir fehlt nichts, Bo.»

Ihre Augen hingen an meinem Gesicht.

«Das ist die reine Wahrheit, und du mußt sie glauben. Höre auf niemanden, der etwas anderes sagt. Auf gar niemanden. Was er auch immer sagen mag. Dir fehlt nichts, hörst du?»

7

«Guten Tag, Thomas», sagte ich, «ich heiße Torey. Ich bin deine Lehrerin für die Nachmittagsstunden.»

«Einen verdammten Dreck interessiert mich das. Ich bleibe sowieso nicht hier. Wo sind wir hier überhaupt?»

Wir starrten uns an. Ich stand zwischen ihm und der Tür. Unter der schwarzen Kunststoffjacke hatte er die mageren Schultern abwehrend hochgezogen. Er war groß für sein Alter, aber viel zu dünn. Schwarze, fettige Haarsträhnen hingen über seine zornfunkelnden Augen. Bestimmt stammte er aus einer Wanderarbeiter-Familie. Seine Hände waren rauh und voller Schwielen. Dieser Junge wußte mit seinen zehn Jahren bereits, was Feldarbeit war.

Ich war nicht auf Thomas vorbereitet gewesen. Birk hatte erst am Morgen telefoniert, und schon stand der Junge da. Ein Blick auf seine herausfordernde Haltung, und ich wußte, weshalb er mir gebracht worden war. Keiner, der sich in ein Schulschema einordnen ließ, dieser Thomas.

«Was ist das für ein Scheißort, hab ich gefragt!» rief er jetzt lauter.

Bo kam und stellte sich zwischen mich und Thomas. Sie schaute ihn lange und gründlich an. «Das ist unser Klassenzimmer.»

«Wer, zum Teufel, bist denn du?»

«Bo Ann Sjokheim. Und wie heißt du?»

«Wo haben die mich hier reingesteckt, in ein Säuglingsheim?» Er fixierte mich. «Herrgott noch mal, ich bin in einer verdammten Babyklasse gelandet.»

«Ich bin kein Baby», protestierte Bo.

«Eine verfluchte, stinkende Babyklasse ist das. Mit kleinen Mädchen drin. Geh doch lieber zum Kinderfest, Puppe!»

Bo schob die Unterlippe vor und sagte trotzig: «Ich bin kein Baby, ich bin fast acht. Da hast du's!»

«Scheiße. Ich bleibe nicht hier.» Sein Körper nahm eine Kampfstellung ein, und die Hände hatte er zu Fäusten geballt. «Du läßt mich jetzt da vorbei, sonst kriegst du was ab.»

Angst überfiel mich. Ich wollte ihn nicht noch mehr reizen und schwieg. Die nackte Wut sprang ihm aus den Augen wie ein loderndes Feuer.

In diesem spannungsgeladenen Augenblick ging die Tür auf, und Mrs. Franklin schob Nicky zu uns herein.

«Ein Nigger! Ein Nigger ist im Zimmer! Ich will raus», rief Thomas. «Ich will nicht mit einem verdammten Nigger zusammen sein.»

Bo war entrüstet. «Er ist kein Nigger. Es ist Nicky. Du darfst nicht so mit ihm sprechen.» Sie nahm Nicky an der Hand.

Thomas überraschte mich, als ich die Tür verriegeln wollte. «Dieses Schloß wird dir nicht viel nützen. Das sprenge ich, bevor du bis zwei gezählt hast.»

«Es ist gar nicht wegen dir», entgegnete ich ihm, «es ist wegen ihm.» Ich zeigte auf Nicky. «Manchmal verirrt er sich, so weiß er besser, wo er hingehört.»

Thomas funkelte mich zornig an: «Du haßt mich, ich weiß.»

«Ich hasse dich nicht. Wir kennen uns ja überhaupt nicht.»

Plötzlich packte er einen Stuhl, schwang ihn wie ein Lasso über dem Kopf und ließ ihn durchs Zimmer in den Vogelkäfig sausen. Aufgeregt flatterten die Vögel im schwankenden Käfig herum. Nicky flüchtete unter den Tisch, und Bo gab kleine Schreie des Entsetzens von sich.

Die Wirkung, die er erzielte, feuerte Thomas offensichtlich an. Zerstörungswut packte ihn. Wie eine Furie stob er durchs Zimmer und fegte alles, was ihm in die Hände fiel, zu Boden. Bevor ich richtig realisierte, was geschah, wirbelten Bücher, die Sachen auf meinem Pult und Bos Arbeitsmappe wie Konfetti in der Luft herum. Ein zweiter Stuhl flog durchs Zimmer. Hilflos war ich der Raserei ausgeliefert. Ich hielt mich still, da ich ihm auf keinen Fall Nahrung für weitere Zornesausbrüche liefern wollte.

Thomas hielt inne und wandte sich an mich. «So, jetzt haßt du mich aber bestimmt.»

«Ich müßte lügen, wenn ich behaupten wollte, ich sei begeistert von deiner Aktion. Aber hassen tue ich dich deswegen nicht, und ich finde es auch nicht gut, daß du dir eine solche Mühe gibst, mich so weit zu bringen.»

«Aber wütend bist du, gib zu, daß ich dich wütend gemacht habe.»

Was bezweckte dieses Kind um Himmels willen? Ich wußte überhaupt nicht, was ich ihm antworten sollte. Ich war nicht wütend, und ich haßte ihn auch nicht. Angst war es eher, was ich fühlte, und das wollte ich nicht zugeben. Meine Hände waren feucht und kalt. Auf so was hatte mich Birk wahrlich nicht vorbereitet.

«Ich wette, du glaubst, daß es mir leid tut, jetzt. Es tut mir aber nicht leid, und ich werde dir das beweisen.» Er nahm einen Blumentopf und schmetterte ihn zu Boden. «Da hast du's!»

Ich bewachte immer noch die Tür, damit er auf keinen Fall entwischen konnte. Meine Gedanken jagten sich. Krampfhaft versuchte ich mich auf ein geschicktes Vorgehen zu besinnen, bevor mir dieses Kind das ganze Zimmer zerstörte oder, noch schlimmer, sich an einem Menschen vergriff. Aus Furcht, das Falsche zu tun und ihn damit noch mehr zu reizen, zögerte ich.

«Was ist eigentlich mit dir, Herrgott noch mal! Hast du die Sprache verloren? Warum unternimmst du nichts? Warum bist du nicht wütend? Vielleicht bist du nicht ganz normal, so eine Spinnerlehrerin.»

«Ich laß mich von dir nicht zornig machen, Thomas. Ich habe einfach keine Lust dazu.»

«So, du hast keine Lust dazu, was? Du spinnst ja total. Kannst du mich nicht hassen, wie alle andern auch? Glaubst wohl, du seist was Besonderes!»

«Thomas, du ziehst jetzt deine Jacke aus und setzt dich hin. Es ist höchste Zeit, mit unserer Arbeit anzufangen.»

Er schmiß mir als Antwort die Scherben des Blumentopfes entgegen. Wahrscheinlich hätte er mich getroffen, wenn das seine Absicht gewesen wäre. Aber es war nur ein halbherziger Wurf.

«So, was machst du jetzt mit mir? Willst du mich versohlen? Oder den Direktor holen?»

«Nein, ich werde ganz einfach warten, bis du dich zum Arbeiten entschließt.»

«Da kannst du bis zum Jüngsten Gericht warten. Dazu werde ich mich nie entschließen.»

Ich wartete. Der Schweiß rann mir in Bächen herunter.

«In der Schule, in der ich vorher war, holten sie die Polizei und brachten mich ins Heim. Du kannst mir also keine Angst einjagen, wie du siehst.»

«Ich will dir doch gar keine Angst einjagen, Thomas.»

«Es ist mir ganz egal, was du willst. Mir ist alles schnuppe.»

«Ich warte ganz einfach, das ist alles.»

«Schlepp mich doch zum Direktor! Der kann mich dann versohlen. Ich pfeife darauf, ich hab schon hunderttausendmal Schläge gekriegt.»

Ich wartete schweigend ab. Ich bezahlte meinen äußeren Gleichmut mit Magenkrämpfen.

«Ich könnte dir die Titten abbeißen.»

Immer wenn ich keine Antwort gab, stieß Thomas die merkwürdigsten Geräusche aus. Er hielt das Schweigen nicht aus. Sein Stolz erlaubte ihm nicht, klein beizugeben. Ich hatte irgendwie das Gefühl, daß er gar nicht raus wollte. Es gab zwar keine, aber auch gar keine Indizien dafür, ich glaubte das einfach zu spüren. Ich ließ ihn jedoch nicht aus den Augen.

Immer wieder gab es Augenblicke, in denen ich glaubte, ich hätte den Beruf verfehlt. Jetzt bewegte ich mich auf sehr unsicherem Boden. Verlassen konnte ich mich zu guter Letzt immer noch am besten auf meinen Instinkt, und der sagte mir immerhin, daß Thomas auch nicht ganz so heiß essen würde, wie er kochte. Dies mußte mir für den Augenblick genügen. Ich gab mir einen Ruck, schritt an Thomas vorbei auf die andere Seite des Zimmers und setzte mich mit scheinbarer Ruhe an meinen Schreibtisch. Zuerst zerrte ich Nicky hervor und plazierte ihn neben mich. Darauf rief ich Bo samt ihren B- und O-Karten zu mir. Mein Magen war in Aufruhr, ein sicheres Zeichen dafür, wieviel mir daran lag, als Siegerin aus diesem psychologischen Kampf hervorzugehen. Wenn Thomas jetzt hinausgehen wollte, müßte ich ihn mit physischer Gewalt zurückhalten. Das wäre ein mißlicher Anfang für eine Beziehung.

Der Zwischenfall hatte Nicky durcheinandergebracht. Er wippte auf seinem Stuhl hin und her und fuchtelte mit den Fingern vor seinen Augen herum. Ich beugte mich zu ihm und wollte ihn beruhigen. Er packte meinen Arm und schnüffelte laut die bloße Haut hinauf und hinunter.

Thomas näherte sich, als ich die Karten für Bo bereitmachte und mich mit Nicky abmühte. Da er hinter mir stand, konnte ich ihn nicht sehen, ich hörte ihn nur.

«Kannst du Spanisch?»

«Nein, fast gar nicht.»

«Weiße Hure. Ich gehe in kein Zimmer mit einer weißen Hurenlehrerin drin.»

«Ich wünschte, ich könnte Spanisch sprechen.»

«Ich könnte dir in die Fotze treten.»

Ich schluckte leer. «Kannst du denn Spanisch sprechen?»

«Natürlich. Ich bin doch Spanier. Bist du blöd oder blind? Der Großvater meines Vaters, meines richtigen Vaters, kam aus Madrid. Im richtigen Spanien, nicht in Mexiko. Der Großvater meines Vaters war ein Stierkämpfer.»

«Das ist ja toll.»

«Es stimmt auch wirklich. Ehrenwort. Der Großvater von meinem Vater war ein Stierkämpfer, ich schwör's.»

«Der muß aber mutig gewesen sein.»

«War er auch. Er hätte getötet werden können. Wurde aber nicht. Der hatte Mut, wirklich Mut. Mehr Mut als alle hier.» Kleine Pause. «Mehr Mut als du.»

«Das kann gut sein.»

Thomas stand immer noch hinter mir, so daß ich sein Gesicht nicht sehen konnte. Während ich mit ihm sprach, sah ich nur den fuchtelnden Nicky und die uns scharf beobachtende Bo.

«Was fehlt denn dem Kleinen da?» fragte Thomas. Er war jetzt ganz nahe, ich fühlte ihn dicht hinter meiner rechten Schulter. «Wieso macht er das mit seinen Händen?»

«Er macht das manchmal, wenn er unsicher ist oder Angst hat. Vielleicht hilft es ihm. Ich weiß es auch nicht genau. Er kann es uns nicht sagen, weil er nicht sprechen kann.»

«Er sieht aus wie ein Spinner, wenn er so fuchtelt. Was ist das eigentlich für ein Spinnerort? Was fehlt denn der?» Er zeigte auf Bo.

«Mir fehlt überhaupt nichts!» wehrte sich Bo zornig.

«Bo», versuchte ich sie zu beruhigen, «ich weiß das schon, aber

Thomas ist neu und muß uns erst kennenlernen. Deshalb stellt er auch Fragen.»

«Er soll sie lieber bleiben lassen. Sie sind frech. Überhaupt kommt er einfach hier rein, macht sich lustig über uns, macht unsere Sachen kaputt, und du sagst nicht mal was. Er nennt Nicky einen Nigger, findest du das nicht gemein? Er hat das Mäppchen mit all meinen Arbeitsblättern zerrissen, die ich meinem Dad zeigen sollte», schimpfte sie vor sich hin.

«Bo, nicht jetzt, bitte», sagte ich leise, aber bestimmt. «Ich werde dir das alles später erklären, sei jetzt vernünftig, okay?»

Sie schlug in stillem Protest auf den Tisch.

Wir schwiegen alle, wie mir schien, endlos. Plötzlich blickten wir uns in die Augen. Thomas hatte mir gegenüber Platz genommen. Nicky ließ den Kopf auf den Tisch fallen und schnüffelte daran herum. Ich versuchte ihn abzulenken und zeigte ihm Bos Buchstabenkarten.

Bo funkelte Thomas noch immer böse an.

«Was glotzt du so, Kleine? Gefällt dir etwas nicht, habe ich vielleicht drei Köpfe? Hat dir noch niemand gesagt, daß es nicht höflich ist, jemanden so anzuglotzen?»

«Wieso läßt dich dein Dad so reden? Mein Dad würde mir eine runterhauen, wenn ich solche Wörter in den Mund nehmen würde.»

Thomas' Gesicht bekam einen merkwürdigen Ausdruck. «Ich hätte die größte Lust, dich ungespitzt in den Boden zu hauen und dir eins in deine dumme kleine Fresse zu verpassen, und ich werde es auch tun, wenn du deine Klappe nicht augenblicklich hältst.»

«Kümmert sich dein Vater nicht um dich?»

Gespanntes Schweigen.

«Willst du wohl ruhig sein, du vorwitzige kleine Göre, du!» Er drehte seinen Stuhl so, daß er sie nicht mehr ansehen mußte. «Das stimmt überhaupt nicht, was sie sagt, weißt du. Mein Vater kümmert sich schon um mich. Mein richtiger Vater. Der wohnt in Texas. Wenn der hört, daß die mich in eine Pflegefamilie und in diese verdammte Babyklasse gesteckt haben, kommt er und holt mich raus, bestimmt.»

Ich nickte.

«Ich gehöre nicht in eine solche Klasse. Mein richtiger Vater kommt mich bald holen. Er weiß, daß ich auf ihn warte.»

In der Pause übergab ich die drei Kinder einer Hilfskraft, die sie mit auf den Spielplatz nahm. Ich nutzte die Zeit, um mir im Büro Einblick in Thomas' Akten zu verschaffen.

Da gab es nicht viel durchzublättern. Thomas war eines jener unzähligen Kinder von Wanderarbeitern, die das Land Jahr für Jahr auf der Suche nach Arbeit durchstreifen. Er war nur sporadisch zur Schule gegangen. Seine Ausbildung war lückenhaft, und niemand schien sich ernstlich darum zu kümmern.

Seine familiären Umstände gaben hingegen mehr Aufschluß, obwohl auch sie sich mit denen so mancher anderer Kinder deckten, die den Weg zu mir gefunden hatten. Er war anscheinend in Texas geboren, ich tippte allerdings eher auf Mexiko. Seine Mutter starb, als er noch im Säuglingsalter war. Sein Vater hatte sich wieder verheiratet. Als Thomas fünf Jahre alt war, hatte die Stiefmutter seinen Vater und seinen älteren Bruder während eines Streites im Affekt erschossen. Ich las diese Zeilen noch einmal sorgfältig durch. Ich hatte richtig gelesen: der Junge hatte alles mitangesehen, war Zeuge dieser schrecklichen Tat gewesen.

Die Stiefmutter kam hinter Schloß und Riegel, und Thomas, das einzig übriggebliebene Familienmitglied, bekam einen Amtsvormund. Nicht weniger als siebenmal wechselte der kleine Junge die Pflegefamilie. Danach tauchte ein Onkel väterlicherseits auf und nahm ihn zu sich. Als nächstes entdeckten die Behörden den Knirps beim Erdbeerlesen auf dem Feld. Der Onkel hatte den schulpflichtigen Knaben lieber für sich arbeiten lassen. Hinzu kamen Mißhandlungen, und dem Onkel wurde das Sorgerecht entzogen. Wieder ein Karussell verschiedener Pflegefamilien. Nirgends blieb er lange. «Asoziale Persönlichkeitsstruktur, nicht bindungsfähig» war überall vermerkt. Nach einer viermonatigen Odyssee landete er wieder bei seinem Onkel, der ihn etwas später für fünfhundert Dollar an ein Ehepaar in Michigan verkaufte. Sie konnten aber Thomas nicht bändigen und verlangten ihr gutes Geld vom Onkel zurück. Bei diesem stießen sie mit ihrer Forderung jedoch auf taube Ohren und wandten sich deshalb an die Behörden. Der Onkel wurde festgenommen, und aus unerfindlichen Gründen wurde Thomas in unserem Staat in Pflege gegeben.

Thomas' Schulkarriere war, gelinde gesagt, wirr. In keiner Schule war er länger als vier Monate gewesen. Niemand hatte auch nur die leiseste Ahnung, in welche Klasse er gehörte. Im Rechnen war er anscheinend nur ein Jahr hinter seinen Altersgenossen zurück, im Lesen hingegen hätte er in die erste Klasse eingeteilt werden müssen. Eine Untersuchung bescheinigte ihm einen IQ von 92, ein Gruppentest attestierte ihm lediglich 87.

Ich wußte natürlich genau, daß dies nicht die ausschlaggebenden Gründe waren, weshalb er an jenem Novembertag zu mir gebracht wurde. Lange hatte man versucht, ihn in eine normale Klasse einzugliedern, aber seine Lehrerin gab auf, nachdem sie ihn beim Versuch ertappte, einen jüngeren Schüler auf dem Spielplatz zu erdrosseln. Schelte, Schläge, Jugendhaft, nichts hatte Thomas' Benehmen bessern können. Da keine Klasse für schwererziehbare Kinder vorhanden war, schlugen die Behörden Privatunterricht zu Hause vor. Dagegen aber protestierten seine Pflegeeltern. Sie drohten, Thomas auf die Straße zu stellen, wenn sie sich den ganzen Tag mit ihm herumschlagen müßten. Mein Klassenzimmer war die letzte Möglichkeit, und so blieb Thomas am Morgen zu Hause und war am Nachmittag jeweils bei mir.

Nach der Pause war alles wieder so ziemlich beim alten. Nicky war immer noch nervös und unruhig, trotz meiner Ablenkungsmanöver. Widerwillig setzte sich Bo an die Arbeit, und Thomas blieb kampflustig. Allmählich spürte ich, wie diese heikle Situation an meinen Kräften zehrte. Ich fühlte mich unsäglich müde.

«Was ist das für ein Buchstabe, Bo?» Ich fuhr ihr mit dem Finger ein B im Salzgefäß vor.

Verlegen rutschte sie auf dem Stuhl hin und her. Sah Thomas wohl zu ihr hin? Ja, er schaute ihr gespannt zu.

«Schau dir die Form genau an. Was für ein Buchstabe ist das?»

Immer noch zögerte Bo. Thomas schaute mir über die Schulter, um herauszubekommen, was ich da vorgemalt hatte.

«Könntest du ihr vielleicht helfen, Thomas. Kannst du ihr einen Tip geben, was es sein könnte, ohne zu verraten, was es wirklich ist?»

Er runzelte die Stirn und dachte angestrengt nach.

«Zwei Halbkreise, Bo. Welcher Buchstabe hat zwei Halbkreise?»

«R?» hauchte Bo.

«R!» rief Thomas. «R? Du meine Güte! Dieses Mädchen ist ja kreuzdumm! Kannst du denn nicht mal lesen? Schau ihn dir doch an. Das ist doch kein R.»

«Das war jetzt genauso ein Tip, den ich im Kopf hatte, Thomas. Das hast du gut gemacht. Vielleicht würde es ihr helfen, wenn du einige Wörter, die mit dem gesuchten Buchstaben beginnen, aufzählen würdest.»

«Ich mache überhaupt nichts mehr, wenn er hierbleibt», stieß Bo böse hervor.

Thomas sagte grinsend: «Du kannst gar nicht lesen, stimmt's?»

«Thomas», sagte ich streng, «ich muß da etwas klarstellen. In diesem Zimmer wird niemand ausgelacht. Wir haben nicht viele Verbote hier, aber das ist eines.»

«Tu ich auch gar nicht. Ich hab ja nur etwas festgestellt.»

«Das stimmt nicht», schrie Bo. «Du willst nur, daß ich böse auf dich bin, daß alle böse auf dich sind und dich hassen.»

«Sag das noch mal, und ich schlag dich windelweich!»

«Seid friedlich, ihr zwei», versuchte ich zu vermitteln.

Bo sprang vom Stuhl hoch, stampfte beleidigt zum Tierkäfig hinüber und ließ sich dort auf den Boden fallen.

«Was hab ich denn getan, was? Die ist aber empfindlich, ein Babyarsch ist sie, sonst nicht's!»

Es war hoffnungslos. Wenn nicht einmal Bo diesen Jungen akzeptierte, was war da noch zu machen? Ich hatte die schlimmsten Befürchtungen. Abgekämpft rappelte ich mich hoch und ging zu Bo, um sie zu besänftigen. Nicky gesellte sich zu uns. Thomas blieb allein zurück.

Der Nachmittag schien sich endlos hinzuziehen. Thomas tat keinen Streich, und ich war nicht in der Verfassung, ihn zu animieren. Bo war immer noch zornig. Nicky befand sich sowieso in einer anderen Welt. Schließlich gelang es mir, die beiden zur Arbeit an einem Topflappen zu bewegen. Inzwischen wollte ich mir Thomas vorknöpfen, um ihm einige Regeln klarzumachen. Er hatte mich offensichtlich durchschaut, denn er verkroch sich in einen Schrank und schloß ihn hinter sich zu. Ich hätte Lust gehabt, die Tür einzutreten, aber ich nahm mich zusammen und ging zu den beiden Bastlern zurück.

«Mein Vater wird mich da rausholen, da kannst du Gift drauf nehmen!» schallte Thomas' Stimme dumpf durch den Raum.

Er bekam keine Antwort, und so mußte er wohl oder übel die Tür aufmachen.

«Er wird mich zu sich nehmen, wenn er hört, daß ich in dieser verdammten Schule und bei diesen verdammten Pflegeeltern bin.»

Bo schaute aufmerksam zu Thomas hinüber und sagte: «Ich war auch mal in einer Pflegefamilie, weißt du.»

«Ich bleib da nur, bis mein Vater mich findet.»

«Wo ist er denn?»

«In Texas, hab ich schon mal gesagt. Putz dir deine Ohren.»

«Warum ist er in Texas und nicht bei dir?»

«Der muß Geld verdienen, damit wir später zusammen leben können.»

«Ach so», sagte Bo jetzt mit sanfterer Stimme. Ihr Zorn war teilweise verraucht, dennoch blieb etwas seltsam Gespanntes in ihrem Ton. Es war eine merkwürdige Konversation, der eine Gesprächspartner immer noch im Schrank und Bo am Boden weiterwerkelnd.

«Warum warst du bei Pflegeeltern untergebracht?» fragte Thomas.

Ohne aufzuschauen, zuckte sie mit den Achseln und sagte: «Keine Ahnung. Sie hatten wahrscheinlich genug von mir.»

«Wer? Deine Eltern?»

Bo nickte. Es rumorte im Schrank, und Thomas stand vor uns. «Warum weißt du das, ich meine, wie weißt du, daß sie dich nicht mehr wollten?»

«Ich wußte es einfach.» Sie schien ganz in ihre Näharbeit vertieft.

«Hast du Heimweh nach ihnen?» fragte Thomas.

Sie zuckte wieder die Achseln. «Ich weiß nicht, ich glaube schon. Ich hab jetzt eine andere Familie.»

«Ich auch», bemerkte Thomas und begann ziellos im Zimmer herumzuwandern. «Du, Lehrerin, hast du irgendwo Klebstreifen?»

Ich zeigte ihm, wo, und widmete mich wieder Nicky.

Nach einer Weile stand Thomas plötzlich vor Bo. «Hier hast du dein Mäppchen wieder. Ich hab's zusammengeklebt. Sieht nicht gerade toll aus, aber besser ging's nicht.» Er legte ihr das Mäppchen in den Schoß.

Bo schaute sich das Flickwerk an und legte es auf die Seite.

«Kannst du Spanisch?»

«Nein.»

«Du siehst ein bißchen wie eine Spanierin aus. Wie eine richtige Spanierin, nicht wie eine aus Mexiko.»

«Ich glaube nicht, daß ich das bin. Was ist das überhaupt: ‹Spanisch›?»

«Mein Gott, wie blöd sie ist! Spanien, Dummkopf. Spanisch, wie man in Spanien spricht», rief er aus.

«Spanien ist ein Land, Bo», sagte ich, «ein Land in Europa. Die Leute, die von dort kommen, sind deshalb Spanier.»

«Ich glaube nicht, daß ich eine Spanierin bin. Ich bin aus Buffalo.»

«Ich glaube aber trotzdem, daß du ein klein bißchen eine Spanierin bist. Ich spüre das», meinte er.

8

Für Thomas und mich war es keinesfalls Liebe auf den ersten Blick. Er war eine ungeheure Herausforderung. Die Wochen nach seiner Ankunft im November waren traumatisch. Er konnte ruhig und fügsam sein und im nächsten Augenblick gewalttätig und zerstörerisch. Er war launisch und, was für mich am schwierigsten war, er provozierte mich ständig. Oft fiel ich darauf herein und durchschaute nicht, daß er es darauf angelegt hatte, mich zornig zu machen. Immer wieder schleuderte er mir trotzig entgegen: «Jetzt bist du aber böse auf mich. Du haßt mich, gib's zu!» Nach einigen Tagen wirkte dieser Ausspruch allein schon wie eine sich selbst erfüllende Prophezeiung.

Er hatte unsere Klasse ganz schön durcheinandergebracht. In den ersten Wochen weigerte er sich, irgend etwas zu arbeiten. Er beobachtete uns lediglich. Im Unterschied zu früher war ich hier nicht für den Umgang mit schwererziehbaren Kindern eingerichtet. Jede Auseinandersetzung mit Thomas artete in physische Gewalttätigkeiten aus. Natürlich hätte es Mittel gegeben. Der Direktor hätte ihm zum Beispiel eine Tracht Prügel verabreichen können. Aber Schläge würden ihn wohl kaum lehren, weniger gewalttätig zu sein. Ihn nach Hause oder in eine Erziehungsanstalt zu schicken, war auch keine wirksame Lösung, da die Schule für Thomas unbedingt notwendig war.

Ich hatte mir für den Anfang zwei Strategien ausgedacht. Ich ließ ihn frei im Raum zirkulieren. Im Unterschied zu Nicky, der sich in eine eigene Welt zurückzog, beobachtete uns Thomas dauernd. Er setzte sich manchmal zu uns und machte mit. So konnte er sich an uns gewöhnen. Seiner Gewalttätigkeit hingegen begegnete ich mit einer körperlichen Aktion. Wenn Thomas explodierte, umarmte ich ihn mit festem Zugriff von hinten, seine Arme voll umklammernd. Vielleicht auch keine ideale Lösung, dachte ich jedesmal und verfluchte mein Unvermögen. Die Erfahrung hatte mich jedoch gelehrt, daß Thomas Körperkontakt brauchte, um sich wieder aufzufangen. Befahl man ihm, auf dem Stuhl sitzen zu bleiben, schürte dies nur seinen Zorn. Auch wenn ich ihn nicht beachtete, wurde es nur schlimmer. Umfaßte ich ihn hingegen, beruhigte er sich mit der Zeit. Es ging nie ohne einen kurzen Kampf ab. Diesen Moment fürchtete ich, da Thomas noch nicht gelernt hatte, fair zu kämpfen. Ich mußte aufpassen, daß er mich nicht biß, mir nicht auf die Zehen trat oder die Ellbogen in die Brust stieß. Sein Widerstand ließ aber jedesmal nach, und ich konnte ihn loslassen.

Bo war mir eine unerwartete Hilfe. Ich vermute, das war unbeabsichtigt, da Thomas sie anfangs schwer gekränkt hatte. Auch sie verweigerte die Arbeit einige Zeit. Wahrscheinlich wollte sie vor Thomas ihre Schwächen verbergen. Doch zogen sich die beiden irgendwie an. Es waren leise Töne. Sie kamen meistens von Thomas und waren nicht zu überhören, seit er ihr das Mäppchen geflickt hatte. Vielleicht imponierte ihm ihre Furchtlosigkeit, vielleicht auch ihre ähnlichen Erfahrungen, die sie in der ihr eigenen offenen Art erzählte. Oder war es bloß ihr langes, schwarzes Haar, das es ihm angetan und das in der Tat etwas Spanisches an sich hatte. Ich habe es nie herausgefunden.

Bo konnte ohnehin nie lange wütend sein. Als klar wurde, daß Thomas bleiben würde, akzeptierte sie ihn. Dies besänftigte Thomas. Er ließ kleine Zeichen der Freundschaft gegenüber Bo erkennen: er setzte sich neben sie, hörte ihr aufmerksam zu, wenn sie etwas erzählte, und half ihr ohne provokative Zwischenbemerkungen bei den Aufgaben. Ich war dankbar, daß dieser zornige Junge Menschen noch gern haben konnte.

Ich war schon mit vielen schwierigen Charaktereigenschaften von Thomas konfrontiert worden, aber noch problematischere sollten auf mich zukommen. Der Junge hatte schnell kapiert, daß seine Zerstörungswut und Gewalttätigkeit bei mir nicht viel ausrichteten und mich nicht zu Fall brachten. Sein Repertoire war aber noch lange nicht ausgeschöpft. Ich gelangte bald zur Überzeugung, daß er irgendein Buch im Stil von «Wie treibe ich meinen Lehrer in den Wahnsinn» eingehend studiert haben mußte! Er kannte jeden Schachzug.

Seine wirksamste Waffe war die Fähigkeit, nach Belieben zu furzen. Diese Kunst beherrschte er, wie mir schien, vollkommen. Er nahm sein Opfer richtig aufs Korn, so daß dieses Geräusch und Gestank auch wirklich voll mitbekam. «Das müssen die Bohnen von heute mittag sein», pflegte er harmlos zu kommentieren. Er hätte bestimmt die Landeshymne nach Noten furzen können, wenn wir die Partitur hier gehabt hätten. Als Krönung dieser Zeremonie ließ er die Hose herunter, damit er seine Leistung auch mit der Hand fühlen konnte. Ich versuchte, das ganze Theater zu übersehen. Am besten ging man auf ein solches Benehmen gar nicht ein. Thomas aber hatte Ausdauer. Wenn der erste, zweite oder zwölfte Furz bei mir noch immer keine Reaktion hervorgerufen hatte, sprang er auf und roch genießerisch an seiner Hand: «Junge, Junge, das riecht aber verheerend! Ich halt es hier nicht mehr aus, ich muß einen anderen Stuhl haben.» Danach erhob er sich jeweils und furzte mir mitten ins Gesicht. Auch wenn ich es fertigbrachte, nicht zu reagieren, war da immer noch Bo, die sich nicht jedesmal zurückhalten konnte.

So fand er wegen seiner Hartnäckigkeit immer ein Publikum.

Leider war das nicht der einzige Lehrerschreck, den Thomas auf Lager hatte. Für mich persönlich der unangenehmste war sein Mundgeruch-Tick.

«Mein Gott», rief er eines Tages aus, als ich mich zu ihm an den Tisch setzte, «stinkst du aus dem Mund!» Dieser Ausspruch brachte mich so in Verlegenheit, daß ich mir sofort zu überlegen begann, was ich wohl zu Mittag gegessen hatte. In der Pause schlich ich mich ins Lehrerzimmer und holte mir einen Kaugummi.

Am nächsten Tag wieder der entsetzte Ausruf: «Mensch, brauchst du denn kein Mundwasser? Du hast aber wirklich einen schlechten Atem.»

Das ging eine ganze Woche so weiter. Ich bekam so etwas wie einen Verfolgungswahn. Ich nahm eine Zahnbürste mit in die Schule und putzte mir nach dem Mittagessen regelmäßig die Zähne. Ich kaufte mir ein Mundwasser nach dem andern, hauchte zur Kontrolle in meine hohle Hand, bevor ich das Klassenzimmer betrat, und erwog sogar einen Besuch beim Zahnarzt. Dieser neuerworbene Komplex wirkte sich auch auf mein Privatleben aus. Wenn ich mit Leuten sprach, hielt ich mir die Hand vor den Mund, und mit Joc hatte ich den größten Streit seit unserer Bekanntschaft, als ich mich weigerte, Knoblauchbrötchen für eine Party zuzubereiten.

Erst viel später ging mir ein Licht auf. Dan Marshall schaute eines Tages bei uns herein und beugte sich bei seinem Rundgang über Thomas, um zu sehen, woran er gerade arbeitete.

«Mensch, du hast aber einen schlechten Mundgeruch», ließ sich Thomas hören.

Dan richtete sich schockiert auf und wurde krebsrot.

Das hatte mir die Augen geöffnet, ich hatte Thomas' Taktik durchschaut. So schnell gab er aber nicht auf. Er mußte sich noch etwas Originelleres einfallen lassen.

Wir saßen gemütlich beisammen und arbeiteten an der Dekoration für den Thanksgiving-Tag. Thomas hatte seinen Platz neben mir. Er lehnte sich im Stuhl zurück, legte seine Schere beiseite und atmete ostentativ ein. Er wandte sich an mich mit der Bemerkung: «Weißt du, was du nötig hast, Torey?»

«Was denn?»

«Intimspray.»

Thomas wartete ständig mit neuen, noch abscheulicheren Einfällen auf. Eine beliebte Variation war, sich den Finger in den Hals zu stecken. Obwohl er sich nie direkt erbrach, gab er doch die ekelhaftesten Geräusche von sich. Jedesmal ließ ich mich ins Bockshorn jagen und sprang entsetzt vom Stuhl hoch.

Da war außerdem seine Nasebohr-Manie. Er bohrte zwar nicht in seiner eigenen Nase, dafür aber war Nicky eine unerschöpfliche Zielscheibe. Thomas bohrte unaufhörlich in Nickys Nase herum. «Torey, schau mal, was ich gefunden habe! Das ist doch gut, daß ich Nickys Nase mal so richtig herausputze, findest du nicht?» Kam ich dann voller Schreck angerannt, fügte er unschuldig hinzu: «Da hast du aber wirklich Glück mit mir, nicht wahr?»

Und was für ein Glück!

Das eigenartige war, daß ich nach wenigen Wochen ernstlich die Überzeugung gewann, tatsächlich ein Glückspilz zu sein. Der Junge war mir ans Herz gewachsen. Meine Liebe war irrational und heftig, wie so oft bei diesen Kindern. Ich liebte Thomas' schockierende Lebenseinstellung sowie seine Fähigkeit, sich in einer Welt zu behaupten, die ihm so übel mitgespielt hatte, und bei alledem das Lachen nicht zu verlernen. Ich schaute ihn manchmal an, wenn er so dasaß, die dünnen Schultern hochgezogen, in seiner Kunststoffjacke, die er nie auszog, und mit seinen lebhaften dunklen Augen voller Angst. Zuerst hatte ich darin nur Zorn gesehen, bis ich erkannte, daß der Zorn eigentlich nur seine Angst verbergen sollte, die dort lauerte. Vielleicht liebte ich ihn deshalb so sehr. Er war ein mutiger kleiner Kerl, den nicht einmal die Angst ganz bezwingen konnte. Thomas gab nie auf, trotz seiner Schwierigkeiten.

9

Der Dezember kam, und mit ihm kamen auch Schneestürme, Weihnachtslieder und all unsere geheimen Wünsche. Bo glaubte immer noch an den Weihnachtsmann. Oder besser gesagt, sie wollte an ihn glauben. Sogar von Thomas hörte man keine Ausfälligkeiten über dieses Thema. Was Nicky darüber dachte, wußte natürlich niemand. Er gab seine Gedanken nicht preis, falls er überhaupt darüber nachdachte.

«Gestern habe ich den Weihnachtsmann gesehen», erzählte uns Bo, als wir beim Basteln zusammensaßen. «Mein Daddy nahm mich und Libby mit ins Einkaufszentrum, und da war der Weihnachtsmann. Ich durfte sogar mit ihm sprechen.»

Ich sah, wie Thomas ihr einen Blick zuwarf, ohne den Kopf von seiner Arbeit zu heben. Danach suchten seine Augen mich. Unsere Blicke trafen sich in stillem Einverständnis.

«Hat Libby auch mit ihm gesprochen?» fragte ich.

«Nein.» Bo sah mich nicht an und arbeitete ohne Unterbrechung an der Papierdekoration weiter. «Ich hab ihn gefragt, ob er mir die Puppe, die ich im Fernsehen gesehen hatte, zu Weihnachten schenken könnte. Weißt du, was die alles kann, Torey?»

«Keine Ahnung.»

«Weißt du's, Thomas?»

«Bei dir piept's wohl ein bißchen. Glaubst du, ich spiel mit Puppen, oder was?»

«Ich will dir's sagen. Diese Puppe kann trinken und bettnässen, aber das ist noch lange nicht alles. Weißt du, was noch?»

«Herrgott, Bo, so rück doch endlich mal heraus damit! Du

plapperst und plapperst und plapperst ...»

Ein bißchen beleidigt kam Bo zum Kern ihrer Geschichte. «Sie kann essen! Richtig essen, ich hab's gesehen. Man kann die Puppennahrung in speziellen Päcklein kaufen, und die Puppe kann sie ganz allein essen. Wie richtig. Sie kann kauen und alles. Ich schwör's. Wenn ich sie bekomme, bring ich sie mit und zeig sie euch.»

Thomas beobachtete sie genau und sagte nach einer Weile zu ihr: «Glaubst du an den Weihnachtsmann, Bo?» Er hatte die Frage ruhig und sachlich gestellt, und dennoch war eine unterschwellige Zärtlichkeit in seiner Stimme.

Bo schaute auf. «Ja», sagte sie etwas trotzig.

Keine Antwort.

«Den Weihnachtsmann, den gibt's auch wirklich», betonte Bo noch einmal, wie um jeglichem Widerspruch vorzubeugen. «Ich hab ihn ja gestern selbst gesehen, Thomas!»

Thomas nickte. Er schaute nicht auf. Ich liebte diesen Jungen. Diese harte Schale, und doch war da ein weicherer Kern, als ihm selber lieb war.

«Den Weihnachtsmann, den gibt's doch, nicht wahr, Torey?» wandte Bo sich jetzt direkt an mich.

Ich sträubte mich, in die Diskussion hineingezogen zu werden. Ich war mit diesem Thema selbst nie zu Rande gekommen. Ich hatte mehr Hemmungen, über den Weihnachtsmann zu sprechen, als über Sex. Da konnte man auf gar keine Realität zurückgreifen. Da gab es nur verschiedene Interpretationen. Ganz besonders für meine Kinder, wie mir schien. Der gute Mann mit dem Bart, der alle Wünsche erfüllte, war eine so tröstliche Vorstellung, daß sie aufrechterhalten werden mußte, allen Schwierigkeiten zum Trotz. Und dennoch hatte diese Vorstellung für jedes Kind eine andere Bedeutung. Ich kannte Kinder, die an die Existenz des Weihnachtsmannes glauben mußten, weil sie zu Hause eine Mutter hatten, die sie schlug oder ihnen alle ihre Spielsachen verbrannte. Andere waren auf diesen

Glauben angewiesen, weil ihnen das Leben nichts gab, sondern alles nahm. Wieder andere brauchten keine Phantasiewelt, weil sie auch keine Wirklichkeit kannten. Der Weihnachtsmann brachte mir eigentlich nur Sorgen – er war für mich ein echt problematisches Thema.

Bo, glaube ich, hatte einen Weihnachtsmann nötig. Mit so vielen entwürdigenden Niederlagen, die sie täglich zu erdulden hatte, war eine Figur, die sie nicht nach der Richtung ihrer Buchstaben fragte, von zentraler Bedeutung. Der Weihnachtstraum, der die harte Wirklichkeit verdrängte! Bos Mängel konnten sonst durch nichts und niemand kompensiert werden.

Thomas mußte so wie ich gefühlt haben. Er ersparte mir eine Antwort, indem er mein Schweigen durchbrach und sagte: «Ich glaube auch an den Weihnachtsmann, Bo.»

«Sicher?» rief sie erstaunt aus.

«Ja, ja, sicher.»

«Meine Schwester glaubt nämlich nicht, daß es ihn gibt. Sie lacht mich aus. Aber ich habe ihr gesagt, daß es ihn wirklich gibt. Libby sagt, der Weihnachtsmann im Einkaufszentrum ist nur verkleidet und gar kein richtiger. Auch der im *Bon Marché* unten ist verkleidet. Das weiß ich doch auch. Sie braucht mir doch gar nichts zu sagen, ich bin kein Baby mehr. Ich weiß, daß das nur blöde alte Männer sind.» Sie schaute mir voll ins Gesicht, Empörung war in ihren Augen. «Und trotzdem gibt es einen richtigen Weihnachtsmann.»

Ich nickte.

«Libby aber sagt, wo ist er denn, der Weihnachtsmann, wenn man ihn doch nie sieht? Der Weihnachtsmann ist nur für Babys, damit die dran glauben, sagt Libby.»

«Es gibt aber viele Dinge, die man nicht sehen kann, und die Menschen glauben trotzdem dran», meinte Thomas. «Ich habe Jesus noch nie gesehen, glaube aber an ihn. Auch an die Mutter Gottes Maria. Jede Nacht, wenn ich mein Gebet spreche, weiß ich, daß Jesus und Maria mir zuhören, obwohl ich keinen von beiden je gesehen habe. Ich weiß auch nicht, wo das Paradies ist. Ich habe es nie gesehen.» Gedankenvoll betrachtete er Bo bei der Arbeit. «Sie sind wahrscheinlich alle eine Art von Geistern, auch der Weihnachtsmann.»

Bo wollte sich bei mir absichern. «Stimmt das, was er sagt?»

«Ich glaube, Thomas hat recht», sagte ich.

Thomas fuhr fort: «Ich glaube, der Weihnachtsmann gibt den Menschen ein gutes Gefühl, er macht, daß sie andere lieben und ihnen etwas schenken. Er kommt nicht vom Himmel herunter und macht das selbst, er bringt andere dazu, es für ihn zu machen.»

«Warum verkleiden sich dann die Männer in den Läden? Warum wollen die uns hintergehen?»

«Sie wollen dich nicht hintergehen, sie wollen uns einfach Freude machen», entgegnete ihr Thomas.

«Libby glaubt aber überhaupt nicht an ihn.»

«Libby ist blöd», erklärte Thomas darauf folgerichtig.

«Sie versteht das alles noch nicht, Bo», fügte ich hinzu. «Manchmal merken wir, daß etwas nicht stimmt, und dann wollen wir für den Augenblick nichts mehr damit zu tun haben. Aber unsere Gefühle können sich ändern. So, stell ich mir vor, ist es bei Libby. Sie glaubt jetzt nicht mehr an den Weihnachtsmann, weil er in Wirklichkeit kein netter alter Herr im roten Mantel ist, aber später wird sie merken, daß der richtige Weihnachtsmann noch viel lieber ist. Dann wird sie an ihn glauben.»

Bo überlegte kurz. «Ist es wohl in Ordnung, an den Kerl im Einkaufszentrum zu glauben, ihm die Wunschliste zu geben, wenn er doch nicht echt ist?»

Ich lächelte. «Ich glaube, das ist schon gut so. Was meinst du, Tom?»

Er nickte. «Ich glaube, das ist okay so. Der richtige Weihnachtsmann wird schon nichts dagegen haben.»

Und dann gab es auch jene Kinder, die nichts wußten von einem Weihnachtsmann.

In der zweiten Dezemberwoche ging ich mit den Kindern in der Pause ins Freie. Jener Mittwoch war ein strahlender Wintertag. Vielleicht hätte ich nicht mit ihnen hinausgehen sollen. Es war immer noch bitterkalt, und eine dünne Eisschicht bedeckte Pausenplatz, Schaukel und Klettergerüst. Mit der Ermahnung, die schlüpfrigen Geräte nicht zu benützen, ließ ich sie laufen. Der Tag war wie ein glitzerndes Juwel im trüben Wintergrau. Sollten die Kinder doch ihren Spaß haben!

Bo und Nicky sausten herum, während ich und Thomas an der Sonne miteinander plauderten. Thomas erzählte mir gerade von seiner Lieblingssendung am Fernsehen, beschrieb mir seinen Lieblingsschauspieler und verriet mir seine Absicht, diesem einen Brief zu schreiben. Das Gespräch hatte meine Aufmerksamkeit von Bo und Nicky abgelenkt.

Ein Schrei durchschnitt die Luft.

Nicky. Ich sah gerade noch, wie er vom Klettergerüst fiel. In Zeitlupe, wie so oft bei Unfällen. Der Schrei war von Bo gekommen. Nicky gab keinen Ton von sich.

«Nicky!» rief ich entsetzt und rannte los, dicht gefolgt von Thomas. «Nicky! Nicky!» Ich berührte sein Gesicht. Er lag zusammengekrümmt unter dem Turngerät. Vorsichtig, ganz vorsichtig bog ich seinen Kopf zurück. Blut rann aus seinem rechten Mundwinkel.

Bo weinte. Aufgeregt meinte Thomas: «Warum bewegt er sich nicht? Ist er tot?» Darauf weinte Bo noch lauter.

«Um Himmels willen, Thomas, natürlich ist er nicht tot. Wie kannst du auch so etwas sagen?»

«Vielleicht sollten wir beten», schlug er vor und kniete neben mich hin.

«Thomas! Ich bitte dich», rief ich verzweifelt, «hol Hilfe, so schnell du kannst. Irgend jemand, beeil dich!»

Außer sich sprang er auf, wußte aber nicht, wohin. Ich zeigte zum Schuleingang, und er rannte los wie ein Pfeil.

Nicky regte sich. Ich hielt ihn in meinen Armen. Soweit ich feststellen konnte, hatte er sich nichts gebrochen. Ich befürchtete eher eine Hirnerschütterung. Er schlug die Augen auf und begann zu wimmern.

Angeführt von Thomas, stürzten Dan Marshall und die ganze Belegschaft der Schule zum Unfallort. Dan untersuchte Nicky mit kundigen Händen.

Sanft öffnete er Nickys Mund. Blut rann über seine Hand. «Es ist seine Zunge. Schau mal.»

In Nickys Zunge klaffte ein tiefer Riß. Bo schrie erneut auf.

«Das muß genäht werden», sagte Dan, «und die Mutter muß benachrichtigt werden, damit sie uns im Spital treffen kann. Komm, wir gehen. Ich werde fahren.»

Thomas sagte ernst: «Mach dir keine Gedanken, Torey, wir kommen schon zurecht, Bo und ich. Wir werden schön brav sein, darauf kannst du dich verlassen.»

Während der ganzen Fahrt hielt ich Nicky in meinem Schoß. Er schrie nicht einmal mehr. Ich hielt eine Schüssel unter sein Kinn, falls die Wunde wieder blutete oder er sich erbrechen mußte. Nicky schlug seine Hände unaufhörlich gegen meine Beine und versuchte, sich in meinen Armen zu wiegen.

Mrs. Franklin erwartete uns auf dem Parkplatz vor dem Spital. Wir liefen zusammen zur Notfallstation, wo Mrs. Franklin Formular um Formular ausfüllen mußte. Inzwischen legten wir Nicky auf den Untersuchungstisch. Kraftlos lag er da, Blut sickerte aus seinem Mund, und nur das Geräusch seiner flatternden Hände auf der papierenen Unterlage war zu hören.

«So, junger Mann, wie fühlen wir uns denn?» Ein Arzt im weißen Kittel trat mit diesen jovialen Worten zu Nicky. Seine laute, feste Stimme durchbrach unser ängstliches Schweigen.

Ich drehte mich nach Dan um, der aber vom Erdboden verschluckt war. Er hatte mich im Stich gelassen. Bestimmt war er eine Zigarette rauchen gegangen. Er rauchte höchst selten, aber er konnte kein Blut sehen, das wußte ich. Sein Gesicht hatte sich vorhin schon grünlich verfärbt.

Der Doktor war ein älterer Herr, um die Fünfzig vielleicht, mit graumeliertem Haar, breiten Schultern, ein Arzt vom Scheitel bis zur Sohle. «Sind wir in der Schule gefallen, was?»

Nicky begann wild zu fuchteln, packte des Doktors Arm und schnüffelte daran herum.

«Was machst du denn! Hör sofort auf damit. Nimm deine Hände weg und sag mir, wie du heißt.»

Gurgelnd stieß Nicky nochmals einen Schwall Blut heraus.

«Kannst du mir nicht deinen Namen nennen? Du bist doch schon ein großer Junge. Deine Zunge kann dir nicht so weh tun, daß du nicht sprechen kannst.»

«Er kann überhaupt nicht sprechen», erklärte ich.

«Sind Sie seine Mutter?» fragte der Arzt.

«Nein, ich bin seine Lehrerin.»

«Was fehlt ihm denn?» Der Doktor deutete auf seinen Kopf. «Ich meine, psychisch.»

«Er ist einfach verängstigt. Komm, Nicky. Schau, ich bin's. Leg dich wieder hin. Der Doktor will dich nur untersuchen. Halt meine Hand da.»

«Ist er psychotisch?»

Ich zuckte mit den Achseln. «Wahrscheinlich autistisch. Wir wissen es nicht genau.»

«Jammerschade, nicht?» antwortete er. «So hübsch wie der Junge ist. Haben Sie schon bemerkt, wie gut sie alle aussehen? Was für eine Verschwendung.»

Mrs. Franklin gesellte sich zu uns und nahm meinen Platz am Kopf des Bettes ein. Dem Arzt gelang es allmählich, Nickys Mund zu öffnen.

Er murmelte irgend etwas von der Notwendigkeit, die Zunge nähen zu müssen. Eine Schwester schnallte Nicky am Tisch fest. Das konnte ich noch nachvollziehen. Nicky war zu diesem

Zeitpunkt so voller Angst, daß seine hektischen Bewegungen die Arbeit im Rachenraum behindert hätten. Die Gurten störten mich also nicht, aber der Arzt bereitete mir Kopfzerbrechen. Ich sah, wie er Nadel und Faden bereitmachte, wie er sich über Nicky beugte, während die Schwester die Gurten fester schnallte.

Nicky schrie laut auf.

Ich war etwas vom Bett entfernt gestanden. Jetzt kam ich näher. Ich begriff immer noch nicht.

«Wo bleibt denn die Betäubungsspritze?» flüsterte ich Mrs. Franklin zu.

Die arme Frau war total verschüchtert und realisierte überhaupt nicht, was um sie herum geschah. Sie begann zu weinen.

Nicky schrie wieder.

Ich war immer noch wie vor den Kopf gestoßen. Nicky schrie jetzt so laut, daß ich nicht mehr klar denken konnte. Ich stand so dicht beim Bett, daß ich den gestärkten Kittel des Arztes hätte berühren können.

«Entschuldigen Sie bitte», sagte ich noch höflich zurückhaltend, denn schließlich war es nicht direkt meine Angelegenheit und dieser Mann war immerhin Mediziner. Ich setzte nochmals an: «Entschuldigen Sie bitte, aber bekommt das Kind keine Narkose, wenigstens eine lokale?»

Der Arzt wandte sich mir mit dem Ausdruck größter Verständnislosigkeit zu. Mit belehrender Herablassung sagte er: «Der merkt das doch gar nicht. Diese Art Menschen fühlen nicht wie wir. Sie haben keine wirklichen Gefühle. Es existiert alles nur in ihrer Phantasie. Da hat es doch bestimmt keinen Sinn, gute, teure Medizin zu verschwenden.»

Nickys Schreie waren nur noch ein heiseres Krächzen. Er schnappte nach Luft.

Ich glaubte, meinen Ohren nicht zu trauen, und starrte den Arzt ungläubig an. So etwas hätte ich mir in den schlimmsten Träumen nicht vorstellen können – ich war wie gelähmt.

Dann aber packte mich eine blinde Wut. Eine Kaskade wüster

Beschimpfungen ergoß sich über den Arzt. Mein Zorn war unbändig und maßlos. Was fiel diesem Teufel in Weiß eigentlich ein? Der würde mir nicht ungeschoren davonkommen, und wenn ich ihn eigenhändig vierteilen müßte!

Zum ersten Mal in meinem Leben trachtete ich jemandem nach dem Leben. Es waren keine bewußten Gedankengänge, ich war vollkommen außer mir. Ein anderer Mann in weißem Kittel entfernte mich aus dem Raum. Es wurde mir nahegelegt, das Spital zu verlassen.

So schnell verrauchte mein Zorn aber nicht. Ich ging mit Mrs. Franklin, die ebenfalls vom Operationstisch verwiesen worden war, auf die Suche nach Dan. Da saß er im Warteraum, rauchte eine Zigarette und versuchte, sich das Blut von der Krawatte zu wischen. Ich hätte beide ohrfeigen können: Mrs. Franklin für ihr serviles und Dan für sein feiges Verhalten.

Das Adrenalin in meinem Blut erlaubte mir nicht, mich hinzusetzen. Ich tigerte den Flur hinauf und hinunter. Dan war inzwischen aus Frustration zum Kettenraucher geworden, und Mrs. Franklin kauerte auf dem Rand des Stuhles, von Zeit zu Zeit ihre feuchten Augen abtupfend.

Meine Ohnmacht angesichts dieses Zwischenfalls zehrte an mir. Da war ein wehrloses Geschöpf vorsätzlich gequält worden, und mir blieb nichts, als eine Beschwerde mit drei Kopien einzureichen.

Die ganze Szene hatte wohl nicht mehr als zehn Minuten gedauert, aber sie brannte sich für immer in mein Bewußtsein ein.

In die Schule zurückgekehrt, mußte ich Thomas und Bo beruhigen. Nicky ginge es gut, er sei mit seiner Mutter nach Hause gegangen und käme morgen bestimmt wieder zur Schule. Meine Hände zitterten immer noch, als ich ihnen die Arbeitsblätter verteilte. Ich war dankbar, daß sie mich nicht mit Fragen bestürmten. Das Erlebnis war noch zu schmerzhaft, und ich hätte es deshalb unmöglich mit irgendeinem Menschen teilen können.

«Weißt du», sagte Bo, als ich ihr die Jacke zum Nachhausegehen überzog, «es ist mir gar nicht recht, daß ich so geschrien habe auf dem Pausenplatz.»

«Mach dir keine Gedanken, ich hatte auch Angst.»

«Ich glaube, ich habe eigentlich gar nicht geschrien, weil ich Angst hatte, sondern weil es Nicky war. Ich wollte nicht, daß es ihm weh tat. Wenn ich es nur besser erklären könnte. Es wäre mir manchmal lieber, wenn es mir selbst weh täte. Ich wüßte dann, wie es ist, und könnte etwas dagegen tun. Aber wenn ein anderer Mensch leidet, kann man nichts machen. Weißt du, was ich meine?»

«Ich versteh dich gut, glaube ich.»

Ich lächelte ihr zu. Ein schwacher Ausdruck für das, was ich fühlte, für das, was sie in mir ausgelöst hatte. Ich dankte dem Schicksal, daß ich hier arbeitete und nicht im Spital dort drüben.

10

Das Traurigste am Menschsein ist das Ausmaß unserer Unwissenheit.

Im Umgang mit Kindern fühlt sich der Erwachsene so leicht allmächtig. Das ist aber leider eine Täuschung. Ich versuchte, diese Erkenntnis in der Arbeit mit meinen Kindern nie zu vergessen. Ich gab mir Mühe, mich von den unzähligen tröstlichen und einleuchtenden Erziehungstheorien nicht einlullen zu lassen. Das war gar nicht so einfach. Wir suchen ständig nach Antworten auf unsere Fragen. Intellektuell sah ich wohl ein, daß im Leben vieles unbeantwortet bleiben mußte, gefühlsmäßig konnte ich mich hingegen nie damit abfinden.

Thomas blieb eine Herausforderung für mich. Sobald ich glaubte, ihn durchschaut zu haben, warf er alles über den Haufen. Er bot sich als ideales Opfer für Erwachsenen-Theorien an. Auf Grund von dem und dem handelte er so und so. Der junge Freud hätte an mir seine helle Freude gehabt. Ich suchte und fand eine Erklärung nach der andern für sein Verhalten, obwohl ich nicht wußte, was in ihm vorging, und ich vor meiner Unwissenheit Angst hatte. Ich hatte mich des uralten Erzieher- und Psychologentricks bedient, ein Phänomen zu nennen, um es zu beherrschen. Dann, wie der Zauberlehrling, entdeckte ich trotz meiner Unwissenheit plötzlich einen Zipfel der Wahrheit.

Im Laden nebenan wurden Hyazinthenzwiebeln zum Verkauf angeboten und beim Eingang mit einer großen Tafel angepriesen: Einmalige Gelegenheit: Frühlingspracht in allen Farben! 3 für 1 $. Alte Erinnerungen an riesige Blumenbeete vor meinem College entlockten mir ein Lächeln, als ich das mickrige Kistchen sah. Aber hier in diesem rauhen Klima gediehen sie eben nicht besonders gut, und ich fürchtete, diese kleinen Blumenzwiebeln würden nie einen Frühling erleben.

Wie wäre es, wenn wir die Pflanzen in unserem Schulzimmer ziehen würden? Vielleicht könnten wir sie sogar dazu bringen, an den langen, schneereichen Tagen im Januar und Februar zu blühen. Bo hätte ihre Freude daran, sicher auch Nicky. Bei Thomas war ich mir im unklaren. Ich überprüfte blitzartig meine finanziellen Möglichkeiten und stellte fest, daß ich $ 3.28 in der Hosentasche hatte. Ich kaufte neun Zwiebeln in drei verschiedenen Farben.

Was für ein herrliches Durcheinander! Töpfe, Erde, Zeitungspapier, alles lag verstreut auf dem Boden herum. Vor uns hatten wir ein Buch mit Anleitungen aufgeschlagen. Ich las den Kindern daraus vor, wie man die Pflanzen eintopft und während sechs Wochen in den Kühlschrank stellen mußte, damit die Zwiebeln Wurzeln schlugen.

Bo hörte meinen Erläuterungen aufmerksam zu und drehte während der ganzen Zeit eine Zwiebel in der Hand herum. «Ich muß gut aufpassen, ich will das nämlich zu Hause auch machen. Ich werde meinen Daddy fragen, ob er mir und Libby ein paar Zwiebeln kauft.» Sie wandte sich Nicky zu. «Du mußt auch schauen, Nicky. Guck, hier sind die Blumen.»

Nicky mit seiner armen, geschwollenen Zunge erlaubte Bo, seinen Kopf in die von ihr gewünschte Richtung zu drehen.

«Ich will vier Zwiebeln pflanzen», meldete Thomas.

«Wir machen das zusammen, Tom, wir haben ja nur zwei Töpfe», erklärte ich ihm.

«Ich will sie in meine eigenen Töpfe setzen. Ich will meine Blumen nicht in deinen Misttopf tun.»

«Das ist gar keine schlechte Idee, sie nachher in verschiedene Töpfe zu verpflanzen, aber laß sie uns jetzt zuerst hier einsetzen. Ich habe im Moment keine andern, und außerdem ist es doch sicher egal, in welchem Topf sie im Kühlschrank stehen.»

«Ich will zwei haben, ich will meine eigenen Töpfe.» Er drohte mir wütend mit der kleinen Hacke. «Ich will einen Topf für mich und einen für meinen Vater.»

«Wir wollen doch alle Töpfe hier lassen, Tom, und sie im Januar auf unser Fensterbrett stellen.» Ich hatte immer noch keinen Weg gefunden, das Problem seines ermordeten Vaters anzugehen. «Keiner von uns nimmt den Topf nach Hause.»

«Nein!» Er stampfte mit dem Fuß auf, warf die Hacke nach mir und überschüttete mich mit Schimpfworten. «Hörst du nicht, du verdammte Kuh, ich will einen für mich, für mich.»

«Thomas», sagte Bo, «du kannst meinen haben.»

«Geh zum Teufel!» Mit einem gewaltigen Fußtritt schleuderte er die Töpfe gegen die Wand, wo sie in tausend Scherben zersprangen. «Ich hasse dich!»

Ich versuchte, ihn in meiner Umklammerung zu beruhigen. Wir kämpften miteinander, wie so oft zuvor. Er trat mir mit Wucht auf meine Turnschuhe, und ich biß die Zähne zusammen.

Bo und Nicky schauten unserem wilden Tanz gebannt zu. Sie hatten wohl Angst, aber sie ließen sich nichts anmerken. Bo setzte sich höchstens in Alarmbereitschaft, falls sie sich mit Nicky in Sicherheit bringen mußte.

Während unserer verzweifelten Umklammerung rasten sämtliche mir bekannten Theorien durch meinen Kopf. Warum führte sich Thomas so auf? Was für schreckliche Kindheitserinnerungen wurden durch meine Verweigerung in ihm freigesetzt? Welche unerfüllten Sehnsüchte ließen den toten Vater im Kopf dieses Jungen weiterleben? Woher dieser unberechenbare Zorn? Inbrünstig bat ich in meiner Not: Es soll doch um Himmels willen jemand kommen und mir diesen Jungen erklären und mir meine Angst nehmen.

Wie immer, spürte ich nach einer Weile, wie Thomas' Widerstand brach. Sein Körper erschlaffte, halb auf dem Boden, halb auf meinem Schoß liegend.

«Ich glaube, ich kann den Topf flicken», sagte Bo, auf die Scherben zeigend. «Oder mein Vater hat vielleicht einige Töpfe in der Garage. Ich kann sie mitbringen.»

«Mach dir keine Gedanken, Bo, wir können Pappschachteln aus dem Kindergarten nehmen. Für unsere Hyazinthen ist das sowieso besser.»

Thomas kauerte jetzt zu meinen Füßen, schaute zu mir hoch und fragte kaum hörbar: «Kann ich einen Topf meinem Vater bringen, wenn wir damit fertig sind?»

Was sollte ich ihm antworten? Was konnte ich ihm antworten? «Warum nicht, Tom. Wenn du nachher noch Lust hast, bestimmt.»

Während wir die Scherben zusammenfegten, holte Bo die Schachteln, und bald waren wir wieder eifrig dabei, Zwiebeln in die Erde zu stecken. Thomas schien noch nicht so recht munter.

«Bo, steck sie nicht zu tief in die Erde, schau, so», mahnte ich sie. «Tom, wie kommst du voran?»

Er schaute auf. «Warum nennst du mich eigentlich immer so?»

«Wie denn?»

«Tom. Mein Name ist Thomas, ich heiße nicht Tom.»

«Ich hab mir nichts dabei gedacht. Ich kürze manche Namen ab.»

«Auf jeden Fall mag ich das nicht, also hör auf damit.»

«Ich werde mir Mühe geben.»

«Das rat ich dir auch.» Seine Stimme hatte wieder die altbekannte zornige Note.

Ich arbeitete mit Bo und Nicky weiter an unserer Hyazinthenplantage, behielt aber Thomas im Auge. Ich spürte seine zunehmende Aggression und wußte, daß ein neuer Ausbruch kurz bevorstand.

Nicky langte nach einem Gerät und kippte dabei die Schachtel mit Erde um.

«Paß doch auf, du kleiner Dummkopf, du. Ich schlag dir den Schädel ein, wenn du das noch mal machst.»

«Thomas», sagte ich streng.

«Halt die Klappe!»

Seine Wut machte ihn ungeschickt. Er konnte die Erde nicht mehr in die Schachtel zurückfüllen. Er schmiß alles in weitem Bogen von sich. «Ich mach diese Scheiße nicht mehr mit! Du bist schuld, daß es nicht geht. Mein Vater hätte besser gewußt, wie.»

Ich schaute ihn an. «Dein Vater macht dich aber ordentlich wütend, nicht wahr?»

Was für ein dummer Ausspruch! Er war meiner unwürdig. Er gehörte zur Terminologie eines Psychiaters oder in ein Buch über Erziehung. In mein Klassenzimmer paßte er jedenfalls nicht, auch wenn er sehr wahrscheinlich der Wahrheit entsprach.

Thomas versteifte sich sichtlich. Seine Augen weiteten sich vor Entsetzen. Blitzartig wurde mir klar, daß ich zu weit gegangen war. Ich sah Tränen in seinen Augen. Der Ausbruch, den ich befürchtet hatte, blieb zwar aus, aber er hielt sich die Ohren zu, wand sich am Boden wie in unerträglichen Schmerzen und preßte die Augen zu. «Herrgott noch mal, wieso ist es so laut hier drin? Meine Ohren tun mir weh. Das bringt mich noch um! Ich höre das Blut in meinen Ohren rauschen. Mach, daß das aufhört!» jammerte er.

Bevor ich Zeit hatte, etwas zu unternehmen, hatte er den Riegel an der Tür zurückgeschoben und war auf und davon.

Wir saßen alle wie versteinert. Niemand gab einen Laut von sich. Bo wandte sich langsam zu mir. «Was ist denn passiert?»

«Ich weiß es selbst nicht genau.»

Nicky schaute uns mit seinen runden grünen Augen verloren an und sagte: «Oh, oh, oh, oh.» Da konnte ich ihm nur beistimmen.

Thomas war unauffindbar. In Panik durchsuchte ich das ganze Gebäude. Wenn er bloß nicht auf die Straße gerannt war! Ich schaute in jedes Zimmer, in jede Ecke. Ich verzichtete jedoch darauf, nach ihm zu rufen. Er würde mir doch nicht antworten, wo immer er war. Keinesfalls wollte ich Alarm schlagen und Hilfe von außen herbeiholen.

Ich durchkämmte die nähere Umgebung, suchte den Parkplatz ab, den Garten, das ganze Viertel. Falls er sich draußen verirrte, würde er wohl den Weg zurück finden? Mit dem sicheren Instinkt eines Naturgeschöpfs bestimmt, aber er würde Angst haben. Ich suchte noch einmal im Schulgebäude. Die Sorge um ihn und die Vorstellung, ich müßte seine Pflegeeltern von seinem Verschwinden benachrichtigen, schnürten mir die Kehle zu.

Plötzlich entdeckte ich ihn. Eine kleine Bewegung hatte ihn verraten. Ganz hinten in der Turnhalle war er, auf der Bühne, wo die alten Pulte und ausgedienten Schulutensilien standen. Hier kauerte er unter einem Tisch, das Gesicht von Tränen und uraltem Bühnenstaub verschmiert.

Der ganze Raum war nur von einer kleinen, mickrigen Lampe

erhellt. Ich konnte ihn nur schwach sehen. Ich mußte auf allen vieren kriechen und mein Gesicht auf den Boden ducken.

«Hallo», sagte ich.

Er sah mich mit seinen großen schwarzen Augen stumm an.

«Es tut mir leid Tom – Thomas. Ich hätte das nicht sagen sollen. Kommst du mit mir zurück ins Schulzimmer?»

Er schüttelte den Kopf.

Ich legte mich flach auf den Boden, um ihn besser sehen zu können. Er hatte sich ganz in den Wald von Möbelbeinen verkrochen. Wie er dieses Versteck gefunden hatte, war mir ein Rätsel.

Wir starrten uns an. Meine unbedachte Äußerung im Schulzimmer hatte uns nun in diese Lage gebracht. So nah beieinander und doch so fern.

«Glaub mir, Thomas, es tut mir aufrichtig leid. Wie kann ich das wieder gutmachen?»

«Geh doch einfach weg.»

«Alle Leute machen einmal einen Fehler. Ich bin da bestimmt keine Ausnahme. Es ist mir nicht recht, daß ich dich geärgert habe, ich weiß, daß ich unrecht hatte.»

«Kannst du nie deine Klappe halten, verdammt noch mal! Du sprichst und sprichst und sprichst. Kannst du nicht mal zuhören?»

So, jetzt hatte ich's gehört. Es tat weh, und ich schwieg. Wir beobachteten uns in der staubigen Dunkelheit.

Die Zeit verrann. Der Zeiger meiner Uhr schritt unerbittlich voran. Ich wagte nicht, genau hinzusehen; er würde meine Bewegung mißdeuten. Wie kam die Kollegin, die ich geholt hatte, wohl mit Bo und Nicky zurecht? Wir lagen immer noch regungslos am Boden.

Thomas bewegte sich. Er wischte sich die Tränen von den Wangen. Die Entfernung zwischen uns schien kleiner zu werden, der Graben weniger tief.

Draußen hörte man das Stimmengewirr der Kinder. Mein

Gott, es war doch bestimmt noch nicht Schulschluß! Was sollte ich bloß machen? Ich verlagerte mein Gewicht.

«Laß mich nicht allein», flüsterte er. Die Worte waren kaum hörbar.

«Nein, ich geh nicht weg.» Unwillkürlich hatte ich auch geflüstert.

Die Schule war aus, da gab es keinen Zweifel. Die Kinder stürmten lärmend nach Hause. Ich war von Angst geplagt, jemand könnte hereinplatzen und uns stören.

Totenstille. Es befand sich niemand mehr im Haus. Bo würde jetzt auch schon zu Hause sein, sie wohnte ja so nahe bei der Schule, und Nicky war bestimmt von seiner Mutter abgeholt worden wie immer.

Wir warteten und warteten. Meine Brust tat mir weh vom endlosen Auf-dem-Bauch-liegen. Staub kitzelte mich in der Nase.

«Ich möchte sterben», flüsterte Thomas.

«Sterben?»

Er nickte.

«Warum?»

«Ich hasse alles hier.»

«Hier? Ist die Schule so schlimm?»

«Nicht hier, meine ich, *hier*, diese Welt.»

«Ach so.»

«Ich weiß, wie ich mich umbringen kann. Ich schlucke Pillen. Ich habe schon welche. Mein Pflegevater muß Pillen nehmen, so blaue, ich glaube für den Blutdruck. Ich habe immer wieder eine geklaut. Jetzt hab ich genug. Ich werde in mein Zimmer gehen, sie schlucken und mir ein Kopfkissen aufs Gesicht binden, damit ich auch sicher bin. Ich will sterben.»

Ich schaute ihn an, wie er so dalag, ein zehnjähriges Häufchen Elend.

«Ich will nicht mehr leben. Ich will einfach nicht mehr. Ich ertrag's nicht mehr.»

Ich blieb stumm. Was hätte ich auch sagen können? Mit welchen Worten hätte ich ihn trösten sollen?

Ich schlängelte mich auf dem Bauch in seine Nähe, so nah es eben ging, und streckte meine Hand durch das Möbelgewirr nach ihm aus. Es reichte nicht. «Thomas, kannst du meine Hand fassen?»

Keine Antwort. Ich sah immer noch Tränen in seinen Augen glitzern.

«Kannst du mich berühren, Thomas?»

«Ich glaube schon.»

«Komm, halt meine Hand.»

Ich hörte ein Rascheln und Scharren, dann fühlte ich Thomas' kalte, feuchte Hand in meiner.

«Halt mich fest, Thomas.»

So lagen wir wieder eine Weile Hand in Hand mit verrenkten, steifen Gliedern. Ich hörte mein Herz schlagen.

«Mein Vater ist tot», flüsterte Thomas.

«Ich weiß.»

«Ich möchte auch tot sein. Ich will zu meinem Vater. Ich will fortgehen.»

«Halt mich fest, Thomas.»

«Ich halt's nicht aus hier, es ist zu schlimm.»

Ich sagte nichts.

«Mein Pflegevater haßt mich. Meine Pflegemutter haßt mich. Das ist denen egal, ob ich lebe oder sterbe. Ich gehöre niemandem. Alle hassen mich.»

«Bo nicht.»

«Was?»

«Ich hab gesagt, Bo haßt dich nicht.»

«Was bedeutet das schon. Sie ist doch nur ein kleines Mädchen.»

«Ja, aber sie ist doch immerhin jemand.»

«Stimmt.» Stille breitete sich aus. «Dich hasse ich nicht», sagte er schließlich.

«Das glaub ich dir.»

«Man kann Bo nicht hassen, auch wenn man wollte.»

«Nein. Ich glaube, das kann man wirklich nicht.»

Wieder Stille. Thomas hielt meine Hand jetzt fester.

«Haßt du mich, Torey?»

«Nein.»

«Doch, du haßt mich.»

«Nein.» Ich lächelte ihm zu. Wehmütig, leise. Wieder kam mir die Unangemessenheit jeglicher Worte zum Bewußtsein. Was konnte ich ihm sagen, das er glauben würde?

Wir starrten uns immer noch an. Wie Überlebende einer Katastrophe hielten wir uns an den Händen, damit wir nicht auseinandergerissen wurden. Plötzlich war ich nicht mehr Herr meiner eigenen Gefühle. Sie überschwemmten mich, und ich fragte nicht mehr lange nach der Richtigkeit meiner Worte. Die Tränen waren mir zuvorderst.

«Nein, Thomas, ich hasse dich nicht. Ich weiß nicht, was ich machen soll, daß du mir glaubst. Siehst du, du bringst mich zum Weinen, weil ich nicht weiß, was ich sagen soll, aber du mußt mir einfach glauben.»

Keine Antwort.

«Du bist etwas ganz Besonderes für mich. Ich liebe dich, so wie du bist. Das ist die Wahrheit.» Wie schwierig war das auszusprechen.

Er erwiderte nichts und schaute mich nur an. Wieder flossen seine Tränen.

«Komm, Thomas, komm zu mir.»

Er schüttelte den Kopf.

«Bitte, bitte!»

Wieder schüttelte er den Kopf.

«Ich brauche dich. Komm zu mir, daß ich dich umarmen kann.»

Er kam. Weder langsam noch schnell, weder leise noch laut. Da stand er jetzt über mich gebeugt. Einen Moment lang bewegten wir uns beide nicht. Sein Gesicht war immer noch naß, seine Haare zerzaust. Dann umschlang er meinen Hals. Da ich immer noch auf dem Boden kniete, gelang es mir nur, seine Beine zu umfangen.

«Du sagst ihnen nicht, daß ich geweint habe?» bat er schließlich, sein Gesicht immer noch in meine Haare vergraben.

«Nein.»

«Du sagst es auch Bo nicht?»

«Nein.»

«Ich wollte nicht weinen. Ich bin schon zu groß dazu. Ein Mann weint doch nicht.»

«Das macht doch nichts. Alle müssen mal weinen, auch Männer.»

Er trat einen Schritt zurück und ließ mich los. Er sah auf mich herab. Sachte kniete er sich nieder und legte seine Hände auf meine Wangen, als wäre ich ein kleines Kind, das getröstet werden mußte. Ein rührendes Lächeln breitete sich über sein Gesicht. «Du kannst mich Tom nennen, wenn du willst.»

11

Weihnachten. Von überall her schallten Lieder durch die tiefverschneite Landschaft. Kerzen flackerten in den Fenstern, und farbige Lämpchen glühten an den Türen. Die Menschen waren fröhlich und munter.

Ich genoß diese Zeit der Festlichkeiten in vollen Zügen. Ich hatte mit meinen Kindern die üblichen Weihnachtsvorbereitungen getroffen. Den Weihnachtsbaum kauften wir bei einem achtzigjährigen Mann, der die Tannen noch selber im Wald schlug und sie auf dem Parkplatz des Einkaufszentrums feilbot. Wir kauften den größten und buschigsten Baum. Nur mit Mühe schafften wir ihn in meinem kleinen Auto zur Schule. Wir drehten Girlanden, bis wir Blasen an den Fingern hatten, sangen Weihnachtslieder, bis wir heiser waren, und backten Kuchen, bis der Ofen rauchte. Der Zauber der Weihnachtszeit hüllte uns ein. Für kurze Zeit herrschte eitel Freude und Wonne. Dann kamen die Weihnachtsferien, und wir trennten uns für zehn Tage.

Joc und ich gaben eine Party. Ich beabsichtigte, zwei Tage vor Weihnachten nach Montana zu fahren, und deshalb planten wir unser Fest auf den Freitag vor meiner Abreise. Alle unsere Freunde waren eingeladen, und ich hatte einige Bedenken, wenn ich an die vierzig Gäste dachte. Joc aber war wie immer zuversichtlich. Er besorgte das Essen, die Kerzen, Stühle – einfach alles.

Trotz meiner Bedenken wurde die Party ein Erfolg. Die Gäste fühlten sich wohl, und Joc und ich waren in Hochstimmung.

Am nächsten Tag kam Joc zu mir, um beim Aufräumen zu helfen. Nachdem alle Überreste der Party verschwunden waren, setzten wir uns hin und begannen, Weihnachtsgeschenke einzupacken. Joc hatte seine auch mitgebracht, und so türmte sich ein unförmiger Berg vor uns auf dem Boden. Auf Jocs Wunsch hin hatte ich einen Weihnachtsbaum gekauft, den er jetzt anzündete. Das Kaminfeuer brannte, und Joc erzählte amüsante Anekdoten, während er mit Papier und Schnur kämpfte – eine wohlige Stimmung breitete sich aus. Wie gut er doch aussah, besonders wenn er lachte. Ich fühlte mich zufrieden und glücklich.

«Die Party hat mir gefallen», sagte er, nachdem wir eine Weile geschwiegen hatten.

«Mir auch.»

«Ich glaube, alle haben sich amüsiert, meinst du nicht auch?» Ich hatte gerade ein Stück Weihnachtsband im Mund und konnte nicht antworten.

«Ist doch besser herausgekommen, als du gedacht hast.»

«Wie meinst du das? Ich dachte doch nicht, daß es schiefgeht.»

Er lächelte. «Ich weiß doch, daß die Party für mich war. Solche

Feste sind nicht unbedingt dein Stil, das ist mir schon klar. Ich möchte aber, daß du weißt, wie sehr ich den Abend genossen habe.»

Ich gab sein Lächeln zurück. «Ich auch.»

Wieder gab es eine Pause. Wir knabberten während der Arbeit an den Nüßchen von gestern abend herum, und da mich keine tiefschürfenden Gedanken plagten, wurde mir plötzlich die knackende Stille bewußt. Ich schaute auf. Joc beobachtete mich. Ich beugte mich über eine Schachtel.

«Torey?»

«Ja?»

«Laß uns doch heiraten.»

Meine Papierrolle raschelte gerade so stark, daß ich dachte, ich hätte mich verhört. «Was?»

«Laß uns heiraten!»

Ich hatte also doch richtig gehört. Um aber auch den leisesten Zweifel auszuräumen, fragte ich noch mal: «Was hast du eben gesagt?»

«Ich habe gesagt, ich möchte dich heiraten.»

Das kam wie ein Blitz aus heiterem Himmel. Traf mich völlig unvorbereitet. Nie hatten wir eine Heirat in Erwägung gezogen oder auch nur ein einziges Mal im Ernst darüber diskutiert. Ich fühlte mich zu jener Zeit noch nicht reif für eine Ehe und hatte das Joc auch bei Gelegenheit gesagt. Ich hatte nicht im entferntesten vermutet, daß er unserer Beziehung eine andere Form geben wollte.

Das Schweigen war voll von meinen unausgesprochenen Gedanken, und ich erinnere mich nur noch, wie ich über seine Schulter aus dem Fenster in die blaue Dunkelheit hinausblickte.

«Ich möchte, daß das weitergeht», fuhr er mit sanfter Stimme fort. «Nächte wie heute, wie gestern. Ich wünsche mir, daß wir immer so zusammenbleiben. Ich möchte mein Leben mit dir teilen.»

Ich fand noch immer keine Worte. So vieles ging mir durch

den Kopf, aber ich konnte es nicht formulieren.

Joc beobachtete mich. Die Stille im Raum schaffte eine unendliche Distanz zwischen uns. Ich wollte «ja» sagen. Ich hatte den Wunsch, «ja» zu sagen, stärker als ich je gedacht hatte. Aber ich war noch nicht so weit. Und manchmal fürchtete ich, daß ich es auch nie sein würde.

Und nicht mit Joc. Das wußte ich plötzlich ganz genau. Ich hatte es eigentlich schon immer gewußt. Wir waren im Grunde doch sehr verschieden, auch wenn wir viel Gemeinsames hatten. Beide waren wir ausgeprägte Individualisten. Wir hielten es nie lange miteinander aus; der Alltag würde uns zermürben. So sehr ich es in dieser Winternacht auch wünschte, der Mann, den ich vielleicht einmal heiratete, würde bestimmt nicht Joc heißen.

Joc wartete noch immer. Zärtlich lehnte er sich über das knisternde Geschenkpapier und küßte mich. Ich spürte seine warmen Lippen und wünschte mir nichts sehnlicher, als ihn zu heiraten. Nur einmal sein wie die andern! Aber das alles war so kompliziert, so viel komplizierter als in meinen Kindheitsträumen, daß mir die Tränen kamen.

Joc lehnte sich zurück. «Du brauchst mir jetzt keine Antwort zu geben. Nimm dir nur Zeit. Ich versteh dich gut.»

Meine Tränen wollten nicht versiegen.

Er beobachtete mich aufmerksam. Ein Funke flog aus dem lodernden Feuer, und Joc zertrat ihn auf dem Teppich. Ich war verheult und brauchte ein Taschentuch.

«Es sind deine Kinder, stimmt's», überrumpelte mich Joc, als er mir eine Schachtel Kleenex brachte.

Ich schüttelte den Kopf.

«Natürlich sind es deine verwünschten Kinder. Denen gegenüber habe ich keine Chancen.» Seine Stimme war immer noch liebevoll.

«Die Kinder haben nichts damit zu tun, Joc.»

«Du bist mit deiner Arbeit verheiratet. Da stehe ich auf verlorenem Posten.»

«Joc, das stimmt einfach nicht. Diese Angelegenheit hat nichts mit meiner Arbeit zu tun. Ich habe nicht im entferntesten daran gedacht. Ich muß es mir überlegen, sonst nichts. Du mußt zugeben, daß alles doch etwas überraschend kam.»

Der Ton unserer Stimmen hatte sich verschärft. Ich fühlte Jocs Zorn wachsen und wußte nicht, wie ihn besänftigen. Außer ich hätte ihm mein Jawort gegeben.

Es schmerzte mich, die Idylle dieses Nachmittags auf diese Weise trüben zu müssen.

«Ich weiß, daß ich recht habe. Immer wenn wir streiten, ist es wegen deiner Arbeit. Eines Tages, Torey, wirst du dich entscheiden müssen. Kein Mann wird sich je dazu bereitfinden, sein Leben mit einem halben Irrenhaus zu teilen.»

Mehr denn je wußte ich, daß die Beziehung zwischen Joc und mir nicht ewig dauern würde.

Er starrte ins Feuer, bevor er sich wieder mir zuwandte. «Dir bedeuten die Kinder, ich spüre das, mehr als einfach eine Arbeit. Es ist eine Leidenschaft. Ich habe an sich nichts gegen deine Arbeit oder dein Engagement einzuwenden, solange es sich in Grenzen hält, aber die zweite Geige werde ich in deinem Leben nie und nimmer spielen.»

«Du verstehst mich nicht», protestierte ich.

«Mir kannst du nichts vormachen, Baby. Ich verstehe dich besser, als du denkst. Ich will dir jetzt im Klartext sagen, daß ich es satt habe, zu dritt das Bett zu teilen.»

«Zu dritt?»

«Ja. Du, ich und deine Arbeit.»

«Joc, das sind nicht drei. Nur zwei. Die Arbeit gehört zu mir.»

So argumentierten wir weiter. Die Auseinandersetzung lief auf Sparflamme, da wir beide Angst hatten, sie richtig auflodern zu lassen. Etwas später stampfte er wütend aus dem Zimmer und ließ mich mit den Scherben unseres ruinierten Samstagnachmittags zurück.

Wieder mußte ich weinen. Still vor mich hin. Meine Tränen

sollten die Ungereimtheiten von Traum und Realität lindern helfen.

Joc kam zurück. Es war schon zehn Uhr vorbei, und ich war gerade noch unter der Dusche gestanden. Im Näherkommen sagte er sanft: «Es tut mir leid, Torey.»

«Mir auch.»

Ein trauriges Lächeln spielte um seine Lippen. Er hatte keine Hoffnung mehr. «Ich hab schon immer gewußt, daß wir's nicht schaffen. Aber ich mußte es einfach nochmals versuchen, verstehst du das?»

Ich nickte und brachte sogar ein Lächeln zustande.

«Du bist mir doch nicht böse?»

«Ich bin dir nicht böse.» Ich wollte noch mehr sagen, aber ich brachte keinen Ton heraus. Joc stand da, die Handschuhe noch in der Hand, sein Haar übersät mit frisch gefallenen Flocken. Wir fanden beide keine Worte.

10

Der Januar kam und brachte mir eine Fülle von Überraschungen.

Die erste war Claudia, meine vierte Schülerin für die Nachmittagsstunden. Sie schneite am ersten Tag nach den Weihnachtsferien herein.

Sie war zwölf, wie mir Birk mitteilte. Mit meinen anderen Schülern hatte sie nichts gemeinsam. Sie hatte die sechste Klasse einer katholischen Schule besucht und war eine gute, ruhige, wohlerzogene Sechstkläßlerin. Ihre Familie war gutsituiert, der Vater Zahnarzt, die Mutter Zeichenlehrerin an einem College. Weiter wußte ich von Birk, daß sie nie ein Problemkind gewesen war. Es fehlte ihr nichts, außer daß sie schwanger war.

«*Schwanger!*» hatte ich Birk am Telephon angebrüllt. Was bildete er sich eigentlich ein? Schon der Gedanke allein brachte mich auf die Palme. Alles hatte mir Birk schon zukommen lassen: Verwahrloste, Verstörte, Tobsüchtige, Kriminelle und sogar einmal einen Jungen ohne Arme, ohne Beine und mit einem Loch im Kopf. Ich hatte geglaubt, ich sei mit allen Wassern gewaschen. Aber das stimmte offensichtlich nicht. Ich hatte keine Ahnung, was ich mit dem Mädchen anfangen sollte.

Birk wußte es unglücklicherweise auch nicht. Bis vor Weihnachten hatte die ahnungslose Familie nicht gemerkt, daß Claudia schwanger war. Ein Besuch beim Arzt brachte ein böses Erwachen und die sofortige Entfernung Claudias aus der privaten katholischen Schule, die sie besucht hatte. In unserem Schulkreis gab es keine Sonderklassen für schwangere Mädchen. In seiner Ratlosigkeit hatte Birk sie mit den Gymnasiasten einen Halbtagskurs in Babypflege besuchen lassen. Meine Klasse schien ihm die einzige Möglichkeit für Claudia, trotz der Umstände noch ihr Sechstklaßexamen zu machen.

«Reg dich nicht auf», beruhigte mich Birk am Telephon. «Du wirst keine Probleme mit ihr haben. Ihre ehemalige Schule schickt dir den ganzen Lehrstoff zu, so daß du überhaupt nichts vorbereiten mußt. Claudia soll ein sehr nettes und manierliches Mädchen sein, absolut kein Problem. Sie muß einfach irgendwo die Schule besuchen können, wo man sie nicht sieht.»

Mein Schulzimmer wurde also auch noch zum Versteck!

«Bist du einverstanden?» fragte Birk.

Stille.

«Also gut», quetschte ich hervor.

Die Schwierigkeit für mich war im Augenblick eigentlich nicht Claudia selbst, sondern wie ich ihre Anwesenheit meinen anderen Kindern erklären sollte.

«*Schwanger!*» kreischte Thomas ungefähr so schrill wie ich, als Birk mir die Mitteilung gemacht hatte. «Was? Die wird ein Baby hier drin bekommen?»

Bevor ich diese Aussage berichtigen konnte, mischte sich Bo ein: «Ein *Baby!* Ich dachte, sie ist noch ein Kind wie wir.»

«Sie ist zwölf Jahre alt», sagte ich.

«Aber dann ist sie doch noch ein Kind, nicht?»

Mit großem Ernst meinte Thomas: «Torey, wäre es nicht besser, wenn Bo und Nicky nicht hörten, was wir besprechen? Sie sind noch zu klein dafür.»

«Zu klein wofür?» rief Bo aufgebracht.

Thomas packte mich am Arm. «Dann mußte sie es doch tun! Du weißt schon, was ich meine. *Es.*»

«Was flüstert ihr da?» fragte Bo. Sie wandte sich zu mir. «Wovon spricht er eigentlich, weshalb bin ich zu klein?»

«Tom, du meinst wahrscheinlich, daß sie Geschlechtsverkehr –»

«Torey! *Torey!* So was sollst du doch vor den Kleinen nicht sagen!» Er wurde feuerrot. Es rührte und belustigte mich, daß ausgerechnet Thomas, der andere mit seinen Unflätigkeiten nicht genug erschrecken konnte, selbst so zart besaitet war.

Bo ihrerseits war einfach beleidigt, daß man sie nicht ins Vertrauen zog, und bald artete die Diskussion in ein wirres Durcheinander aus.

Ein Großteil unserer Bedenken wurde durch Claudias außergewöhnlich scheue und zurückhaltende Art zerstreut. Sie war ungewöhnlich groß für ihre zwölf Jahre, einen Kopf größer als Thomas und fast so groß wie ich. Sie hatte ein kantiges Gesicht mit hohen Backenknochen, buschigen, dunklen Augenbrauen und großen Augen. Ihr dichtes Haar fiel ihr bis über die Schultern. Es war weder blond noch braun, aber – wie oft bei Jugendlichen – etwas strähnig. Ihre Augen hatten eine undefinierbare Farbe. Trotz der Ecken und Kanten hatte Claudia etwas Weiches an sich, weich auf eine unschuldig provokative Weise, wie bei ganz kleinen Kindern.

Man kann nicht behaupten, daß Tom und Bo bei Claudias

Ankunft ein Muster guten Benehmens abgegeben hätten. Thomas blieb auf Distanz, als hätte er Angst, von ihrem Zustand angesteckt zu werden, und starrte gebannt auf ihren Bauch. Bo zeigte ihre Neugierde unverhohlen, so daß ich sie scharf zurechtweisen mußte. Claudia trug das alles mit Fassung. Sie war mehr als höflich zu Bo und fragte Thomas, ob er seine alte Schule am Anfang hier vermißt hätte. Sie habe Angst, es würde ihr so ergehen.

Ich beobachtete sie, während ich mich mit Bo abgab. Sie war so schüchtern, daß es mir fast weh tat, ihr beim Gespräch zuzusehen. Ihr Gesicht verfärbte sich hochrot, sie biß sich auf die Lippen, zog die Schultern hoch, und ich fragte mich, wie sie wohl nahe genug an einen Jungen herangekommen war, um schwanger zu werden.

Eine weitere Überraschung im Januar bescherte uns Nicky.

Den ganzen September, Oktober, November, Dezember hindurch hatte ich unaufhörlich versucht, eine verbale Kommunikation mit ihm herzustellen. Ich hatte alle mir verfügbaren Mittel eingesetzt: List, Überzeugungskraft, Bestechung, Überredungskunst. Nichts hatte gefruchtet. Er sprach nur ganz sporadisch, und dann waren seine Worte immer ohne Sinn. Seine Äußerungen waren fast ausschließlich verspätete Echolalien. Er trieb uns fast zum Wahnsinn mit seinem endlosen Nachgeplapper von Werbespots, Wettervorhersagen und sinnlosen Gesprächsfetzen, die er irgendwo aufgeschnappt hatte. Öfters wiederholte er auch aus dem Zusammenhang gerissene Sätze aus einem Gespräch, das Bo und ich vor Tagen oder vielleicht auch schon vor Wochen zusammen geführt hatten. Es war wie eine ständig sprudelnde Quelle von Gehörhalluzinationen.

Er wiederholte manchmal aber auch einzelne Sätze, die er nach irgendeinem unsichtbaren Prinzip auswählte. Einen hatte er offensichtlich während meiner Unterrichtsstunden mit Bo aufgegabelt: «Was für ein Buchstabe ist das?» sagte er eine

Zeitlang endlos, wie die Nadel einer Grammophonplatte, die sich unaufhörlich in derselben Rille dreht. «Was ist das für ein Buchstabe? Was ist das für ein Buchstabe?» Ganz genau so, wie ich es zu sagen pflegte, wiederholte er diesen einen Satz, stand dabei vor Bennys Käfig und starrte das Tier an. Und noch nie, gar nie hatte er auf etwas eine Antwort gegeben.

Obwohl er doch so viele Töne von sich gab, hatte er kein einziges Mal, wie es schien, eine Beziehung mit Worten zu jemandem hergestellt. Nur seine kleinen Ausrufe, wie «Hroop» und «Whirr» schien er direkt an jemanden zu richten, meistens an Benny, manchmal auch an Bo. Aber niemand konnte sie verstehen.

Meine Hoffnung, ihm sinnvolle Sätze zu entlocken, war etwas gesunken, und so richtete ich mein Hauptaugenmerk auf seine alltäglichen Verrichtungen. Sie schienen mir eher im Rahmen des Möglichen zu liegen. Wir übten also Anziehen, Waschen, Klo-Benützen, immerhin mit etwas mehr Erfolg.

«Nicky, setz dich hin, bitte», rief ich ihm zu.

Bo und ich waren gerade dabei, die Weihnachtsdekoration wegzuräumen. Ich stand auf dem Tisch und versuchte, eine Girlande von der Decke zu angeln. Es war der Freitag der ersten Woche nach den Ferien und beinahe Schulschluß, und ich ließ die Kinder machen, was sie wollten.

Tom spielte mit kleinen Rennwagen am Boden, und Claudia las in einem Buch. Nicky drehte sich wild im Kreis, die Arme ausgebreitet, die Augen geschlossen wie in Ekstase. Ich hatte versucht, ihn zum Stillstand zu bringen. Das Getanze kümmerte mich weniger als die Vorstellung, er könnte sich weh tun oder auf Thomas' Spielsachen treten. Jetzt hatte ich aber endgültig genug und bemühte mich, mit lauter Stimme auf ihn einzuwirken.

Bo ging zu ihm hin und umklammerte ihn, so wie sie es bei mir gesehen hatte, wenn ich Thomas hielt.

«Bo, laß ihn, bitte. Er kann mich ganz gut hören, und ich

möchte ihn wirklich daran gewöhnen, daß er auch auf den Inhalt der Worte hört.» Wieder zu Nicky gewandt, sagte ich bestimmt: «Du setzt dich jetzt hin. *Jetzt.*»

Er drehte sich immer weiter.

Manchmal hörte er auf das, was ich sagte. Obschon er unfähig war, seinen eigenen Worten einen Sinn zu geben, hatte er doch gelernt, Worte aufzunehmen. Manchmal, wie gesagt. Wenn er aber derart in Bewegung geriet, mußten wir meistens handgreiflich werden und ihn zur Ruhe zwingen.

Plötzlich sprang Nicky auf Claudia zu, entriß ihr das Buch und stürzte damit zu Boden. Ich sprang hinzu und hob ihn hoch.

«Du wirst noch mein Untergang sein, Nicky», sagte ich erschöpft.

«Du wirst noch mein Untergang sein, Nicky», wiederholte er in einem hohen Singsang. Bo und Claudia konnten sich das Lachen nicht verkneifen.

Seufzend bemühte ich mich, ihn auf einem Stuhl festzuhalten, während Bo ihn mit seinem Lieblingsspielzeug, einem Kreisel, abzulenken versuchte. Fasziniert schaute er jeweils den schillernden Farben zu. Aber schon hob er wieder seine Arme zu einer Drehbewegung und stand auf wie ein Blitz.

«Du bleibst jetzt sitzen, Nicky», sagte ich, so streng ich konnte.

Er fing wieder an: «Was ist das für ein Buchstabe?»

Ich packte ihn und schrie ihm ins Gesicht: «*Setz dich!*» Ich versuchte, ihn auf einen Stuhl zu zerren, schaute ihm dabei direkt in seine großen grünen Augen und sagte etwas freundlicher: «Ich meine es ernst, Nicky. Setz dich.»

Die andern schauten uns alle zu. «Ich hol ihm was zum Spielen, soll ich?» schlug Bo vor. Nicky war immer noch ihr Baby, das sie betreuen wollte.

«Du sollst nicht, Bo. Er ist schon aufgeregt genug. Ich möchte einfach, daß er sich hinsetzt und sich beruhigt.» Ich hielt ihn jetzt auf dem Boden fest, meine Hand auf seinem Kopf. Wir starrten einander an wie der Schlangenbeschwörer und seine Kobra.

«Setz dich», sagte ich und hob meine Hand vorsichtig ein bißchen hoch. Es kam mir vor, als fügte ich einem Kartenhaus die letzte Karte hinzu.

Er blieb auf dem Boden liegen und sah mich an. Ob er mich wahrnahm oder in die Ferne schaute, konnte ich nicht feststellen.

«Hier hast du ein Bilderbuch.» Ich drückte ihm das Buch in die Hand und machte mich wieder an die Arbeit. Nicky und ich hatten diese Szene schon unzählige Male durchgespielt.

Bo und ich mühten uns wieder mit den Girlanden ab. Im Hintergrund hörte ich Nickys Gemurmel, auf das ich nicht mehr achtete. Es war Bo, die das Geplauder mit mir plötzlich unterbrach und sagte: «Was hast du gesagt, Nicky?»

Ich wandte mich nach Nicky um.

«Faß das nicht an, Nicky», sagte er, «ich hab dir das schon hundertmal gesagt, faß das nicht an. Jetzt hast du's wieder getan!»

«Ach, er plappert wieder irgend etwas nach», bemerkte ich achtlos zu Bo.

Trotzdem sprang sie zu Boden und fragte ihn eindringlich: «Was sollst du nicht anfassen?»

Nicky hielt seinen Kopf etwas schief, als ob er mit einer imaginären Person redete. Er schimpfte ununterbrochen mit sich selbst. Er drohte mit dem Zeigefinger: «Faß das nicht an! Du wirst noch mein Untergang sein, Nicky. Ich meine es ernst, laß das!»

«Faß was nicht an?» beharrte Bo weiter. Sie kniete zu ihm nieder. «*Was* sollst du nicht anfassen?» schrie sie ihn wie einen Taubstummen an.

«Laß ihn in Frieden, Bo», ermahnte ich sie.

Da blickte Nicky zu ihr auf. Ein Hauch von Erkenntnis huschte über sein Gesicht. «Die Steckdosen. Faß die Steckdosen nicht an, Nicky», antwortete er. Langsam, wie ein Schlafwandler, stand er auf und schritt an uns vorbei zu den Steckdosen an der Wand. Er tippte sie mit dem Finger an. «Faß die Steckdosen nicht an, Nicky.» Er wandte sich an uns.

«Die beißen dich, wenn du den Finger reinsteckst.»

Ich konnte mich von meiner Überraschung kaum erholen. Gewiß war das keine brillante Unterhaltung gewesen, aber Nicky hatte mit uns gesprochen. Zum allerersten Mal. Abgeschwächte Echolalie würde vielleicht ein sturer Fachmann sagen, aber was hieß das angesichts dessen, daß Nicky uns endlich einen Gedanken mitgeteilt hatte.

Dann lehnte er sich an die Wand, seine Hände begannen nach dem Deckenlicht zu flattern, und er ratterte los: «Wettervorhersage für morgen; ganzes Gebiet schön und klar. Nebel im Flachland. Windböen an den Osthängen der Rockies möglich.»

13

Der Weihnachtsmann hatte Bo nicht übergangen. Nachdem sich die Aufregung um Claudias Ankunft und Nickys Kommunikationsversuche gelegt hatte, schleppte Bo in der zweiten Januarwoche eine Riesenschachtel zu uns in die Schule. Die heißersehnte Puppe!

Es war das Wunderbaby, eine meisterhafte Schöpfung, die saugend aus der Flasche trank und eine übelriechende, klebrige Masse mit einem Plastiklöffel verschlang. Stolz zeigte uns Bo diese tollen Leistungen bis zum bitteren Ende: Der Brei plumpste anschließend aus einem Loch im Puppenpo direkt in die Windeln.

Thomas war während der Vorstellung ungewöhnlich duldsam. Er saß manierlich bei uns am Arbeitstisch, ohne sarkastische Bemerkungen, Stoßseufzer oder Fürze von sich zu geben. Toms rücksichtsvolles Benehmen freute mich um so mehr, als Bos Erläuterungen sich in endlosen Einzelheiten verloren. Ich lobte Thomas.

Er erklärte: «Ich hatte auch mal einen Lieblings-Teddybär und hab ihn überall rumgezeigt. Kleine Kinder sind nun mal so.»

Die Puppe an ihre Brust gedrückt, fragte Bo: «Hast du deinen Bären noch? Wenn du ihn mitbringst, könnten wir zusammen spielen.»

Thomas lächelte wohlwollend. Hätte irgend jemand anders dieses Ansinnen gestellt, wäre Thomas in die Luft gegangen. Zu Bo sagte er nur: «Nein, ich habe meinen Bären schon lange nicht mehr.»

«Was ist denn mit ihm geschehen?» fragte Bo weiter.

«Dort, wo ich früher gewohnt habe, wurde er mir weggenommen. Ein großer Junge schmiß ihn zum Fenster hinaus. Wir kämpften wie wild um ihn, und als mein Pflegevater nach Hause kam, sagte er, ich sei sowieso schon zu groß für einen Teddybären, warf ihn auf den Müll und verbrannte ihn.»

Mitfühlend runzelte Bo die Stirn. «Wie alt warst du da?»

«Ach, einfach klein», meinte Thomas vage.

«Kleiner als ich?»

«Ich weiß es nicht mehr.»

Es schauderte Bo bei dem schrecklichen Gedanken, und sie umschlang ihre Puppe noch enger. «Dem würd ich's aber zeigen, der versuchte, *meine* Spielsachen auf den Müll zu werfen.»

Väterlich beruhigend sagte er zu ihr: «Mach dir keine Gedanken, kleine Maus, ich würde es auch nicht zulassen. Die sollten mich kennen lernen. Ich würde sie windelweich schlagen.»

«Ich könnte mich schon selber wehren. Hast du denn keine anderen Bären oder sonst was?»

Ohne sie anzusehen, sagte er: «Doch, klar hab ich andere Sachen.» Seine Stimme klang etwas beleidigt: «Ich hab ein Würfelspiel und eine Legoschachtel. Und manchmal darf ich auch zu den anderen Kindern nach Hause gehen und ihre Spielsachen ansehn. Einer heißt Barry, der ließ mich sogar seinen Baseballhandschuh anziehen, und vielleicht darf ich ihn sogar mal ausprobieren, sagt er.»

«Aber hast du wirklich gar keine Stofftiere?»

«Hör doch auf, Bo. Das sind doch Sachen für Mädchen. Ich brauch doch so was nicht. Mein Pflegevater hatte recht, ich bin zu alt dafür.»

«Aber was hast du denn zum Liebhaben?»

«Herrgott noch mal, Bo, du fällst mir auf den Wecker. Torey, sieh zu, daß sie die Klappe hält. Natürlich hab ich Sachen, die ich liebe, Bo Sjokheim. Bist du jetzt zufrieden? Ich hab's dir doch gesagt: Legosteine, das Würfelding und Barrys Baseballhandschuh. Was braucht denn ein Junge mehr? Also, laß mich bitte zufrieden.»

«Aber hast du nie Angst, wenn es dunkel ist?» fragte sie zutraulich.

«Scheiße!» Thomas sprang heftig auf und stieß dabei seinen Stuhl um. «Du verdammte kleine Kröte, kannst du nicht mit deiner verfluchten Fragerei aufhören? Ich hätte die größte Lust, dir das Maul zu stopfen.» Zu mir gewandt, sagte er: «Warum bringst du sie nicht zum Schweigen?» Erregt lief er in die entfernteste Ecke des Zimmers, setzte sich dort auf den Tisch und fluchte aus sicherer Distanz.

Bo legte ihre Puppe neben sich auf den Boden und griff nach ihren Leseblättern. Sie sagte nichts mehr. Ich verteilte auch den andern ihre Aufgabenblätter, und wir begannen zu arbeiten.

Eine lastende Stille breitete sich aus, nur unterbrochen von kleinen Geräuschen, die Thomas von sich gab. Er fluchte nicht mehr. Wir fühlten alle, daß etwas geschehen war, das weh tat, aber wir wußten nicht genau, was.

Schließlich kam Thomas zum Arbeitstisch und schaute zu, was ich mit Nicky trieb. Ich übersah ihn willentlich, weil ich im Augenblick ihm gegenüber irgendwie gehemmt war. Er stand jetzt hinter Bo und sagte leise zu ihr: «Ich kenne alle diese Wörter. Willst du, daß ich sie dir vorlese?»

Sie nickte. Er las sie vor und setzte sich darauf an seine eigene Arbeit. Er schaute uns an, zuerst Bo, dann mich. Müde stützte er den Kopf in seine Hände und murmelte gedankenverloren: «Ich bin manchmal schon etwas einsam, sehr einsam sogar.»

Ich nickte. «Wir alle fühlen uns manchmal einsam.»

Claudia blieb ein Rätsel für mich. Nicht was sie tat, war mir ein Problem, sondern was sie nicht tat. Sie tat überhaupt fast nichts. Wenn ich ihr an einem Tag drei vollständige Sätze entlocken konnte, war das schon viel. Sie hielt den Blick immer auf den Boden geheftet. Sie mußte das Muster unseres Linoleumbodens bereits auswendig kennen!

Sie war eine ausgezeichnete Schülerin. Die katholische Schule belieferte mich mit dem ganzen Sechstklaßstoff, den Claudia zu bewältigen hatte. Jeden Abend legte ich ihr die Aufgaben für den darauffolgenden Tag in ein Mäppchen. Sie kam am Morgen, nahm das Mäppchen, setzte sich an den Tisch, und man hörte nichts mehr von ihr, bis die Aufgaben gelöst waren. Ihre Schüchternheit isolierte sie völlig. Wie war dieses Mädchen bloß schwanger geworden, fragte ich mich immer wieder.

Die Unterlagen attestierten Claudia durchwegs ausgezeichnete Noten. Ihr IQ war nicht hervorragend, aber doch überdurchschnittlich. Kurzum, sie war eine Musterschülerin.

Über ihre Familie war nicht viel in Erfahrung zu bringen. Sie war das älteste von fünf Geschwistern, alles Mädchen. Drei jüngere Schwestern besuchten, wie zuvor Claudia, die katholische Schule. Das jüngste Mädchen war noch nicht schulpflichtig. Über die Eltern wußte ich nur, daß sie kühl, reserviert und ehrgeizig waren.

Den Angaben zufolge war Claudia im dritten Monat schwanger, die Geburt wurde Anfang Juli erwartet. Offensichtlich hatte die streng katholische Familie eine Abtreibung nie in Betracht gezogen. Es ging auch nicht klar hervor, ob die Schwangerschaft für einen solchen Eingriff früh genug entdeckt worden war. Vom Vater des Kindes wurde nicht gesprochen.

Die Berichte erwähnten allesamt Claudias außergewöhnlich schüchterne und zurückhaltende Art. In jedem Jahresschlußbericht kam die Lehrerin darauf zu sprechen. Claudia machte nur unter Zwang in einer Gruppe mit, und sie wurde richtig krank, wenn sie vor der Klasse etwas sagen mußte. Sprach sie mit Erwachsenen, überzog sich ihre Haut mit roten Flecken. Obwohl die anderen Kinder sie nicht eigentlich mieden, gelang es ihr doch nicht, wirkliche Freundschaften zu schließen. Ihr einziges Interesse war das Lesen. Sie flüchtete sich förmlich in ihre Bücher.

Ich schloß die Akte. Sie glitt vom Tisch und fiel dorthin, wo sie hingehörte, auf den Boden! Kindern wie Claudia galt mein ganzes Mitgefühl. Sie vegetierten dahin, ohne daß jemand sie so richtig wahrnahm. Da saßen sie jahrelang im selben Klassenzimmer, und niemand kümmerte sich um sie. Sie waren wie Luft – unsichtbare Kinder. Claudia war in Wahrheit emotional ebensosehr gestört wie Thomas. In unserem heutigen Schulsystem jedoch wurden hauptsächlich die Auffälligen erfaßt und behandelt. Solange sich jemand still und ruhig hielt und keine Menschenseele störte, wurde er kaum beachtet. Und schon gar nicht kam es jemandem in den Sinn, sich um ihn zu kümmern.

Ich starrte eine Weile auf die verstreuten Akten, und Zweifel stiegen in mir hoch. Bildete ich mir vielleicht nur ein, daß sie Probleme hatte? Hatte meine Sonderschule etwa meinen Blick bereits allzusehr getrübt? Sah ich Probleme, wo keine waren? Solche Fragen plagten mich oft. Die Akten konnten noch so normale Kinder beschreiben, bei mir schienen sie immer zu Problemkindern zu werden. Vielleicht war ich einfach voreingenommen, vielleicht war es die Atmosphäre meines Klassenzimmers. Wer weiß? Ich beschloß, nicht mehr weiterzugrübeln, schloß das Klassenzimmer hinter mir ab und machte mich gutgelaunt auf den Heimweg.

Thomas und Bo nahmen Claudia willig in ihre Gemeinschaft auf. Ihre Neugierde in bezug auf die Schwangerschaft war bestimmt noch längst nicht gestillt, und sie erhofften sich wahrscheinlich durch freundliches Benehmen weitere Enthüllungen in dieser Richtung.

An einem Nachmittag hatte ich vor, mit den Kindern zu malen. Ich hatte den Boden mit Zeitungen ausgelegt und große Bogen Zeichenpapier daraufgelegt. Pinsel und Farben waren bereitgestellt. Tom hatte sich augenblicklich entschlossen, die Pinsel nicht zu benützen und lieber mit den Fingern zu malen. Bevor ich ihn davon abhalten konnte, hatte er sein eigenes und Nickys Papier mit Farbe übergossen und schmierte drauflos. Claudia machte überhaupt nichts. Sie saß dabei und schaute zu, ohne den Pinsel in die Hand zu nehmen. Allmählich getraute sie sich, ein bißchen Farbe aufs Papier zu drücken und mit einem Finger im Farbklecks herumzuschmieren.

Den Kindern gefiel diese Betätigung außerordentlich. Sie lachten, kreischten und genossen das Malen ganz einfach in vollen Zügen. Ich ließ sie gewähren. Für den Rest des Nachmittags hatte ich zwar etwas anderes mit ihnen vorgehabt, aber mir schien es wichtiger, daß sie sich zusammen freuen konnten.

Thomas vergnügte sich am Spiel mit den Fußabdrücken. Farbe auf die Fußsohlen schmieren, aufs Papier treten, und schon war eine Fußspur da. Bo hingegen experimentierte mit anderen Körperteilen: mit den Ellbogen, den Knöcheln und – bevor ich sie daran hindern konnte – sogar mit der Nase. Selbst Claudia taute auf. Sie scherzte und lachte mit den andern. Als ich das nächste Mal in die Malecke guckte, hatten sich Claudia und Tom bis hinauf zu den Ellbogen knallrot angemalt. Was für ein lohnendes Chaos!

Als ich die Kinder schließlich zum Aufräumen zusammentrommeln wollte, überraschte ich Claudia und Thomas dabei, wie sie sich am Ausguß gegenseitig mit schmutzigem Wasser bespritzten. Sie tobten herum wie ausgelassene kleine Kinder. Thomas benützte den entspannten Augenblick und fragte: «Wie bist du eigentlich in diese Klasse gekommen? Nur weil du ein Kind bekommst?»

Sie nickte.

«Junge, Junge, das ist ein Ding.» Eine kleine Pause trat ein, als er den ganzen Arm bis zum Ellbogen unter den Wasserstrahl hielt. «Sag mal, hast du es wirklich getan? Du weißt schon, ich meine das mit einem Jungen.»

«Ja-ah.»

«Mensch, Claudia.» Seine Stimme war ernst und voller Respekt. «War es ein großer Junge?»

Sie zuckte die Achseln.

Ich wischte gerade hinter ihnen die Wasserlachen auf und hielt es für klüger, in diese Konversation einzugreifen. «Tom, ich glaube, jetzt ist es genug. Die Nase in anderer Leute Angelegenheiten hineinzustecken ist nicht fein.»

«Das tu ich gar nicht. Ich habe nur gefragt, nicht wahr, Claudia?»

Um Claudia zu schonen, sagte ich rasch: «Das weiß ich schon, Tom, aber es gibt private Dinge, die man lieber für sich behält. Wir wollen doch Claudia nicht in Verlegenheit bringen.»

«Willst du denn lieber nicht darüber sprechen?» fragte Tom zerknirscht.

Wieder zuckte Claudia nur die Achseln.

Nach Schulschluß trödelte Claudia noch etwas im Zimmer herum und half mir beim Aufräumen.

«So, das reicht, ich möchte nicht, daß du deinen Bus verpaßt.»

«Ach, das macht doch nichts, ich kann auch zu Fuß gehen. Wir wohnen ja nicht weit weg.»

«Werden sie sich keine Sorgen machen zu Hause?»

Sie verneinte, und so machte ich die Schulhefte zum Korrigieren bereit, ohne auf Claudia zu achten. Plötzlich hörte ich ihre Stimme.

«Weißt du, es macht mir gar nicht soviel aus, darüber zu reden.»

Ich schaute auf. Ich war mit meinen Gedanken ganz woanders

gewesen und fragte abwesend: «Worüber?»

«Über das Baby.»

«Da bin ich aber froh. Die Kinder sind manchmal etwas neugierig. Ich will nicht, daß sie dich mit Fragen bedrängen.»

«Da gibt es gar nicht viel zu erzählen. Ich habe diesen Jungen ein paarmal getroffen. Randy heißt er. Er ist fünfzehn Jahre alt. Dann wurde ich schwanger. Das ist alles.» Sie sagte das so ungerührt, als handle es sich lediglich um einen Kinobesuch.

Ich schaute sie an. Auf eine merkwürdige Art verunsicherte mich Claudia. Ich hatte keine große Erfahrung mit Jugendlichen, und die wenigen, die ich in der Schule betreut hatte, waren so sehr in ihrer Entwicklung gestört gewesen, daß sie sich wie Kleinkinder benahmen. Meine Verunsicherung ging aber nicht nur auf mangelnde Erfahrung zurück. Sie hatte sehr direkt mit mir zu tun, das fühlte ich. Manchmal hatte ich den Eindruck, daß ein Teil von mir mitten in der Kindheit steckengeblieben war. Mein Körper war wohl gewachsen und älter geworden, aber im Innern war ich ein Kind geblieben. Ich hatte also nicht etwa eine spezielle Begabung im Umgang mit Kindern, sondern mein einziger Vorteil war, daß ich wie sie war; nur hatte ich mehr Lebenserfahrung. Ihre Gedanken waren mir vertraut, und sie verstanden mich. Größere Kinder wie Claudia hingegen standen mir nicht so nahe, wahrscheinlich ganz einfach deshalb, weil sie im Geist älter waren als ich. Und dieser Vorsprung war es, der mich verunsicherte.

Ich saß auf der Tischkante, und Claudia setzte sich zu mir. Körperlich waren wir uns noch nie so nahe gewesen.

«Ich mag deine Jeans», sagte sie freundschaftlich und faßte meine Hosenbeine an. Sie schenkte mir dabei ein kleines Lächeln. Ich bemerkte, daß jetzt sogar ihre Arme rotgefleckt waren.

«Vielen Dank für das Kompliment», erwiderte ich.

«Ich hab meine Mutter gefragt, ob sie mir welche kauft. Sie stehen dir gut. Ich finde auch dein Haar so schön.»

Ich war gerührt und wollte ihr auch etwas Nettes sagen. Daß

ich sie gut verstünde, sie gern hätte und sie sich nicht mehr verlassen vorkommen müsse. Aber ich brachte kein Wort über die Lippen. Wäre sie jünger gewesen, wäre mir dies gar kein Problem gewesen, aber vor mir stand, im eigentlichen Sinn des Wortes, eine Frau wie ich. Ich fühlte mich gehemmt und fand den ungezwungenen Ton nicht, der mir sonst mit kleineren Kindern so leicht fiel. Ihre eifrigen Versuche, diese Kluft zu überwinden, waren herzergreifend.

«Bist du gern Lehrerin?» fragte sie mich. Sie schaute mich an, noch immer etwas mißtrauisch, wie mir schien.

Ich bejahte ihre Frage.

«Vielleicht werde ich auch einmal Lehrerin.» Sie legte sich die Hand auf den Bauch und sagte zweifelnd: «Ich weiß zwar nicht, ob das geht.» Sie holte tief Luft. «Ich hab's doch nur ein einziges Mal gemacht.»

«Wirklich?»

«Bestimmt. Nur einmal. Randy sagte, ich könne gar nicht schwanger werden. Eine Frau müsse zuerst Brüste haben, und schau mich mal an: Ich hab doch auch jetzt fast keine Brüste. Sogar jetzt!» Zum Beweis fuhr sie mit der Hand über ihren Pullover.

Ich nickte.

«Er sagte, ich würde bestimmt nicht schwanger. Wir haben es nur einmal gemacht.» Sie hob den Kopf und schaute in die Ferne. Wieder fiel mir die merkwürdige, unbeschreibbare Farbe ihrer Augen auf und die Bitterkeit, die sich in ihnen spiegelte. «Eine gemeine Lüge war das.» Sie betrachtete einen roten Fleck auf ihrem Arm: «Es war nicht mal schön. Weh hat es getan.»

Wir saßen beieinander, ohne zu sprechen. Das Schweigen drückte besser aus, was ich sagen wollte, was so schwer in Worte zu fassen war. Ich legte meinen Arm um sie.

«Ich habe Angst», sagte sie. «Was soll ich mit einem Baby? Ich bin doch selbst noch ein Kind.»

14

Ich glaubte seit einiger Zeit, kaum merkliche Veränderungen an Bo festzustellen. Das beunruhigte mich. Ich konnte nicht genau sagen, wann ich sie zum ersten Mal bemerkt hatte. Aber ich täuschte mich bestimmt nicht. An sich waren es nur kleine Anzeichen, die mir jedoch bedeutungsvoll schienen. Wie fallende Herbstblätter den nahen Winter ankündigen. Sie war nicht mehr so munter und gutgelaunt. Geringfügige Dinge brachten sie aus der Fassung.

Ich spürte dies am deutlichsten, wenn wir zusammen spielten. Es waren Buchstabenspiele, die ich erfunden hatte, um Bo das Lesenlernen zu erleichtern. Wir hatten selbst Karten angefertigt. Es ging darum, Buchstabenpaare zu finden. L zu L oder S zu S, ungeachtet der Farbe des Kärtchens. Den eigentlichen Buchstaben brauchte sie nicht zu kennen.

Am Anfang bereiteten uns diese Spiele viel Spaß. Da es Glücksspiele waren, hatten wir beide die gleichen Chancen. Dank meiner langjährigen Erfahrung hatte ich aber natürlich gewisse Vorteile und konnte den Ausgang der Spiele beeinflussen.

Bo schrieb die Resultate für ihr Leben gern mit Kreide auf eine kleine Tafel und führte lange Zeit Buch über Verlierer und Gewinner. Das allein war schon eine gute Übung für sie.

Wir spielten unser Spielchen täglich ein- bis zweimal. Ich hatte im Lauf der Zeit immer wieder neue Karten angefertigt, so daß der Lerneffekt erhalten blieb. Bo hatte bis jetzt immer ungeduldig nach dem Spiel gefragt, wenn ich es für einmal ausfallen lassen wollte. Bos Interesse hatte zwar nicht abgenommen, aber das Spielklima war nicht mehr dasselbe. Lange Zeit war mir nicht klar, woran das lag, bis ich merkte, daß ich sie absichtlich gewinnen ließ. Und zwar fast immer, das konnte ich auf der Tafel nachsehen. Ich hatte also unbewußt Angst, sie verlieren zu lassen.

Ich nahm mir vor, der Sache beiläufig auf den Grund zu gehen. Als wir wieder einmal beim Spielen waren, sagte ich lachend: «Jetzt werde *ich* aber mal gewinnen.»

«Nein, das wirst du nicht», sagte sie, ohne die Miene zu verziehen.

«Und wenn ich trotzdem gewinne?»

Kleine Pause. Bo sah mich an, und in ihren Augen konnte ich wieder diese unnennbare Veränderung erkennen. Plötzlich öffnete sich ihr Gesicht in einem entwaffnenden Lächeln. «Versuch das besser nicht!»

Ich gewann das Spiel nicht. Fast hätte ich zum Schluß die entscheidende Karte gezogen. Ich wußte, wo sie war, aber ich machte mir vor, ich wüßte es nicht. Ich wich also aus, und Bo gewann auch dieses Spiel. Was immer für eine Veränderung in ihr vor sich ging, ich wollte nichts davon wissen.

Ich hatte mir fest vorgenommen, dem undefinierbaren Gefühl nachzugehen. Aber die Tage kamen und gingen, und ich hatte nichts herausbekommen. Ich verdrängte meine Ahnungen und spielte immer weiter den Verlierer, gegen meinen Instinkt und mein besseres Wissen.

In Wahrheit wußte ich schon die ganze Zeit, was eigentlich los war. Ich wollte es nur nicht zugeben. Ich redete mir ein, daß es mit Bo vorwärts ging. Daß unsere Arbeit an den Nachmittagen genügte, um den Druck von ihr zu nehmen, daß sie selbstsicherer geworden war und auch das Lesen eines Tages schaffen würde. Mit den Augen der Liebe wollte ich die Sache so sehen. Ich klammerte mich verzweifelt an diese Illusion und wußte doch im Innersten meines Herzens, daß sie nicht stimmte.

«So, jetzt gewinne ich. Ich habe die ganze Zeit verloren. Findest du nicht, es wäre gerecht, wenn die Reihe mal an mich käme?»

«Nein.» Sie sah nicht auf. Sie legte ein M auf ein N und sagte: «Du bist an der Reihe.»

«Bo, deine Karten passen aber nicht zusammen. Schau sie dir nochmals an.»

«Klar passen sie zusammen.»

Ich machte sie auf den Unterschied aufmerksam. Daß der eine Buchstabe einen Fuß mehr hatte als der andere. Schließlich sah sie ein, daß es zwei verschiedene Karten waren.

Sie runzelte die Stirn. «Aber ich hab keine, die paßt.» Ich gab ihr die Karten zurück und sagte: «Halt sie jetzt so lange, bis du eine findest, die paßt.»

«Nein, das mach ich nicht», protestierte sie. «Ich habe keine passende Karte. Ich will, daß diese zwei passen. Laß sie liegen. Sie gelten.»

«Nein, Bo, sie gelten nicht. Nimm sie wieder auf.»

Meine Unnachgiebigkeit regte sie auf. Sie warf mir einen bösen Blick zu. «Laß sie liegen, Torey. Ich kann sonst nicht gewinnen. Ich habe noch viel mehr Karten als du.»

«Das ist aber gemogelt. So ist das Spiel nicht mehr lustig.»

«Ist mir egal. Du sollst die Karten liegen lassen.»

Ich ließ es dabei bewenden, aber ich war ebenfalls zornig geworden. Wir spielten einige Minuten schweigend weiter.

So, jetzt kam der kritische Moment. Ich hatte die Siegeskarte in der Hand. Ein X, das zu meinem X paßte. Ich hielt die Karte eine Weile zögernd in der Hand und starrte sie an. Jetzt oder nie!

«Ich habe mein X gekriegt», sagte ich schnell, damit mein Mut mich nicht verließ. «Siehst du, hier ist es. Ich bin fertig.» Und ich legte meine letzte Karte ab.

Ihr Ausdruck veränderte sich schlagartig. Staunender Unglaube breitete sich auf ihrem Gesicht aus. Das Schweigen zwischen uns wurde unerträglich. Sogar Claudia und Tom spürten die Spannung. «Was macht ihr eigentlich da hinten», ließ sich Thomas vernehmen.

Bo weinte. Unsagbar vorwurfsvoller Schmerz stand in ihren

Augen. «Das hättest du nicht tun dürfen, Torey. Das ist nicht fair. *Ich* hätte doch gewinnen sollen.»

«Das ist doch nur ein Spiel, Bo.»

Ihr Schmerz machte sich plötzlich in Zorn Luft, und sie fegte die Karten in weitem Bogen vom Tisch herunter. «Warum bist du so gemein zu mir. Du mußt doch *mich* gewinnen lassen!» Schluchzend sagte sie: «Es ist einfach nicht gerecht. Das ist der einzige Ort auf der ganzen Welt, wo ich überhaupt gewinnen kann, und du verpfuschst mir auch das. Ich hasse das alles!» Sie traktierte den Tisch mit heftigen Fußtritten.

Da. Jetzt hatte ich es getan. Ich saß wie versteinert, sagte kein Wort. Was hätte ich auch tun sollen? Wie Pandora hatte ich die Büchse geöffnet. Aber im Unterschied zu ihr hatte ich im Grunde genommen gewußt, was mich erwartete, und hatte auch gewußt, daß sie geöffnet werden mußte. Es war nur nicht klar, was weiter geschehen würde.

Ich lud Claudias Eltern zu einem unverbindlichen Gespräch ein. Ich wollte ihnen über Claudias schulische Fortschritte Bericht erstatten, da ich ja wußte, wie leistungsorientiert sie waren. Außerdem interessierte es mich, was sie mit Claudia und ihrem Baby später zu tun beabsichtigten. So könnte ich mich darauf einstellen und Claudia besser unterstützen.

Ich hatte noch nie so unkooperative Eltern gesehen. Sie sprachen zwar ohne Unterbrechung, aber sie sagten überhaupt nichts aus. Der Vater war ein selbstsicherer, jovialer Mann, der offensichtlich in den Klang seiner eigenen Stimme verliebt war. Die Mutter war darauf erpicht, jede Pause im Gespräch, und sei sie auch noch so kurz, sofort mit Worten auszufüllen.

Im Zusammenhang mit meinen Kindern hatte ich im Laufe der Zeit schon mit den verschiedenartigsten Leuten zu tun gehabt: von Schulvorstehern, Anwärtern auf den Nobelpreis und namhaften Künstlern bis zu Alkoholikern, Prostituierten und ehemaligen Häftlingen. Ihnen allen war ich einst am Tisch gegenübergesessen und hatte mit ihnen über ihr großes Problem gesprochen: über ihr Sorgenkind. Welcher Gesellschaftsschicht sie auch immer angehören mochten, ihre Probleme waren die gleichen. Wenn ich ehrlich sein will, muß ich zugeben, daß ich lieber mit den Armen und den Ungebildeten zusammenarbeitete. Gebildete Eltern neigen nach meiner Erfahrung viel mehr dazu, sich aus einer Situation herauszureden und nichts zuzugeben.

Das traf besonders deutlich auf Claudias Eltern zu. Der Vater war ein richtiges Ekel. Trotz seiner Intelligenz versagte er im menschlichen Bereich vollkommen. «Wissen Sie», sagte er zu mir, «Claudia kommt manchmal nach Hause und erzählt von der Klasse, die Sie führen. Sie hat mir gesagt, daß Sie ihr die Beaufsichtigung einiger Kinder übertragen hätten.» Im Klartext hieß das: Können Sie eigentlich Ihre Klasse nicht selbst beaufsichtigen?

«Sie hat mir weiter gesagt, daß sie mit einem... einem schwarzen Kind arbeiten muß.» Klartext: Ihnen ist sicher klar, daß ich von den Schwarzen nicht viel halte.

Ich nickte. «Das stimmt. Da dürfte Nicky gemeint sein.»

«Wenn ich richtig orientiert bin, handelt es sich in diesem Fall um ein autistisches Kind. Ich habe schon einiges über Autismus gelesen. Unheilbar, nicht?» Klartext: Das Kind spinnt.

«Stimmt es, daß Sie Claudia aufgefordert haben, mit diesem kleinen, schwarzen, autistischen Jungen zu arbeiten?»

«Ganz genau», sagte ich spitz. «Hat Claudia etwas dagegen?»

Er hob eine Schulter etwas hoch: «Nicht eigentlich. Sie hat einfach davon erzählt.» Klartext: *Ich* habe etwas dagegen.

«Sie hat noch von einem anderen Jungen gesprochen. Es soll ein Wanderarbeiter-Junge sein. Einer, der auf dem Feld arbeitet.» Klartext: Sicher ist Ihnen auch klar, wie wenig ich von den Wanderarbeitern halte.

«Thomas arbeitet nicht auf den Feldern. Bestimmt nicht jetzt. Er ist einer meiner besten und pünktlichsten Schüler.»

Der Vater räusperte sich gedankenvoll und bedachte meine Aussagen gründlich. Er lehnte sich über den Tisch und senkte seine Stimme zu einem Flüstern: «Unter uns gesagt, diese Kinder sind doch nicht etwa gefährlich, oder?»

Ich neigte mich zu ihm und zischte: «Nein, meine Kinder sind nicht gefährlich, da kann ich Sie beruhigen.»

«Um so besser», erwiderte er. «Wie steht es denn mit ihren Manieren? Darüber habe ich schon die schlimmsten Sachen gehört. Müssen wir uns darauf gefaßt machen, daß Claudia bei Ihnen so was lernt? Da besteht doch sicher eine große Gefahr, wenn sie mit diesem farbigen Jungen arbeiten muß. Wir haben Claudia bis anhin eine teure Ausbildung zukommen lassen. Ich würde es absolut nicht schätzen, wenn sie hier schlecht beeinflußt würde.»

Nach dieser Diskussion verdiente ich bestimmt eine Goldmedaille für meine Höflichkeit. Die einzige Person, die ebenfalls eine verdiente, war Claudia, die trotz dieses schrecklichen Vaters ein so nettes Mädchen geworden war.

«Seien Sie unbesorgt», sagte ich, so freundlich ich konnte, «die Kinder in meiner Klasse haben nichts Ansteckendes.»

«Dann ist es ja gut. Ich hatte mir schon Gedanken gemacht, Sie werden das verstehen.»

Die Mutter schien so weit in Ordnung, abgesehen davon, daß sie nie ein Wort sprach, außer um Pausen zu füllen. Drohte unsere Konversation zu stocken, fuhr sie mit den unsinnigsten Bemerkungen dazwischen. Sie ängstigte sich offensichtlich ganz gewaltig vor den Pausen in einem Gespräch. In der übrigen Zeit lächelte sie ausdauernd und nickte mit dem Kopf, als wäre sie eine Puppe in der Hand eines Puppenspielers. Sie und Claudia waren der Inbegriff von Schüchternheit. Trotz ihres Berufs als Zeichenlehrerin schien sie mir das Musterbeispiel einer unterdrückten, unbefriedigten Frau, die ganz von Familie und Haushalt aufgesogen wurde.

Weder Vater noch Mutter hatten sich konkrete Vorstellungen

über Claudias Zukunft gemacht. Sie wiesen den Gedanken, daß eine psychologische Beratung Claudia guttun könnte, weit von sich. Der Vater meinte sofort, dem Kind fehle doch nichts! Es sei ausschließlich die Schuld dieses Jungen. Ob ich nicht wisse, daß Claudia sozusagen vergewaltigt worden war? Um so eher brauche sie Hilfe, um damit fertigzuwerden, legte ich ihm nahe. Er erwiderte scharf, ich sei wohl zu lange mit übergeschnappten Kindern zusammen gewesen, wenn ich für seine Tochter einen Psychologen ins Auge fassen würde. Überhaupt gefalle ihm diese Klasse gar nicht, und er werde es sich überlegen, ob ein Privatlehrer für Claudia nicht angebrachter wäre. Darauf sagte ich nichts mehr. Das schlimmste, was Claudia passieren konnte, war eine solche Absonderung.

Unser Gespräch endete trotz meiner Zurückhaltung eher feindselig. Ich konnte mich nicht dazu bringen, alle Differenzen zu überspielen. Der Vater seinerseits hielt mich für eine Lehrerin, die ihre Kompetenzen überschritt und sich in fremde Angelegenheiten mischte. Er nahm kein Blatt vor den Mund. Wenn ich nicht aufpaßte, würde er Claudia von der Schule nehmen und mich vielleicht sogar gerichtlich verfolgen.

15

«Was wird geschehen, wenn das Kind da ist?» fragte ich Claudia eines Nachmittags nach Schulschluß. Der Himmel war grau, und die Wolken hingen tief. Ich sah den großen Schneeflocken zu, wie sie zur Erde segelten.

«Ich weiß nicht.»

«Denkst du denn nie dran?» fragte ich und drehte mich zu ihr um.

«Manchmal schon.»

«Sprecht ihr zu Hause nicht darüber? Was meinen deine Eltern dazu?»

«Nichts. Wir sprechen zu Hause nicht darüber. Ich darf nicht. Mein Vater hat es verboten. Wegen Corinna und Melody.»

«Sind das deine Schwestern?»

«Ja. Corinna ist elf und Melody neun. Mit Caroline und Rebecca darf ich sprechen. Die sind erst sechs und vier Jahre alt. Sie wissen noch nicht, was vor sich geht, sagt mein Vater, da macht's nichts. Rebecca ist meine Lieblingsschwester. Ich habe keine Geheimnisse vor ihr.»

«Ich versteh dich gut, aber was geschieht mit dem Baby, wenn es da ist? In fünf Monaten ist es soweit.»

«Ich hab dir doch gesagt, ich weiß es nicht. Es wird uns schon etwas einfallen, wenn das Baby da ist, sagt Mami. Ich werde es natürlich behalten. Meinst du das?»

«Willst du das Baby tatsächlich bei dir behalten?» Ich setzte mich zu ihr an den Tisch.

«Natürlich.» Ein Lächeln glitt über ihr Gesicht. «Es wird mir ganz allein gehören, mein Baby. Ich werde es pflegen, damit es nur mich liebt, mich, nur mich allein. Und Rebecca vielleicht ein bißchen.»

«Du willst es selber betreuen?»

Sie nickte. «Ich und meine Mutter. Ich werde es füttern und wickeln. Das macht mir nichts aus. Sie kann alles übrige besorgen. Mami hat mal gesagt, daß ihr ein Baby im Haus fehlt, jetzt, wo wir alle schon größer sind.»

«Aber deine Mutter arbeitet doch, sie ist den ganzen Tag weg, Claudia.»

«Ich weiß, aber es wird schon irgendwie gehen.»

«Babys sind nicht wie Puppen. Man kann sie nicht einfach in eine Ecke schmeißen, wenn man sie satt hat.»

Die Stille wuchs. Es war so ruhig, daß ich das Gefühl hatte, die Schneeflocken fallen zu hören. Claudia betrachtete eingehend ihre Finger und fuhr sich mit der Hand über den Bauch.

«Es wird schon gehen. Ich weiß das bestimmt.»

Als ich keine Antwort gab, begann sie nervös auf dem Stuhl herumzurutschen.

«Bestimmt, Torey. Du machst dir immer solche Gedanken über alles. Es wird schon gut werden. Irgend etwas wird geschehen.»

Es bestand kein Zweifel, daß etwas geschehen würde. Claudia lebte noch in einer Märchenwelt. Ich sah die Sache realistischer. Ihr Leben würde mit größter Wahrscheinlichkeit so ablaufen wie das der meisten ledigen Teenage-Mütter. Kein Schulabschluß, keine gute Stellung, nicht genug Geld, um sich selbst und das Kind zu erhalten, endlose Familienzwiste und endlich die Flucht in eine Heirat, weil das Ganze unerträglich geworden war. Am schlimmsten aber war, daß diese Mütter ihre eigene Kindheit nicht ausleben konnten und zu früh ins Erwachsenendasein gedrängt wurden, was ihnen und dem Kind unausweichlich Schaden zufügte. Ich glaubte, schon das Zuschlagen der jetzt noch offenen Türen im Leben dieses Mädchens zu hören.

«Claudia, hast du auch schon daran gedacht, das Baby zur Adoption freizugeben?»

Sie war von Entsetzen gepackt. «Nein. Natürlich nicht!»

«Ich weiß, daß ein solcher Gedanke weh tut, und trotzdem glaube ich, es wäre für dich und das Kind die beste Lösung.»

«Sei still! Das darfst du nicht sagen. Ich werde das Kind nie aufgeben. Es ist *mein* Kind. Niemand darf es mir wegnehmen.»

Ich wollte noch etwas sagen, aber ihre ablehnende Haltung ließ mich schweigen.

Sie fing an zu weinen: «Wie kannst du so etwas zu mir sagen? Du warst noch nie schwanger und weißt nicht, wie das ist. Ich will dieses Baby haben. Es wird vieles in Ordnung bringen.»

Du lieber Himmel, was waren das für wirklichkeitsferne Vorstellungen!

Sie wandte sich zur Tür, und ich dachte schon, sie würde hinausstürmen, aber sie blieb schluchzend stehen.

Ich seufzte. In diesem Zimmer schien in letzter Zeit immer irgend jemand in Tränen auszubrechen. Ich fühlte mich müde und abgespannt. Ich wußte, daß ich zu weit gegangen war, daß ich meine Worte nicht vorsichtig genug gewählt hatte. In dieser ersten Gesprächsrunde hätte ich zunächst den Boden für diesen neuen Gedanken vorbereiten sollen. Mir war zu spät bewußt geworden, daß dieses Thema für uns beide emotional zu stark geladen war.

Ich fühlte mich vollkommen überfordert. Claudia schluchzte jetzt in ein Kissen hinein. Meine Hemmung hinderte mich daran, sie in die Arme zu schließen und sie wie ein kleines Kind zu trösten. Ich war der Situation nicht gewachsen.

Da mir in meiner Hilflosigkeit nichts anderes einfiel, sagte ich: «Ich gehe jetzt für einen Augenblick ins Lehrerzimmer. Ich bin bald zurück.»

Ich mußte mir einfach irgendwie Luft schaffen. In der Halle nahm ich mir eine Cola aus dem Automaten und preßte die kühle Dose auf meine Stirn. In Gedanken blätterte ich krampf- haft alle mir bekannten didaktischen Werke durch, in der Hoffnung, ein Rezept gegen Müdigkeit, Unvermögen und Hilf- losigkeit zu finden.

Als ich nach einer Weile zurückkam, lag Claudia immer noch auf dem Kissen in der Leseecke. Das Zimmer war in Dämmerung gehüllt. Claudias trostloser Anblick machte mir wieder schmerz- lich klar, wie sehr diese Situation das Mädchen überfordern mußte. Sie hätte besser wie ihre Altersgenossinnen Posters ihrer Lieblingsschauspieler an die Wand heften und Musik hören sollen!

Ich kniete neben sie hin: «Ich hab dir eine Cola mitgebracht, magst du?»

Sie setzte sich mit rotverschwollenen Augen auf, sog aber gierig aus der Dose. Die Stille der Januardämmerung senkte sich leise auf uns herab.

«Es tut mir leid, Claudia», sagte ich und wußte plötzlich nicht mehr weiter. Was tat mir denn überhaupt leid? Wahrscheinlich die Tatsache, daß ich mit so wenig Feingefühl einen Standpunkt vertreten hatte, der mir selber nicht besonders klar war.

Sie sah mich an. Zum ersten Mal schaute sie mir direkt in die Augen. «Warum kümmerst du dich eigentlich um mich? Niemand kümmert sich sonst.»

Ich hatte keine Antwort darauf.

Sie beobachtete mich noch immer scharf. «Was hast du eigentlich vor? Wir sind doch hier alles Kinder fremder Leute. Warum kümmerst du dich um uns, wir gehen dich doch gar nichts an.»

Das Zimmer lag jetzt fast im Dunkeln. Ich fühlte mehr, als ich es sah, daß Claudia wieder Tränen in den Augen hatte. Es drängte mich, die Hand nach ihr auszustrecken, aber mir fehlte der Mut dazu. Unsere Blicke verloren sich ineinander. Wie Alice im Wunderland fiel ich ins Bodenlose. Ich ahnte soviel und verstand doch so wenig.

Claudia strich sich das Haar aus der Stirn, seufzte einmal tief auf und sagte: «Du bist eine seltsame Frau, weißt du das?»

Und dann war da noch Bo. Bo machte alles wett. Alle Fehler, die ich machte, alle Mühsal, die ich auf mich nahm, alle Chancen, die ich verpaßte. Hätte ich doch ein Fläschchen voll Bo-Gemüt mit mir herumtragen können! Es gelang mir nie, jemandem das Besondere ihres Wesens zu erklären, wenn ich von ihr sprach.

Es war am Tag nach dem Gespräch mit Claudia. Ich saß über Mittag im Schulzimmer und drückte gerade den letzten Bissen meines Lunch hinunter, als Bo, ein Blatt Papier schwenkend, ins Zimmer stürmte. Sie sprang auf meinen Schoß und hielt mir das Papier unter die Nase.

«Ich hab dir was mitgebracht, willst du's sehen?»

Sie hatte einen Paradiesvogel gemalt. Einen blauen Vogel mit schwarzen Flügeln und gelben Beinen. Die Zeichnung war kein Meisterwerk, denn alles, was Bo zu Papier brachte, war eben Bo!

Aber der Vogel strahlte vor Glück, das konnte man von weitem an seinem gelben Schnabel sehen.

«Ich glaube, das ist mein schönstes Bild. Ich hab es mit meinen besten Farbstiften gemalt, und er steht auch schön gerade, findest du nicht?»

«Ich finde deinen Vogel wunderbar.»

«Mrs. Thorsen hat er auch gefallen. Sie wollte ihn sogar ans Anschlagbrett hängen. Aber ich hab ihr gesagt, daß er dir gehört und sie ihn nicht haben kann.»

«Das hättest du nicht sagen sollen. Das Bild ist so schön. Am Anschlagbrett wäre dafür der richtige Platz gewesen. Du kannst stolz sein auf diese Zeichnung.»

«Ich bin auch stolz. Aber ich hab sie für dich gemacht.»

«Ich nehme sie natürlich gern. Vielleicht finde ich auf unserem Brett ein Plätzchen, dann können alle den Vogel bewundern.»

Bo nahm mir das Blatt aus der Hand und schaute es genau an. Nachdenklich sagte sie: «Weißt du, was ich dachte, als ich es gemalt habe? Der Vogel ist schon nicht ganz richtig so. Nicht so wie auf einer Photographie oder wie in einer Illustrierten. Und ich wollte doch, daß er ganz genau so wird, wie ich ihn draußen sehe. Aber es gelang mir nicht. Er ist nicht vollkommen.»

«Ach Bo, sag das nicht. Es ist ein wunderbarer Vogel, viel schöner als auf irgendeinem Photo.»

«Das mein ich doch gar nicht. Er ist nicht richtig, weil er nicht so herausgekommen ist, wie ich ihn haben wollte. Das Bild ist wirklich nicht vollkommen, aber weißt du, ich habe mir nachher gedacht, es ist doch vollkommen. Nicht das, was wir sehen, sondern das, was wir fühlen, ist wichtig. In mir drin habe ich diesen Vogel ganz genau gesehen. Und deshalb hab ich ihn gern, obwohl er nicht vollkommen ist, weil ich weiß, daß er es hätte sein können.»

Sie wandte sich wieder mir zu: «Verstehst du, was ich meine?»

Ich nickte. «Ich glaube schon.»

«Nichts ist vollkommen», sagte sie, «aber in mir drin kann ich etwas vollkommen sehen, wenn ich will. Das macht die Dinge so wunderschön für mich.»

«Was bist du doch für eine kleine Träumerin, Bo!»

Sie schaute mich mit ihren großen, dunklen Augen an. «Träumen ist etwas Gutes.»

Der Paradiesvogel ist nicht auf unserem Anschlagbrett gelandet. Ich hängte ihn zu Hause über mein Bett. Er sollte mich mindestens zweimal am Tag daran erinnern, wieviel Schönheit es doch gab in unserer unvollkommenen Welt.

16

Das Schuljahr teilt sich nicht so sehr in die einzelnen Monate auf wie bei den übrigen Sterblichen, sondern die Ferien bilden die natürlichen Zäsuren. Da gibt es Höhepunkte wie Halloween, Thanksgiving und Weihnachten, aber auch Zwischenzeiten wie Nach-den-Sportferien, Noch-nicht-Ostern oder Noch-nicht-ganz-Schluß-Zeiten des Bastelns und Aufräumens.

Der Februar nahte und mit ihm der St.-Valentins-Tag. Ich versuchte, den unvermeidlichen Trubel solcher Festtage möglichst einzudämmen, da meine Kinder leicht außer Rand und Band gerieten. Nach den trüben Januartagen freute ich mich hingegen ungemein auf die farbenfrohe St.-Valentinszeit.

Bo war unser Zugpferd für alle Festlichkeiten. Sie begann jeweils mit Planen, bevor wir überhaupt wußten, was für ein besonderer Tag wieder vor der Tür stand. Eifrig erörterte sie Geschenke, Partys und Dekorationen. Da machte der St.-Valentins-Tag keine Ausnahme.

Anfang Februar überraschte uns Bo mit einer Rieseneinkaufs-

tasche voller St.-Valentinssachen. Ein Amörchen mit Honigwa-
benherz, gebrauchte Girlanden aus dem Altwarengeschäft, eine
leere, herzförmige Bonbonnière aus Plastik. Und Karten. «Das
sind meine Valentinskarten für euch alle.» Sie zeigte uns eine
Handvoll Briefumschläge mit merkwürdigen Formaten. «Libby
und ich haben sie gestern gemacht. Ich habe die Bilder ausgeschnitten, und Libby hat mir mit dem Schreiben geholfen.» Sie
überreichte mir das Sortiment.

«Soll ich sie hier bis zum Valentins-Tag aufs Regal stellen?»

«Nein», äußerte Bo entschieden, «ich will, daß ihr sie jetzt
aufmacht. Ich hab sie extra für heute gemacht.»

«Aber es ist doch erst der fünfte Februar», meinte Claudia.

«Ist mir doch egal. Mein Daddy muß mir dann noch Sachen
kaufen für meine andere Klasse, aber das habe ich nur für euch
gekauft. Für heute. Ihr müßt sie jetzt öffnen.»

Ich lächelte und gab mich geschlagen: «Also gut, Bo. Du mußt
sie aber selber verteilen, sie sind ja nicht angeschrieben.»

«Natürlich sind sie nicht angeschrieben, ich könnte die Namen doch auch gar nicht lesen.» Sie sah mich mitleidig an, daß
ich so dumm sein konnte und nicht daran gedacht hatte. «Das ist
Toms und das ist Claudias Karte. Der große Umschlag ist für
Nicky, und das hier gehört dir.»

Es waren ganz persönliche Karten. Für Claudia hatte sie eine
Frau mit einem Baby auf dem Arm ausgeschnitten. «Ich liebe
Dich und Dein Baby» stand darunter in Libbys großen Anfänger-
buchstaben. Auf der Vorderseite von Thomas' gefalteter Karte
war eine verrucht aussehende spanische Tänzerin aufgeklebt,
und innen befand sich eine unentzifferbare Botschaft. Bo hatte
sie selbst geschrieben.

«Was heißt das, Bo?» fragte er.

«Ich mußte es selbst schreiben, sonst hätte Libby gedacht, du
seist mein Schatz, und das bist du nämlich nicht. Du bist einfach
ein Freund von mir.»

«Also sag jetzt, was draufsteht!» munterte ich sie auf.

Sie errötete und wollte sich nicht weiter dazu äußern. Ich schlug vor, daß es so etwas wie «Ich liebe dich» heißen könnte.

«Am Valentins-Tag darf man so was sagen», meinte Bo schnell. «Auf den gedruckten Karten steht das ja auch. Er ist aber nicht mein Schatz, das weißt du doch.»

Claudia kicherte.

«Ja, ja, wir wissen das, Bo.»

Meine Karte war eine Zeichnung. Bos Erklärung war, daß sie kein Bild gefunden habe, das uns ähnlich gesehen hätte. So hatte sie uns fünf Arm in Arm gezeichnet, und in einem gelben Ballon, der über den Köpfen schwebte, stand «Ich liebe Dich, Du machst mich Gluklig».

Nicky erhielt die größte Karte. Sie bestand aus mehreren Blättern mit anschaulichen Abbildungen von Tieren, Spielsachen und Menschen.

«Ich hab ihm nur Bilder geschenkt, weil er doch nicht lesen kann. Er hat gern Bilder, er schaut manchmal lange ein Bilderbuch an, ich hab das schon gesehen.»

Nicky grapschte sich sofort das selbstgemachte Büchlein und begann darin zu blättern.

«Das gehört dir, Nicky. Ich hab das für dich gemacht, weil ich dich gerne mag.» Sie fuhr ihm zärtlich über seinen Wuschelkopf.

Auf der zweiten Seite war ein zottiger Hund abgebildet. Nicky hielt das Bild nahe an seine Nase und schnüffelte daran herum: «Hund. Hund.»

«Hör doch, Torey, hör doch!» rief Bo aufgeregt. «Er spricht, er spricht. Er hat Freude an meinen Bildern.»

Nicky klopfte mit dem Finger auf das Bild: «Hund.»

Thomas kniete neben ihn auf den Boden. «Das ist Benji, Nicky. Benji. Sag mal Benji!»

«Hund.»

«Ja, ja, du mußt aber sagen: Benji.»

«Benji», wiederholte Nicky. «Hund. Benji.»

«Und was ist das?» Bo zeigte auf die gegenüberliegende Seite.

Es war eine Katze, aus einer Reklame.

«Hund», meinte Nicky.

«Nein», belehrte ihn Thomas. «Das ist kein Hund, Nicky. Das ist eine Katze. Sag mal Katze.»

«Katze.»

«Und was ist das?» fragte Tom weiter.

«Hund.»

«Nein», klang es schon etwas ungeduldiger.

«Katze.»

«Ja, prima!» Thomas und Bo brachen gleichzeitig in ein Freudengeheul aus.

Wie ein Steppenbrand breitete sich die Aufregung unter uns aus. Wir drängten uns alle um Nicky. Thomas hatte sich zum Vorredner aufgeschwungen. Er blätterte die Seiten um, gegen Nickys unmißverständlichen Willen. Nicky wollte nämlich unbedingt bei Katze und Hund verweilen. Sanft, aber bestimmt zwang Thomas ihn, auch die Sujets auf den anderen Bildern nachzusprechen.

Ich lehnte mich auf den Fersen zurück und betrachtete das eifrige Grüppchen. Ein Wunder spielte sich hier vor meinen Augen ab. Mein ganz privates kleines Wunder. Und die es bewirkten, waren: ein Mädchen, das nicht lesen konnte, ein Junge, der aus der Schule geflogen war, und eine zwölfjährige Schwangere!

«Du mußt Nicky mal zuhören, Torey», hörte ich Thomas sagen, «er spricht wirklich, und nicht sinnloses Zeug wie vorher.»

Sie befragten Nicky weiter. Bo umarmte mich plötzlich und flüsterte mir zu: «Ich bin so glücklich. Ich könnte lachen und weinen. Wir haben Nicky dazu gebracht, wie ein normaler Mensch zu sprechen. *Ich* habe das eigentlich bewirkt, nicht wahr? Weil ich ihm das Büchlein gemacht habe.»

Ich nickte. «Das stimmt, Bo. Du hast das gemacht.» Es hätte mich nicht gewundert, wenn sie vor Freude geplatzt wäre.

Unsere Euphorie war von kurzer Dauer. Nicky fiel bald in seine alten Gewohnheiten zurück und plapperte wahllos TV-Sendungen nach. Ich hatte diesen Rückfall vorausgesehen. Aber es blieb die Genugtuung, daß Nicky zweimal innerhalb eines Monats den Kontakt zu uns gefunden hatte, und heute mehr denn je. Das war bereits ein Wunder.

Die Kinder hingegen erlebten eine bittere Enttäuschung. Sie hatten fest daran geglaubt, Nicky sei von Stund an geheilt, ein normales Kind wie sie. Daß Nicky so schnell wieder in seine eigene Welt versunken war, bedeutete für sie, daß alles keinen Sinn gehabt hatte.

Besonders für Bo war es ein Schlag. «Ich dachte, wir hätten ihm geholfen», sagte sie mit tränenerstickter Stimme. «Er hat doch mit uns gesprochen. Was ist denn los mit ihm? Will er nicht gesund werden?»

Ich legte meinen Arm um ihre Schultern. «Er macht das nicht absichtlich, Bo. Er kann einfach manchmal nicht anders. Aber bestimmt war er sehr glücklich, daß du ihm geholfen hast, ein bißchen zu sprechen.»

«Warum hat er denn plötzlich aufgehört?»

«Ich weiß es nicht.»

«Warum machst du nichts dagegen, warum hilfst du ihm nicht?»

«Das liegt nicht in meiner Macht, Bo. Glaub mir, es liegt mir ebensosehr daran, daß er sprechen lernt. Nicky macht seine Fortschritte mit kleinen, aber ihm angemessenen Schritten.»

«Aber ich habe doch jeden Tag mit ihm geübt, wie du es gesagt hast, und trotzdem kann er es noch nicht. Er wird nie ein normaler Junge sein.»

«Es ist manchmal entmutigend, ich weiß. Auch für mich. Wir werden aber immer weiter mit ihm üben. Das wichtigste ist, die Hoffnung nicht aufzugeben und immer daran zu denken, daß er heute mit uns gesprochen hat. Nichts zählt für uns, außer daß er heute gesprochen hat, verstehst du das?»

Sie schaute mich an, als wollte sie mir beistimmen, sagte dann aber doch: «Nein, ich versteh es eigentlich nicht richtig.»

Ich nahm sie in die Arme und versuchte, sie zu trösten. Die Enttäuschung hatte ihren Körper starr gemacht. Über Bos Kopf hinweg sah ich Nicky allein auf dem Boden sitzen. Mit der einen Hand zupfte er an seinen Augenwimpern herum, die andere hob er flatternd dem Licht zu. Seine weichen, kindlichen Züge schienen sich in einer Traumwelt zu verlieren.

Aber heute hast du mit uns gesprochen.

17

Thomas' elfter Geburtstag war am zweiundzwanzigsten Februar. Sollten wir ihn feiern oder lieber nicht? Wenn ja, in welchem Rahmen? Thomas war ein merkwürdiges Kind, und seine Reaktionen waren oft unberechenbar. Einerseits wollte er unbedingt im Mittelpunkt sein, wollte geliebt und verwöhnt werden. Andrerseits markierte er den starken Mann und wollte keinesfalls wie ein Kind behandelt werden. Schließlich entschloß ich mich, mindestens einen Kuchen zu backen. Was weiter geschehen sollte, würde sich von selbst ergeben.

Natürlich war es wieder einmal Bo, die an Geschenke dachte.

Einige Tage vor Thomas' Geburtstag flüsterte sie mir geheimnisvoll zu: «Ich muß dich etwas sehr Wichtiges fragen.»

Ich blinzelte mit gespielter Überraschung.

«Du weißt doch, Thomas hat am Freitag Geburtstag. Dürfen wir ihm Geschenke geben?»

«Lieber nicht, Bo. Wir essen den Geburtstagskuchen und spielen etwas Lustiges zusammen. Keine Geschenke.»

Sie gab sich aber nicht so schnell geschlagen: «Ich habe ihm aber schon etwas gekauft. Ich habe es gestern abend gekauft, als

Daddy die Turnhose für Libby geholt hat.»

Sie war schon für die Pause angezogen, und mit ihrer roten Wollmütze, die ihr fast über die Augen rutschte, sah sie aus wie ein Gnom.

«Ich hab extra gespart, ich hab Thomas' Geschenk mit meinem eigenen Geld gekauft. Mein Dad hat mir nichts dazu gegeben. Außerdem habe ich bereits neunundzwanzig Cents für eine Geschenkmasche ausgegeben.»

«Dann gibst du ihm halt dein Geschenk, Bo. Aber wir andern haben nichts für ihn, und niemand kriegt sonst Geschenke hier bei uns, findest du das gerecht?»

Ungeduldig sagte Bo: «Ach, Torey, Geburtstage müssen doch nicht gerecht sein. Bist du einverstanden?»

Ich gab nach. «Willst du mir nicht wenigstens verraten, was du ihm schenkst?»

«Ich werde es dir nicht verraten, es ist eine Überraschung!» Und fort war sie.

Am Freitagmorgen des Zweiundzwanzigsten überzogen Bo und ich Thomas' Stuhl mit Crêpepapier, und Claudia heftete einen riesigen «Happy Birthday Thomas»-Gruß über die Tür. Wir waren auf dem besten Weg, eine Staatsaffäre aus diesem Geburtstag zu machen.

Thomas freute sich sichtlich. «Ich habe noch nie ein Geburtstagsfest gehabt», sagte er mit glänzenden Augen. «Habt ihr das alles für mich gemacht? Für mich allein?»

Er war überwältigt. Mit großen Augen bestaunte er unsere kläglichen Dekorationsversuche. «Und auch einen Kuchen bekomme ich? Einen ganzen Kuchen?» Noch nie in meinem Leben habe ich ein Kind gesehen, das an einer Grußschrift, einem Kuchen, acht Ballonen und einer Rolle gelben Crêpepapiers solche Freude hatte. Er kreiste unaufhörlich im Zimmer und rief andauernd: «Für mich, wirklich für mich?» Es wurde mir bei dieser Gelegenheit schlagartig klar, wie groß die Entbehrungen dieses Jungen gewesen sein mußten.

«Thomas, rate, was du noch bekommst. Ich hab dir ein Geschenk gebracht!» platzte Bo heraus.

Thomas schaute uns ungläubig an.

«Sag ihm, daß es stimmt, Torey. Kann ich's ihm geben?»

«Ich glaube, wir sollten zuerst unsere Arbeit erledigen, nach der Pause essen wir dann den Kuchen, und Thomas kann sein Geschenk auspacken.»

Großes Protestgeschrei. Bo rang mir schließlich die Erlaubnis ab, Thomas das Geschenk wenigstens zeigen zu dürfen. Es war auf den ersten Blick zu erkennen, daß Bo das Paket selbst gemacht hatte. Ein ganzer Zirkus paradierte auf dem Geschenkpapier, und die Krönung war eine Riesengoldmasche.

«Für mich?» sagte Thomas sofort. «Das ist für mich?» Er machte Augen wie Pflugräder.

Ich hatte meine liebe Not, alle zum Arbeiten zu bewegen. Thomas saß neben Bo, die leuchtend gelbe Schachtel zwischen ihnen auf dem Tisch. Sie waren sich innig verbunden, das war offensichtlich.

Eine kurze Zeit breitete sich Stille im Zimmer aus, als alle das Aufgabenblatt vor sich studierten. Bald aber hörte ich Thomas flüstern: «Hast du das wirklich für mich gekauft, hast du's *selbst* für mich gekauft?»

Bo nickte, ohne aufzusehen.

«Weil du mir ein Geschenk geben *wolltest*?»

Ich blickte auf die rührende Szene, und ein bittersüßes Gefühl durchströmte mich. Diese kleinen Alltagstragödien trafen mich immer zutiefst.

Es verging eine kleine Ewigkeit bis zur Pause. Bo hielt die anderthalb Stunden kaum aus und fragte unaufhörlich nach der Uhrzeit, weil sie sie selbst nicht lesen konnte. Auch Claudia merkte man die Spannung an, ganz zu schweigen von Thomas. Nur Nicky ließ sich von uns nicht anstecken.

Endlich war es zwei Uhr. Eine Kollegin übernahm die Kinder in der Pause, während ich den Kuchen aufschnitt und Orangensaft bereitstellte. Zu guter Letzt pflanzte ich die Riesenschachtel mit der Riesenmasche mitten auf den Tisch.

Da kamen sie auch schon. Thomas setzte mit einem Hürdenlauf über die Möbel, und Nicky schwirrte wie ein Flugzeug auf den Tisch zu. Er mußte etwas mitbekommen haben, denn er befand sich jetzt ganz offensichtlich in Partystimmung. Bo schmetterte ein Lied vor sich hin. Nur Claudias Gesicht schien von dunklen Ahnungen getrübt.

«Mein Geschenk, du mußt zuerst mein Geschenk auspacken!» rief Bo aufgeregt.

Ich war gerade am Ausschenken des Orangensaftes, als sie an mir vorbeifegten. «Nicky, nein, nicht!» Er schwang den Kuchen über dem Kopf.

«Du mußt mein Geschenk öffnen, Tom!»

«Torey, Nicky streut sich Kuchen auf den Kopf.»

«Bo, schau doch, wo du hintrittst, um Himmels willen, du bist beinahe auf mir rumgetrampelt.»

«Hilfe! Es soll mir doch jemand helfen, sonst laß ich den Orangensaft fallen.»

«Nicky, würdest du dich jetzt *bitte* hinsetzen. Du sollst das nicht ins Ohr stecken. Claudia? Bo? Nehmt ihm doch bitte den Kuchen wieder aus dem Ohr. Nicky!»

«Schaut, ich hab eine Blume auf meinem Kuchenstück.»

«Warum hab ich keine Blume auf meinem Stück? Torey, ich will auch eine Blume haben.»

«Nicky!»

Chaos. «So, ihr Plagegeister. Ich zähle jetzt bis fünf, und dann sitzt ihr alle schön auf dem Boden mit eurem Teller vor euch. Verstanden? Eins...»

Ich hielt die Augen geschlossen und hörte während des Zählens ein Zischen und Rumoren. «So, mach jetzt, Bo, sonst bist du schuld, wenn sie böse wird.»

«Fünf.»

Vier Engelsgesichter strahlten zu mir herauf. Thomas und

Claudia hatten Nicky fest im Griff. Seine schwarzen Locken waren noch voller Zuckerguß, aber es saßen doch immerhin alle, auch er.

«Das gefällt mir schon besser. Ihr wart ja schlimmer als eine Horde losgelassener Äffchen. Wir führen uns jetzt wie anständige Menschen auf und essen Kuchen und trinken unseren Saft. Okay?»

Ein dreifaches Nicken. Nicky schlürfte bereits aus seinem Becher.

Die Gespräche von Kindern beim Essen sind unbezahlbar.

«Ich finde diesen Kuchen prima, Torey», kommentierte Tom. «Aus was ist er denn gemacht?»

«Aus Schokolade.»

«Ja, natürlich. Genau das wollte ich sagen, es lag mir auf der Zunge.»

Diese Bemerkung brachte Bo so sehr zum Lachen, daß ihr der Orangensaft in den falschen Hals geriet und sie fast erstickt wäre. Inzwischen hatte Claudia ihren Teller an die Nase gehalten und rief aus: «Schokolade riecht wunderbar!» Das mußten natürlich alle ausprobieren, und so schnüffelten alle an ihrem Kuchenstück herum, Nicky eingeschlossen.

«Junge, das riecht wirklich toll», ließ sich Thomas begeistert hören.

Plötzlich platzte Bo mit dem folgenden, unverständlichen Zwischenruf in unsere friedliche Runde: «Ihr wißt nicht, was ich weiß! Ihr seid verbunden da hinten. Da!» Sie riß ihren Mund weit auf und zeigte tief in ihren Schlund hinein. «Eure Nase und euer Mund sind da hinten miteinander verbunden. Wollt ihr wissen, warum ich das weiß?»

«Klar, los damit», verlangten die Kinderstimmen.

«Also, wir hatten mal Böhnchen zum Nachtessen, meiner Schwester Libby wurde schlecht, und wißt ihr, was sie erbrochen hat? Böhnchen, durch die Nase!» rief sie triumphierend aus.

«Bo!» erschallte meine gestrenge Lehrerstimme.

«Ich schwör's dir, Torey, das hat sie wirklich getan. Ich war dabei und hab's gesehen. Es muß miteinander verbunden sein.»

«Ich habe nicht behauptet, daß du lügst, Bo. Es geht um das Gesprächsthema...»

«Wißt ihr, was mein Großvater macht?» schaltete sich Claudia ein, «er gurgelt Salzwasser die Nase hinauf.»

Jetzt kamen alle erst so recht in Fahrt. Die Konversation lief unaufhaltsam auf dieser Ebene weiter.

Die Spannung war auf dem Siedepunkt, als Bo feierlich die gelbe Schachtel vor Thomas hinstellte: «Da hast du dein Geschenk», sagte sie mit vor Erregung heiserer Stimme.

Thomas rührte sich einen Augenblick nicht vom Fleck, seinen Blick starr auf die Schachtel gerichtet. Dann begann er ganz vorsichtig, die Schnur zu lösen, und flüsterte dabei vor sich hin.

Wie ein Gummiball tanzte Bo in ihrer Aufregung auf und ab. Die ersten Hüllen waren gefallen, aber jetzt galt es noch, die nackte Pappschachtel vom Klebstreifen zu befreien. Die Erregung lähmte Thomas' Finger, so daß ich ihm eine Schere zum Aufschneiden anbot. Er akzeptierte und hob ganz sachte den Deckel. Zuerst kam Seidenpapier zum Vorschein. Neben mir sprang Bo von einem Bein auf das andere. Thomas steckte jetzt seine Hand in die Schachtel und zog das Geschenk heraus.

Ein Teddybär. Braun und mollig. Er trug ein dunkelbraunes T-Shirt. Nicht zu klein und nicht zu groß.

Thomas hielt den Bären vor sich hin und starrte ihn an. Bo brach in Freudengeheul aus. Claudia lächelte mir zu. Thomas schien so überwältigt, daß er die Sprache verloren hatte. Er sagte nichts. Er bewegte sich nicht.

«Gefällt er dir?» fragte Bo. «Ich hab ihn mit meinem eigenen Geld gekauft. Er hat $ 10.98 gekostet. Seit Januar habe ich gespart dafür. Ich habe sogar einen Teil von Tante Gerdas Weihnachtsgeld drangegeben. Aber ich wußte doch, daß du keinen Bären hast, und deshalb habe ich das Geld gern gegeben.»

Thomas explodierte mit einem Schlag. Das Papier flog in

Fetzen in alle Richtungen, und außer sich schrie er: «Was für ein doofes Geschenk! Ich bin doch kein Baby. Was meinst du eigentlich, was ich mit diesem Quatsch machen soll? Du stellst dich bei allem genauso blöd an wie beim Lesen. Kein Wunder, bist du in diese Hohlkopf-Klasse geraten. Da gehörst du auch hin. Du begreifst überhaupt nichts!»

Für Bo brach eine Welt zusammen. Sie stieß einen markerschütternden Schrei aus. Tränen rannen ihr über die Wangen.

Ich sprang wie von der Tarantel gestochen auf und wollte Thomas in den Arm fallen, aber ich war nicht schnell genug.

«Da siehst du, was ich von deinem verdammten Geschenk halte!» Er stach mit der Schere wütend in den Bauch des Bären und riß ihm die Schaumgummifetzen aus dem Leib. Der verstümmelte Bär fiel zu Boden, und die Schere flog hinter ihm her. Darauf raste Thomas hysterisch fluchend im Zimmer herum. Bo jammerte vor sich hin.

«Thomas, halt!» Eine wilde Verfolgungsjagd begann. Ich versuchte, ihn an die Wand zu drängen, aber er entwischte mir. Und wieder ging es über Tische und Bänke. In panischer Angst, daß er mir in diesem Zustand aus dem Zimmer rennen würde, lief ich auf die Tür zu.

Thomas nutzte seinen Vorteil und schmiß mir einen kleinen Stuhl ans Schienbein. Er hatte seine Sinne also doch noch ganz schön beieinander. Schmerz durchdrang mich. Ich prallte gegen die Tür.

Als ich mich wieder aufrichtete, sah ich die spitze Schere auf meinen Magen gerichtet. Sie war einen Fingerbreit von meinem Körper entfernt, und Thomas hielt mich damit drohend in Schach.

Totenstille. Sogar Bo hatte zu schluchzen aufgehört.

«Du hörst jetzt auf, mich rumzukommandieren», krächzte er heiser. «Ich habe es satt, auf deine gottverdammten Befehle zu hören. Wenn du deine Klappe nicht hältst, werde ich dich durchbohren.»

Ich glaubte ihm aufs Wort. Ich sah es seinen Augen an, daß er es ernst meinte. Er brachte die Spitze der Schere näher an meine Bluse heran. Immer noch war kein Laut zu hören.

Ich zwang mich, zur Entspannung tief ein- und auszuatmen. Mein Bein schmerzte. Die Luft roch nach Geburtstagskuchen, Orangensaft und Angst. Ich wußte nicht, wessen Angst es war, die ich stärker wahrnahm, seine oder meine. Claudia und Nicky waren wie Wachsfiguren.

Mein Herz klopfte zum Zerspringen. Ich hatte bei meiner Arbeit schon zu oft mit Gewalt zu tun gehabt, als daß mich diese Begebenheit gänzlich aus der Fassung gebracht hätte. Trotzdem war ich in Schweiß gebadet. *Tu mir das nicht an, Tom. Bitte.*

Wir beobachteten uns gegenseitig gespannt. Die Schere in der Hand gab ihm genug Sicherheit, mir direkt in die Augen zu blicken. Was für ein hübscher Junge, ging es mir durch den Kopf, mochte dieser Gedanke im Augenblick noch so fehl am Platz sein. Meine Angst wich allmählich.

Wir warteten, Aug in Aug in gespenstischer Stille.

Zuerst hoffte ich inständig auf Hilfe von außen. Zugleich aber schauderte mir vor den Konsequenzen. Ich mußte Zeit gewinnen, das war meine einzige Chance. Wenn ich nur genug Durchhaltevermögen hatte, um seine cholerische Phase auszuhalten. Ein Eingreifen von außen könnte ihn leicht zum äußersten treiben. Ich mußte so lange ausharren, bis er sich beruhigt hatte.

«Thomas», flüsterte ich, «du willst das doch gar nicht tun.»

«Halt die Klappe.»

«Du willst doch niemandem weh tun, Tom.»

«Du sollst die Klappe halten, hörst du! Die ganze Zeit sagst du mir, was ich tun soll. Du bringst mich dazu, Sachen zu fühlen, die ich gar nicht will. Ich hab das satt. Ich gehöre nicht dir.» Nach einer Weile durchschnitt wieder seine Stimme die Stille: «Ich halt das nicht mehr aus! Ihr macht zuviel Lärm. Meine Ohren tun mir weh.»

Er zitterte und mußte sich mit der freien Hand über die Augen fahren. «Ich hasse dich. Es ist dein Fehler», schrie er.

«Mein Fehler?»

«Und ihr Fehler.» Er zeigte auf Bo.

«Sind wir schuld, daß du so zornig bist?»

«Ich bin *nicht* zornig! Warum sagst du das immer. Ich bin nicht zornig, merk dir das!»

«Ich hab's kapiert, du bist nicht zornig.»

Schluchzend sagte er: «Nein, ich bin nur unglücklich.» Ich nutzte seine Schwäche und versuchte mich etwas zu bewegen. Thomas mißverstand mich und setzte mir die Schere an die Brust.

«Du bewegst dich nicht von der Stelle, hörst du.»

Ich schaute auf die Uhr. Mir schien es eine Ewigkeit seit der Pause. Es war aber nicht mehr als eine halbe Stunde. Ich sah, daß Claudia sich um Nicky kümmerte. Bo weinte wieder. Was hatte dieser Teddybär doch angerichtet!

«Es tut mir leid, Thomas. Was immer ich falsch gemacht habe, ich entschuldige mich dafür. Sag mir wenigstens, was ich getan habe.»

«Du weißt es wirklich nicht?»

«Unglaublich», fuhr er fort, nachdem ich den Kopf geschüttelt hatte, «du bist genauso blöd wie alle andern.»

Die Tränen rannen ihm jetzt über die Wangen. «Warum schaust du immer in mich hinein? Ich wollte dich hassen, warum hast du mich nicht in Ruhe gelassen?»

Er ließ die Schere fallen und vergrub das Gesicht in den Händen.

Seine Fragen hatten mein Innerstes getroffen. Was hatte ich eigentlich für ein Recht, sein Mitgefühl für eine Welt zu wecken, die nicht mit ihm fühlte? Diese Frage galt für alle meine Kinder. Und er war auch nicht der erste, der mich selber in Frage stellte. Das traurige war für mich, daß ich keine Antwort wußte. Ich war mir nie ganz sicher, ob der Schmerz, den ich linderte, den

Schmerz, den ich verursachte, auch wirklich wettmachte.

«Tommy, mein lieber Tommy, es tut mir ja so schrecklich leid», sagte ich mit tränenerstickter Stimme.

Wir lagen uns in den Armen und versuchten uns gegenseitig zu trösten.

So blieben wir fast eine halbe Stunde eng umschlungen, bis die andern Kinder sich bemerkbar machten und mich in die Wirklichkeit zurückholten. Ich gab mir einen Ruck und kümmerte mich um unsere kleine Gemeinschaft. Wie oft nach solchen Zornesausbrüchen bemühten sich alle, ausgesprochen sanft und rücksichtsvoll zueinander zu sein.

Am meisten war mir daran gelegen, mich mit Bo zu beschäftigen. Thomas' Reaktion mußte ihr immer noch zu schaffen machen. Aber in den fünfzehn Minuten, die uns blieben, war das nicht gutzumachen, und so gingen wir alle unseren Freitagsgeschäften nach. Wir brachten das Zimmer in Ordnung und verteilten die Ämter für die nächste Woche.

Wie ein Blinder irrte Thomas umher. Ich bemerkte, daß Bo ihn von Zeit zu Zeit ansah.

Als ich das nächste Mal aufschaute, sah ich, wie Thomas sich über den Bären beugte und vorsichtig versuchte, die Füllung wieder in den Bauch des Tieres zu stopfen. Zerknirscht kam er mit dem Bären zu mir.

«Kannst du ihn wieder ganz machen?» fragte er. Er hielt den Kopf gesenkt. «Vielleicht kann man ihn flicken.»

Ich schaute mir die Wunde genauer an: «Es könnte gehen», meinte ich nach einer Weile.

«Hast du eine Nadel und Faden? Kannst du ihn zusammennähen?» Eine kleine Pause. «Ich meine, jetzt?»

«Ich weiß nicht, ob alles da ist, was wir dazu brauchen.»

«Sieh doch nach, bitte, bitte!»

Ich nahm den verwundeten Bären zu mir und begann in meinem Nähzeug zu wühlen. Thomas sah mir dabei gespannt zu. Während der Suchaktion gesellte sich Bo zu uns.

Thomas und Bo musterten sich mit vielsagendem Schweigen. Ich hätte Worte gebraucht, sie brauchten keine. Bo sagte zu mir: «Soll ich im Büro nachfragen, ob sie Faden haben?»

Nicht zum ersten Mal beneidete ich dieses Mädchen um seine Stärke. «Ja, gern.»

Die Schulglocke hatte den heutigen Tag schon ausgeklingelt, und Bo war mit dem Faden noch nicht zurück. Claudia hatte inzwischen geholfen, Nicky anzuziehen, und wartete jetzt vor der Schule auf Nickys Mutter. Thomas stand noch immer geduldig neben mir und drückte seinen Bären fest an sich.

Nachdem ich das Loch nochmals gründlich untersucht hatte, sagte ich zu Thomas: «Ich werde ihn nicht mehr genauso hinkriegen, wie er zuvor war, Tom.»

«Das macht nichts.»

Ich steckte meinen Finger in die Öffnung.

«Torey, machst du es bitte jetzt gleich?»

«Du mußt doch auf den Bus, Thomas. Das geht eine ganze Weile. Ich bring ihn dir am Montag. Abgemacht?»

Seine Augen füllten sich wieder mit Tränen. Ich konnte ihn so gut verstehen. «Kann ich noch etwas bleiben? Ich mag jetzt nicht nach Hause gehen.»

«Gut», sagte ich, «ich bring dich dann nachher selbst nach Hause.»

«Machst du jetzt meinen Bären?»

«Also gut.»

«Kann ich auch bleiben?» bat Bo. «Ich hab auch noch keine Lust, nach Hause zu gehen.»

So saßen sie beide zu meinen Füßen und warteten auf mein Wunderwerk. Die Sekretärin hatte Bo nur einen blauen Faden geben können, und meine ungeschickten Stiche waren auf dem braunen Stoff nicht zu übersehen. Ich bemühte mich aber nach Kräften.

Meine Emotionen waren vorher auf solchen Touren gelaufen, daß die entspannte Stille mir beinahe physischen Schmerz bereitete. Es war wie früher, als ich noch ein kleines Mädchen war und zu lange draußen im Schnee gespielt hatte: Die Wärme im Wohnzimmer bereitete meinen gefühllosen Fingern und Zehen zuerst ein wohliges Schmerzgefühl.

Bos und Thomas' Augen verfolgten andächtig jede meiner Bewegungen. Kein Chirurg hatte je ein aufmerksameres Publikum.

Nach etwa fünfzehn Minuten mußte ich mich etwas ausruhen. Der Stoff war so dick, daß meine Finger vom Durchstechen der Nadel wund geworden waren und mein Rücken krumm.

Diese Augen. So voller Glauben, daß ich alles wieder gutmachen würde.

Ich lächelte. «Wißt ihr eigentlich, daß ihr zwei meine Lieblingskinder seid?»

Ein leises Lächeln glitt über Bos Gesicht. Thomas blieb ganz ernst.

«Hast du mich gern?» fragte er nach einer Weile mit kaum hörbarer Stimme.

Ich nickte. «Ja. So kann man es auch sagen.»

18

Ich habe nie herausgefunden, weshalb Bos Teddybär eine solch starke Reaktion in Thomas hervorgerufen hatte. Vielleicht hatte das Geschenk Erinnerungen an eine Zeit in ihm geweckt, als seine Liebe zum Bären brutal mißachtet worden war. Vielleicht konnte er ganz einfach Bos Güte nicht ertragen, weil er in seinem Leben so wenig Güte erfahren hatte. Ich wußte es nicht. Was ich wußte, war nur, daß der Bär an jenem Nachmittag samt seinen blauen Stichen von Thomas nach Hause mitgenommen wurde, auf Nimmerwiedersehen.

Dieses Vorkommnis hatte Auswirkungen auf Thomas' Benehmen. Es waren nur kleine, aber für mich fühlbare Veränderungen. Er war vorher niemals einem Menschen gegenüber gewalttätig gewesen und auch nachher nie mehr. Trotz seiner Aggressionen war Thomas im Grunde genommen nicht der Typ, der seine Hand gegen einen Mitmenschen erhob. Er hatte zwar immer noch seine Zornesausbrüche, die mir jedoch nicht mehr solche Angst bereiteten, und auch er verlor seine Angst vor mir. Wir wußten jetzt beide, daß auch die allerschlimmste Begebenheit unsere Beziehung nicht zerstören konnte. Wir hatten die Probe bestanden. Ich fühlte, daß ich viel gelernt hatte und daß dieser schwierige Nachmittag für Thomas und mich einen Meilenstein darstellte.

Claudias Schwangerschaft bereitete mir immer noch große Sorgen. In Anbetracht ihres Alters und der mangelnden Zuwendung während der ersten Schwangerschaftsmonate war eine Frühgeburt von hoher Wahrscheinlichkeit. Ich hatte auch schwere Bedenken, was nachher mit dem Kind geschehen würde. Unerwünschte Kinder, von unreifen, geplagten Eltern aufgezogen, waren für mich nichts Neues. Ich konnte voraussehen, daß Claudia einen Kandidaten für mein Klassenzimmer liefern würde, und das tat mir weh.

Bisher waren alle meine Versuche, mit ihr über die Zukunft ihres Kindes zu sprechen, kläglich gescheitert. Sie lebte in einer Kinderwelt der schönen Vorstellungen. Nach der Geburt des Babys würde alles einfach wunderbar sein. Ein ideales Kind: rosa, hübsch und weich. Es würde sie, Claudia, über die Maßen lieben und ihr das Gefühl vermitteln, die wichtigste Person auf Erden zu sein. Diese Wunschträume wollte sie von niemandem zerstören lassen.

Das war die eine Seite, jene, die Claudia nach außen hin vorzeigte. Aber da gab es noch eine andere Claudia, eine, die nicht sagte, was sie wirklich dachte. Auch während sie von ihren

Phantasien schwärmte, straften ihre Augen sie Lügen. Da lauerte die Angst: Wie werde ich das überstehen?

Wir waren uns in der letzten Zeit wohl nähergekommen, aber noch nie war mir der Zugang zu einem Kind so schwer gewesen. Ich hatte ihr gegenüber immer noch ein Gefühl der Machtlosigkeit. Es war manchmal wie in einem bösen Traum, wenn man verzweifelt versucht, vorwärtszukommen, und bleibt doch immer am selben Fleck. Es war nur eine Frage der Zeit, bis für Claudia Wirklichkeit und Vorstellung aufeinanderprallen würden. Es war ein Wettlauf mit der Zeit. Und ich würde ihn ohne Hilfe nicht gewinnen können.

Claudias Eltern waren nach wie vor uneinsichtig. Die Mutter hatte ich vor kurzem angerufen, in der Hoffnung, ein Gespräch unter uns Frauen könnte weiterhelfen. Nach vielen belanglosen Floskeln fragte ich sie, ob sie und ihr Mann eine therapeutische Unterstützung für Claudia inzwischen in Betracht gezogen hätten. Natürlich nicht. Ich versuchte ihr klarzumachen, daß ich überzeugt sei, Claudia leide an schweren Depressionen und flüchte sich in Bücher, Filme, Musik und, wenn das alles nichts nütze, in ihre Schularbeiten. Ich nahm kein Blatt vor den Mund und sagte ihr, wie sehr ich eine Katastrophe befürchtete.

Depressionen? fragte sie freundlich, aber verständnislos. Nichts als eine Pubertätskrise. Sie selber sei mit zwölf genauso gewesen. Abgesehen davon habe doch ein kleines Mädchen wie Claudia noch keine Depressionen.

Frustriert hielt ich den stummen Hörer in der Hand und beschloß, die Sache selbst in Angriff zu nehmen. Was mir vorschwebte, war eine Art Stützgruppe, eine Gruppe jugendlicher Mütter mit einem Therapeuten. Claudia sollte die Möglichkeit haben, ihre Gefühle mit anderen zu teilen, Alternativen zu hören, über die Zukunft zu reden und sich einfach aufgehoben zu fühlen. Eine solche Gruppe mußte es bestimmt geben, sagte ich mir. Zu Unrecht, wie sich herausstellen sollte.

Als erstes wählte ich die Nummer der Schul-Beratungsstelle. «Wie alt ist Ihre Tochter?» war die erste Frage des Beraters.

«Es handelt sich nicht um meine Tochter, sondern um eine Schülerin von mir. Ich habe gehört, Sie hätten ein spezielles Therapieangebot für schwangere Mädchen.»

«Haben Sie die Einwilligung der Eltern für Ihre Anfrage?»

«Nein, ich wollte zuerst die Möglichkeiten prüfen.»

«Da kann ich Ihnen leider nicht helfen. Sagen Sie doch den Eltern, sie sollen mich anrufen. Ich halte es für falsch, wenn wir untereinander vertrauliche Informationen austauschen.»

Vertraulich? Ein Blick auf Claudia genügte, um zu sehen, wo das Problem lag. Klick, und der Berater war nicht mehr am Draht.

«Hallo, ich heiße Torey Hayden.»

Diesmal war ich mit einer Krankenschwester im Spital verbunden. Gerüchtweise hatte ich vernommen, daß sie Unterricht in Lebenskunde gab. Ich erklärte ihr mein Anliegen.

«Es gibt ein ausgezeichnetes Buch. Ich habe es geschrieben. Es heißt ‹Wunder des Lebens›.»

«Um was handelt es sich genau?» fragte ich unschuldig.

«Um die Tatsachen des Lebens. Wie der Samen im Vater reift und dann in den Leib der Mutter gelangt, wie das Baby in diesem Augenblick gezeugt wird. Genau das richtige für eine Zwölfjährige. Sehr modern und aufgeschlossen. In der Sprache der Jugendlichen geschrieben. Und mit einigen elektronenmikroskopischen Abbildungen von Sperma und Ovum.»

«Das klingt alles sehr gut. Das Problem ist nur, daß die werdende Mutter das Wunder von Sperma und Ovum schon erfahren hat. Ich suche eine Stützgruppe für dieses Mädchen.»

«Ach so», meinte die Schwester nach einer Pause. «Eine ausgezeichnete Idee, die Sie da haben. Versuchen Sie es doch mal in der psychiatrischen Klinik.»

Ich wurde in der Klinik mit einem Psychologen verbunden. Er gab nach meinen einleitenden Worten ein langes und bedeutungsvolles «Hmmmmmm» von sich.

Ich erklärte weiter: «Das Mädchen hat keine Ahnung von Verhütungsmitteln. Ich glaube, sie wußte nicht einmal, wie ein Mädchen schwanger wird.»

«Hmmmmmm. Ja-ah, wirklich schrecklich, so was. Wir füttern die Kinder mit Sexualität und helfen ihnen nicht, damit fertigzuwerden. In unserer Jugend war das anders, nicht wahr? Die Leute realisieren nicht, daß ihre Kleinen es draußen auch wirklich treiben. Sie wissen schon, was ich meine.» *Es* treiben, hatte er gesagt, wie Thomas.

«Absolut richtig, was Sie da sagen, aber ich suche nach Hilfe für das Mädchen. Sie ist erst zwölf Jahre alt.»

«Das leuchtet mir ein. Ja, ja. Denken Sie an eine Art Therapie?»

«Eher an eine Gruppe junger Mädchen mit demselben Problem. Vielleicht mit einem Gesprächstherapeuten. Damit sie sich nicht so einsam fühlt.»

«Schwierig, muß ich sagen, schwierig...»

«Die Eltern würden sich außerdem einer Therapie widersetzen, fürchte ich.»

«Aha, sehr problematisch, muß ich sagen. Wie wär's denn mit der Elternvorbereitungsstelle?»

Diesmal war am andern Ende der Leitung eine Frau, die sich in gepflegtestem Oxford-Englisch ausdrückte.

«Zwölf Jahre alt, haben Sie gesagt? Ist das nicht fürchterlich? So etwas sollte einfach nicht geschehen können.»

«Schon, aber...» Zum vierten Mal erklärte ich mein Anliegen. Ich kam mir vor wie ein Papagei.

«Weiß sie etwas über Verhütungsmittel?»

«Anscheinend nicht.»

«Anscheinend nicht», wiederholte sie zuerst nachdenklich und fing dann an zu lachen. Es schien sie zu amüsieren.

«Nun, ich könnte ihr Literatur über Geburtenkontrolle senden.»

«Ich suche eine Stütztherapie für dieses Mädchen.» Oder für mich. Ha-ha.

«Eine andere Möglichkeit wäre, sie für ein Gespräch hierherzubringen. Erlauben die Eltern, daß man ihr die Pille verschreibt? Für junge Mädchen sind die anderen Verhütungsmittel nicht geeignet.»

«Ich glaube nicht, daß Geburtenkontrolle im Augenblick das wichtigste ist. Sie ist ja schwanger.»

«Ohne Erlaubnis der Eltern können wir dem Mädchen nichts verschreiben. Würden die Eltern eine Vollmacht unterschreiben?»

«Wie ich schon gesagt habe, braucht sie im Moment keine Verhütungsmittel.»

«Da haben Sie eigentlich recht. Nun, was kann ich denn für Sie tun?»

«Eine Gruppe?»

«Haben wir aber nicht, leider. Versuchen sie's doch mal im Spital. Ich hab gehört, daß eine Schwester dort ein hervorragendes Buch geschrieben hat. Genau auf diese Altersgruppe zugeschnitten.»

Wahllos griff ich im Telefonbuch die Nummer eines Priesters heraus und legte auch ihm mein Problem vor.

«Ja, wir haben eine solche Gruppe», sagte er mir. «Wie alt ist denn Ihre Tochter?»

«Zwölf.»

«Zwölf? Erst zwölf?»

«Ja, Sie haben richtig gehört, erst zwölf.»

«Es tut mir leid, aber wir können erst Mädchen ab sechzehn in die Gruppe aufnehmen.»

Es gelang mir kaum mehr, einen Seufzer zu unterdrücken. «Aber sie ist trotzdem schwanger.»

«Wie gesagt, es tut mir leid, aber eine Zwölfjährige halte ich für absolut unfähig, an unseren Diskussionen teilzunehmen. Die Gespräche sind sehr anspruchsvoll.»

Du lieber Himmel. Sie war also alt genug, schwanger zu sein, aber nicht alt genug, darüber zu sprechen, dachte ich, gab aber der Diplomatie den Vorrang und meinte nur: «Könnten Sie nicht für einmal eine Ausnahme machen? Sie ist sehr reif für eine Zwölfjährige, und sie hat einen hohen IQ.»

«Es tut mir leid.»

Ich raffte mich zu einem letzten Telefongespräch auf. Die Schulschwester, die ich oberflächlich kannte, hatte zwar bestimmt keine solche Gruppe, aber sie war meine letzte Hoffnung, Ideen zu schöpfen. Ich muß ihr einen ziemlich verzweifelten Eindruck gemacht haben, denn sie versuchte sofort, mich zu beruhigen.

«Dorothy, das einzige, was ich im Moment brauche, ist ein vernünftiger Ratschlag.»

«Da bin ich aber überfragt.»

«Es muß doch einfach so etwas geben hier. Was die High-School anbietet, genügt sicher nicht.»

Darin stimmte sie mir bei. Sie sah aber das Problem in Claudias Alter, nicht in ihrer Schwangerschaft. Niemand will wahrhaben, meinte sie, daß ein so kleines Mädchen schwanger werden kann und auch tatsächlich wird. Physische oder sexuelle Gewalt Kindern gegenüber sei ihrer Ansicht nach immer noch ein Tabu. Die Leute sähen deshalb nicht ein, weshalb man darüber sprechen sollte. Sie dächten vielmehr, das Problem verschwinde vielleicht, wenn man die Augen nur fest genug zudrücke.

Ich verstand zwar ihre Philosophie und stimmte sogar mit ihr überein, aber wie war Claudia damit zu helfen? «Du willst damit sagen, daß es keine solchen Gruppen gibt?»

«Das Thema ist einfach zu heikel», antwortete sie.

«Könnten wir nicht eine solche Gruppe gründen?»

Dorothy lachte. «Das sieht dir wieder ähnlich, typisch Torey.»

19

Ich hatte die Schreie schon eine Weile gehört.

Ich dachte mir zuerst nicht viel dabei. Es war zehn Uhr vormittags, und ich half einem Drittkläßler bei der Rechtschreibung. Die drei andern Kinder, die ich zum Nachhilfeunterricht hatte, saßen am Arbeitstisch und spielten irgend etwas.

Inzwischen waren die Schreie zum Geheul angeschwollen und näherten sich unmißverständlich unserem Zimmer. Ein dumpfer Schlag gegen die Tür schreckte uns alle auf. Ich wollte der Sache auf den Grund gehen und die Tür öffnen. Ich mußte mich richtig dagegen stemmen, denn irgend etwas lag da vor der Tür.

Es war Bo.

Sie hing am Türknauf und schluchzte jämmerlich.

«Bo? Was ist denn los?» Mir schwante Unheil, und mit trockener Kehle forderte ich sie auf, hereinzukommen.

Wie eine Furie schoß sie plötzlich an mir vorbei, raste durchs Zimmer und verschwand hinter dem Vorhang eines kleinen Schrankes. Ich wußte nicht, wie mir geschah. Wir waren alle sprachlos vor Verblüffung.

«Bo?» Ich ging auf den Schrank zu und versuchte, sie hinter dem Vorhang zu erspähen. Wie ein Häufchen Elend lag sie zusammengekauert in der dunkelsten Ecke und weinte. Sie gab mir keine Antwort auf meine Fragen.

Zu meinen fassungslosen Nachhilfeschülern sagte ich: «Ihr könnt in eure Schulzimmer zurückkehren.»

«Aber es ist erst zehn Uhr dreißig, Torey», beschwerte sich der Drittkläßler. «Und wir sind noch nicht mit unserem Spiel fertig», sagten die andern im Chor.

«Ich weiß, aber für heute ist Schluß. Ihr könnt jetzt gehen.»

Als wir allein im Zimmer waren, versuchte ich vorerst gar nicht, Bo aus ihrem Versteck herauszuholen. Etwas Entsetzliches mußte ihr zugestoßen sein. Ihr Schluchzen war erschütternd.

«Bo, ich bin's, Liebes. Alle anderen sind weg. Komm, sprich doch mit mir!»

Keine Reaktion.

Hinter mir ging die Tür auf, und herein kamen Dan Marshall und Edna Thorsen.

«Ist sie nicht hier? Ich dachte, sie habe sich hierhergeflüchtet», sagte Dan.

«Sie ist hier», antwortete ich. Das Schluchzen war von dieser Stelle aus nicht zu hören, und die beiden schauten sich verblüfft im Zimmer um. «Dort, in jenem Schrank ist sie.»

«Du gütiger Himmel», rief Edna aus und wandte sich Dan zu, «dieses Mädchen spinnt total und wird eines Tages im Irrenhaus enden, das kannst du mir glauben.»

Dan fuhr sich ratlos über das Kinn.

«Was ist eigentlich geschehen?» fragte ich.

«Wer, zum Teufel, soll das wissen. Wir arbeiteten wie immer zusammen in der Lesegruppe. Bo benahm sich wie üblich, und ich sagte ihr wieder einmal, daß ich bald endgültig genug von ihr hätte. Sie machte eine Szene, erbrach sich auf ihr Kleid, auf den Boden und auf Sandy Lathams neue Schuhe. Das ist doch kein Benehmen für ein so großes Mädchen! Aber das ist noch nicht alles. Kaum hatte sie alles verdreckt, raste sie wie eine Verrückte kreischend aus dem Zimmer. Ich sage es euch noch einmal: das Mädchen ist nicht normal.»

Dan schüttelte beunruhigt den Kopf: «Ich mache mir große Sorgen um das Kind.»

«Und wohin ist sie gegangen? Natürlich hierhin! Zuerst mußte ich das ganze Haus nach dem kleinen Teufel absuchen und hätte sie wahrscheinlich ohne Dans Hilfe immer noch nicht gefunden. Dabei hatte ich ihr gesagt, ich würde ihr eine Tracht Prügel verpassen, wenn sie nicht sofort zurückkäme.»

Ich wußte überhaupt nicht, was ich tun sollte. Alle schauten wir auf den Schrank.

«Sollen wir sie da rausholen?» fragte Dan zögernd. Er war ein großer, sanftmütiger Mann, so ungefähr Ende Vierzig. Auch er wußte nicht recht, was machen.

«Warte noch, Dan», sagte ich, ihn am Ärmel zurückhaltend. «Können wir sie im Moment nicht dort lassen, wo sie ist? Sie ist ganz durcheinander, aus welchem Grund auch immer. Wir machen die Sache sonst nur schlimmer.»

«Ach, du mit deinem ewigen Mitgefühl, Torey!» schimpfte Edna. «Nimm doch nicht immer soviel Rücksicht auf sie. Ich weiß, daß du sie magst, aber siehst du denn nicht, daß sie dich ausnützt?»

«Das Kind ist verzweifelt, merkst du das nicht? Wir müssen ihr doch Zeit lassen, sich zu erholen, bevor wir sie in die Zange nehmen. Sonst erreichen wir nichts.»

«Du bist zu weich», sagte Edna verächtlich. «Sogar du mußt zugeben, daß das kein normales Verhalten ist. Das Kind ist offensichtlich . . . Wie nennst du das denn? Gestört? Da wirst du mir doch beipflichten müssen.»

Ich nickte abgekämpft.

«Hörst du, Dan? Auch Torey ist der Meinung, daß Bo spinnt. Ich weiß nicht, warum ihr sie in einer Schule für normale Kinder behaltet. Sie kann nicht lesen, sie kann nicht schreiben, sie ist in jeder Hinsicht anormal. Sogar die hochqualifizierte Torey gibt das zu. Jetzt muß endlich etwas geschehen.»

Ich witterte meine Chance. «Also gut, dann lassen wir sie im Augenblick am besten hier. Da gehört sie ja deiner Meinung nach am ehesten hin. Lassen wir sie jetzt in Ruhe, ich werde mich später um sie kümmern.»

«Mach, was du willst. Ich bin froh, daß ich sie los bin.» Und Edna verließ, mit Dan im Schlepptau, mein Zimmer.

«Bo? Bo? Geht's dir besser?» Ich pirschte mich an den Vorhang heran und schaute durch einen Spalt. «Komm, setz dich zu mir. Wir sind ganz allein, niemand tut dir etwas zuleide.»

Kein Laut war zu hören. Ich konnte rufen und bitten, alles war vergebens. Ich machte mir Vorwürfe, daß ich diese Krise nicht hatte kommen sehen. Bos Verhalten deutete auf eine schwere Störung, die ich allzu lange ignoriert hatte. Das war jetzt die Quittung. Ich fühlte mich miserabel.

«Hör zu, Bo. Die andern Kinder kommen bald, und ich muß mich um sie kümmern. Du kannst hier bleiben, so lange du willst. Niemand wird dich herausholen. Ich werde auch nicht aus dem Zimmer gehen und dich allein lassen.»

Der Rest des Morgens ging normal vor sich. Die Nachhilfeschüler merkten nichts von Bos Anwesenheit. Sie war wie ein Geist: still und unsichtbar.

Meine Mittagspause verbrachte ich im Klassenzimmer. Als ich mich halbwegs durch mein Erdnuß-Sandwich gebissen hatte, stürmte Billie, unsere Logopädin, ins Zimmer. «Was ist denn mit dir, Hayden?» rief sie auf ihre leutselige Art. «Ich hab dich überall gesucht. Wolltest du nicht mit uns in der Cafeteria einen Salatteller essen?»

Ich liebte Billie. Sie war ein wunderbarer Mensch. Vor zehn Jahren war Billie, eine Schwarze aus South Carolina, frisch geschieden mit fünf Kindern, alle unter zwölf Jahren, quer durchs Land zu uns in den Nordwesten gezogen. Sie hatte keinen Beruf, und alle sagten ihr voraus, daß sie scheitern würde. Sie kannten aber Billie nicht. Nicht nur hatte sie es bis zur Logopädin und drei ihrer fünf Kinder ins College gebracht, sie tat sich auch auf anderen Gebieten hervor. Sie stand einem Komitee für geschlagene Frauen vor, sie hatte eine Petition für die Errichtung einer Nottelephonstelle für mißhandelte Kinder eingereicht und noch vieles mehr. Trotz dieser Verpflichtungen hatte sie Zeit und Verständnis für jeden von uns.

Obwohl ich Billie so sehr schätzte, brachte ich es nicht übers Herz, Bo zu verraten. Ich gab irgendeine fadenscheinige Erklärung ab, weshalb ich da mutterseelenallein mein Sandwich herunterwürgte.

Die Tür ging wieder auf, und herein kam Dan Marshall. Billie rollte bedeutungsvoll die Augen und sagte: «Hier ist ein Gewitter im Anzug.»

Dan war aber nicht aufgelegt für Billies Späße. Er kam schnurgerade auf mich zu. «Ist sie immer noch da?»

Ich nickte.

Ein peinliches Schweigen trat ein. Dan sagte nichts, und ich wußte nichts zu sagen. Billie schaute verständnislos vom einen zum andern.

«Hast du im Sinn, sie einfach dort zu lassen?» fragte er ohne Sarkasmus in der Stimme.

«Ich glaube, es ist das beste. Dan, sag mir, was ist eigentlich in Ednas Zimmer wirklich geschehen?»

«Ich weiß es nicht, Torey, ehrlich.»

«Manchmal habe ich das Gefühl, sie sollte besser nicht Lehrerin sein. Sie macht einige Kinder ganz einfach kaputt.» Ich machte meinem Zorn endlich Luft.

«Sicher hat sie Bo etwas hart angefaßt, aber was sollen wir machen? Sie tritt ja nächstes Jahr in den Ruhestand.»

Wieder wurde es still im Zimmer.

«Ich mache mir wirklich Sorgen, Torey. Ganz im Ernst, glaubst du nicht, wir sollten jemanden zu Rate ziehen? Ich bin äußerst beunruhigt, muß ich dir ehrlich sagen.»

«Ich auch.»

Schließlich nickte Dan verständnisvoll und wandte sich zum Gehen: «Wir sprechen uns später noch. Halt mich auf dem laufenden.»

Billie war neugierig geworden, und ich erzählte ihr alles.

Inzwischen war es zwanzig Minuten vor eins, und Nicky kam als erster. Was sollte ich den Kindern sagen? Bo duckte sich immer noch wie ein verschüchtertes Vögelchen in ihre Ecke.

Ich teilte Dans Beunruhigung voll und ganz. Wen aber sollten wir zu Hilfe rufen. Die psychiatrische Klinik vielleicht? Hatten die ein Team in Alarmbereitschaft, das, wie die Feuerwehrmänner in Not geratene Kätzchen retteten, unglückliche kleine Mädchen betreute? Ich wußte weder ein noch aus. Die psychiatrische Klinik war natürlich keine Lösung. Auf unsere Fragen hatten die auch keine Antwort. Sollte ich Bos Vater einschalten?

Thomas kam hereingefegt wie ein Wirbelwind. «Hallo, Torey, hallo Nicky.» Er tanzte um den Arbeitstisch herum und nahm seine Aufgaben zur Hand. «Hallo, Claudia», begrüßte er die eben Hereintretende.

«Wo ist denn Bo geblieben?» rief er verblüfft. Bo hatte das ganze Jahr noch kein einziges Mal gefehlt. «Wo ist sie?»

«Setz dich zuerst einmal hin!»

«Wo ist Bo, hab ich gefragt.»

«Darüber wollen wir ja gerade sprechen.»

Angstvoll blickte er mich an: «Ist ihr etwas passiert? Ist sie krank?»

«So etwas Ähnliches.»

Es war ein schwieriges Gespräch. Schwierig, weil ich nichts zu sagen wußte. «Bo hat heute einen schlechten Tag. Irgend etwas ist in ihrem Schulzimmer geschehen, und es geht ihr jetzt gar nicht gut.»

«Aber wo ist sie denn?»

Was sollte ich antworten? Sie schauten mich so offen und arglos an, daß ich lächeln mußte. «Sie hat sich aus Verzweiflung versteckt. Da hinten.»

Thomas stürmte auf den Schrank los, bevor ich ihn zurückhalten konnte.

«Tom!» schrie ich. «Komm sofort zurück und setz dich wieder hin!» Er hielt auf halbem Weg inne.

«Hört mir jetzt zuerst mal zu. Ich will nicht, daß jemand sie stört. Keiner von euch geht da rüber oder schaut in den Schrank rein, verstanden? Bo ist unglücklich und will in Ruhe gelassen werden.»

«Vielleicht will sie gar nicht in Ruhe gelassen werden», meinte Claudia.

«Ich glaube aber schon», antwortete ich.

«Wie willst du das denn wissen. Du bist ja nicht sie», entgegnete mir Tom.

Ich war todmüde. Der Tag schien endlos. «Ich glaube einfach, es ist besser, wenn wir sie da lassen, wo sie ist. Vertraut mir doch und plagt mich nicht die ganze Zeit.»

Der Nachmittag schleppte sich dahin. Alle drei Kinder waren unglücklich. Claudia unterbrach andauernd ihre Arbeit und stellte Fragen, deren Antwort sie genau kannte. Nicky murmelte noch lauter als sonst vor sich hin, und Thomas regte sich bei jeder Aufgabe, die er lösen mußte, auf. Die Zeit schien stillzustehen.

Thomas trieb mich beinahe zur Weißglut. Er konnte keine Minute ruhig sitzen bleiben. Auf, ab, hin und her. Ich fürchtete jeden Augenblick, er würde explodieren. Meine eigenen Sorgen machten mich ungeduldig. Ich schimpfte mit Nicky, weil ich Angst hatte, mit Thomas zu schimpfen, und Nicky mir immer im Weg stand. Schließlich fauchte ich alle an.

Die Pause kam, und ich kniete zu Bo hinunter, um ihr mitzuteilen, daß ich jetzt mit den Kindern hinausginge, aber daß wir nachher alle wieder zurückkommen würden. Sie schluchzte wieder oder immer noch leise vor sich hin. Ein kleiner See hatte sich neben ihr gebildet. Urin oder Erbrochenes, ich konnte es nicht ausmachen. Wir gingen.

Drei Stunden lag sie jetzt schon dort. Der Anblick von vorhin hatte mich deprimiert. Edna hatte recht. Bo war im Augenblick nicht zurechnungsfähig. Sie war regelrecht zusammengebrochen.

Ich lehnte mich an die Wand des Schulhauses und schaute den spielenden Kindern zu. Meine Gedanken aber waren bei Bo.

«Torey, kann ich aufs Klo raufgehen?» riß mich Thomas aus meinen düsteren Gedanken.

«Klar.»

Was sollte ich am Abend tun, falls sie sich dann immer noch verkrochen hatte? Ach, Bo. Ich fühlte mich schuldig. Ich hätte das Unglück voraussehen können. Die kleinen Veränderungen: der Zusammenbruch im letzten Herbst, die immer stärker sich manifestierende Unfähigkeit, sich mit anderen zu messen. Warum hatte ich eine so wichtige Sache schlittern lassen? Ich hätte es besser wissen müssen.

Ich schaute auf die Uhr. Die Pause war beinahe vorbei. «Wo ist Thomas?» fragte ich Claudia.

«Keine Ahnung. Er ist reingegangen und nicht mehr herausgekommen.»

«Ach, du lieber Himmel. Paß schnell auf Nicky auf, während ich nachsehe.»

Aufgeregt stürmte ich die Treppe hinauf. Im Klo war er nicht. Vielleicht im Schulzimmer.

Da war er auch. Wie ein betender Guru saß er, den Kopf fast auf dem Boden, im Schneidersitz vor dem Schrank. Er sprach leise und beschwörend in den Hohlraum unter dem Schrank.

Irritiert packte ich ihn am Kragen. «Du stehst jetzt sofort auf, Thomas. Hab ich dir nicht gesagt, daß du Bo in Frieden lassen sollst? Setz dich auf deinen Stuhl, bevor ich meine Nerven verliere! Und rühr dich nicht vom Fleck!»

Thomas brach in Tränen aus.

Das hatte mir gerade noch gefehlt. Ich ging schnell die andern Kinder holen.

Wie ein Musterschüler saß Thomas auf seinem Stuhl, als wir zurückkamen, und verteidigte sich: «Ich hab doch nur versucht, sie zu trösten. Ich hab nichts Böses getan.»

Claudia begann auch, auf mich einzureden: «Dürfen wir nicht

mal mit ihr sprechen?»

«So, ihr setzt euch jetzt alle hin. Heute ist ein schwieriger Tag, und ich mach mir genauso Sorgen um Bo wie ihr. Auch ich bemühe mich, ihr zu helfen. Wenn ihr mich aber vorher ins Irrenhaus bringt, hilft das nicht viel.»

«Eine schöne Demokratie ist das», maulte Claudia.

«Im Moment existiert sie nicht.»

Thomas murmelte ständig vor sich hin: «Aber sie braucht mich doch!»

Ich hatte keine Kraft mehr zum Widerstand. Ich ließ mich auf einen Stuhl fallen und sagte: «Du wirst mich noch eines Tages ins Grab bringen, du kleiner Teufelskerl!»

Die letzten zwanzig Minuten bis Schulschluß sprach Thomas unaufhörlich auf Bo ein. Ich verstand nicht, was er sagte, vieles war gar nicht Englisch.

Dan Marshall erkundigte sich nach dem Stand der Dinge.

«Ich glaube, es ist unvermeidlich, daß wir ihren Vater benachrichtigen, damit er sie abholen kommt. Allein schaffen wir das nicht», meinte er resigniert.

Es würde mich große Überwindung kosten, Bo in einer solchen Verfassung Mr. Sjokheim zu übergeben. Er war ein so verständiger, gütiger Mann. Ich hätte ihm das lieber erspart, aber es mußte sein.

Nach Schulschluß hielt ich auf dem Flur hin und wieder Ausschau nach Mr. Sjokheim. Ich wußte nicht, ob und wann Dan ihn erreicht hatte.

Ich war wieder allein mit Bo. Sie kauerte immer noch in ihrem Schlupfwinkel.

«Bo, hörst du mich? Es ist Zeit, daß du jetzt herauskommst. Wir sind ganz allein, Liebes. Dein Vater wird dich bald abholen. Du mußt nach Hause gehen.»

Mit gekreuzten Armen und Beinen versetzte ich mich langsam, aber stetig in eine wiegende Bewegung, die etwas Beruhigendes an sich hatte. Ich begriff jetzt Nickys Freude daran. Zentnerschwer fühlte ich plötzlich die Last des Tages. Vor Erschöpfung zitterte ich am ganzen Körper.

«Bo. Booooo. Bo-Bo-Bo.» Die ständige Wiederholung wurde bald zum sanften Singsang, am Ende gar zum eintönigen Liedchen: «Bo. Bo-Mädchen, wo bist du? Bo, Bo, Bo.»

Ich begann mein ganzes Repertoire an Liedern zu singen. Alles, was mir irgend in den Sinn kam. Dazu wiegte sich mein Oberkörper im Takt hin und her, hin und her.

Ein Rascheln unter dem Schrank. «Bo, Bo, Bo kommt heraus», dichtete ich weiter.

Bos Kopf war plötzlich zu sehen. Der Hohlraum zwischen Schrank und Boden war so niedrig, daß sie sich hervorschlängeln mußte, bis sie den Kopf mit einem Stoßseufzer auf meinen Schoß legen konnte. Erschöpft schloß sie die Augen.

Ich sang und sang. Sie lag immer noch auf dem Bauch, den Kopf auf meinen gekreuzten Beinen, und klammerte sich mit letzter Kraft an den Stoff meiner Jeans. Die Haare klebten ihr auf der Stirn. Sie sah aus wie ein frischgeschlüpftes Kücken. Ohne meinen Singsang zu unterbrechen, tupfte ich ihr den Schweiß vom Gesicht.

Als meine Kehle mit der Zeit austrocknete und ich kein einziges Lied mehr wußte, umhüllte uns wieder undurchdringliches Schweigen. Aber es hatte nichts Bedrohliches mehr an sich wie zuvor. Ich streichelte sie sachte.

Es war schon vier Uhr vorbei. Wann würde wohl Mr. Sjokheim kommen? Wie sollte ich ihm die Situation erklären? Bo verharrte in derselben Position.

«Wie geht's, Bo?» flüsterte ich.

Keine Antwort.

Ich nahm sie in die Arme. Ein mächtiges Gefühl oder besser gesagt ein Urinstinkt durchdrang mich, dieses hilflose Wesen zu lieben und zu beschützen.

«Ich habe in die Hose gemacht», flüsterte sie kaum hörbar an meiner Brust und blickte verschämt auf.

«Macht nichts, Liebes.»

Draußen war der Märzregen in Schnee übergegangen. Lautlos weinte Bo vor sich hin.

«Ich liebe dich, und du wirst sehen, wir schaffen das schon miteinander. Bestimmt. Ich werde dich nicht im Stich lassen. Ich versprech's dir.»

Ihre Tränen rannen unaufhörlich.

20

Völlig ausgelaugt schleppte ich mich an jenem denkwürdigen Abend mit letzter Kraft zu meinem Auto. Es schneite jetzt richtig, und auf der Straße lag Schneematsch. Es war erst fünf Uhr, aber bereits stockdunkel. Ich war zwar todmüde, dennoch wurde ich, wie so oft nach solchen Anstrengungen, von einer inneren Ruhelosigkeit getrieben. Die Aussicht auf eine einsame Wohnung und ein Abendessen aus der Dose war nicht verlockend. Ich beschloß also, nicht gleich nach Hause zu fahren, sondern bog auf die Autobahn ab.

Autofahren war meine Leidenschaft. Die leichte Vibration des Lenkrades und das Gefühl der Geschwindigkeit bereiteten mir Lust und beruhigten mich zugleich. Es war eine kurvenreiche Straße, die aufs Land hinausführte. Heute abend war nicht viel Verkehr. Nach einer Weile bog ich in ein Kiessträßchen ein, das sich die Berge hinaufschlängelte. Ich ließ das Fenster hinunter, und der kühle Nachtwind brauste mir um die Ohren.

Ich dachte nichts, als ich fuhr. Mein Kopf war leer, und ich nahm nur die feuchte Kälte um mich wahr und die dunkle Straße vor mir. Die dumpfe Schwere des Nachmittags löste sich in Regen auf, und meine Müdigkeit wich einer fast beschwingten

Stimmung. Ich fuhr immer weiter.

Es war fast sieben Uhr dreißig, als ich das erste Mal auf die Uhr schaute. Ich war mehr als hundert Kilometer gefahren, den Berg hinauf und wieder hinunter, über Stock und Stein, bis ich in einer kleinen Stadt landete. Bei einer Imbißstube am Straßenrand machte ich halt. Ich hatte zwar immer noch keinen richtigen Hunger, aber Lust, mir etwas Gutes zu gönnen. So bestellte ich einen Eisbecher mit heißer Schokoladencreme. Ein wahrer Luxus, da er ebensoviel kostete wie eine ganze Speisefolge. Da saß ich also im strömenden Regen, an einem kleinen, weißen, abgeblätterten Tischchen in einem Anfall von Hochstimmung und ließ Löffel um Löffel genießerisch auf meiner Zunge zergehen.

Es gelang mir immer noch, den Tag zu verdrängen. Nichts plagte mich im Augenblick. Ich stieg wieder in den Wagen und fuhr nach Hause.

«Wo, zum Teufel, bist du eigentlich gewesen?» Ich konnte Jocs Silhouette im Eingang zwischen Küche und Garage ausmachen. Er bebte vor Zorn.

«Auf der Straße.»

«Da hört doch einfach alles auf! Weißt du eigentlich, was heute für ein Abend ist? Wo hast du deinen Kopf, Herrgott noch mal!»

«Joc, würdest du so gut sein und dich beruhigen?»

«Beruhigen? Hast du vergessen, daß wir heute bei Carol und Jerry eingeladen sind? Daß die jetzt schon über zwei Stunden auf uns warten?»

Donnerwetter, das hatte ich glatt vergessen! Ich schlug die Wagentür zu und lächelte entschuldigend: «Wie blöd.»

«Ist das alles, was du zu sagen hast? Nachdem Carol ein Nachtessen für uns gekocht hat, weißt du nichts Besseres zu tun, als dich auf der Straße rumzutreiben. Das ist eine gottverdammte Frechheit!»

«Hör auf, Joc, ich bitte dich.»

Wir stritten immer noch in der Küche herum. Ich hatte noch

nicht mal den Mantel ausgezogen. Joc stampfte wütend ins Wohnzimmer voraus und ich hinterher.

«Wenn du die Wahrheit wissen willst: ich habe einen scheußlichen Tag hinter mir. Meine ganze Klasse ist zusammengebrochen. Eine Schülerin hat den Kopf verloren, und ich hätte es kommen sehen müssen. Ich war aber blind und fühlte mich total beschissen. Ich mußte einfach rausgehen und wegfahren. An einer Party wäre ich sowieso nicht zu gebrauchen gewesen.»

«Wenn du nur mal von deinem Scheißtrip runterkommen würdest. Du bist nicht so unentbehrlich in der Schule, wie du immer denkst.»

Ich wurde langsam auch wütend.

Jocs Augen waren vor Zorn nur noch schmale Schlitze. Er starrte mich eine Weile an und sagte schließlich: «Soll ich dir sagen, was dir fehlt? Du lebst in einer Traumwelt. Für dich zählen deine Vorstellungen mehr als die Wirklichkeit. Das ist ein verdammtes Scheißleben.»

«Es muß Leute geben, die so leben, Joc.»

«Sicher. Und vielleicht bist du so ein Mensch. Ich für meinen Teil habe absolut keine Lust, den Rest meines Lebens in Gesellschaft einer Schar hoffnungsloser Irrer zu verbringen.» Er riß seinen Mantel vom Kleiderständer und warf ihn sich über. «Ich hoffe nur, daß deine Träume dir genug Wärme geben, denn du wirst sie bitter nötig haben, so wie du leben willst. Deine Arbeit möge dich glücklich machen!»

Und weg war er.

Ich stand noch immer wie angewurzelt in der Mitte des Wohnzimmers und starrte auf die geschlossene Tür. Ich fühlte nichts als das Klopfen meines Herzens. Wir hatten schon oft gestritten. Dieser Streit aber war anders gewesen.

Er war endgültig. Das wußte ich genau.

21

Am nächsten Tag erschien Bo nicht zur Schule. Ich hatte es befürchtet, aber im stillen doch gehofft, der gestrige Tag würde sich als ein böser Traum entpuppen. Inzwischen war es zwölf Uhr vierzig, und keine Bo war gekommen.

Die Kinder waren in gedämpfter Stimmung. Nicky war durch Bos Abwesenheit ganz durcheinander. Er stand immer wieder auf, schaute auf den Flur hinaus, suchte in allen Ecken des Zimmers und legte sein kleines, dunkles Gesicht in Sorgenfalten.

«Was ist das für ein Buchstabe?» wiederholte er endlos im Auf- und Abgehen. Zum ersten Mal kam mir der Gedanke, daß dieser Satz vielleicht ein Synonym für Bo war. Ironie des Schicksals.

Thomas hatte Angst um Bo. «Wo ist sie? Was ist mit ihr passiert? Warum ist sie nicht hier?» fragte er in einem fort. Meine Erklärungen beruhigten ihn keineswegs. Er blieb den ganzen Nachmittag über in meiner Nähe und folgte mir auf Schritt und Tritt.

Nur Claudia schien einigermaßen normal zu funktionieren. Sie war meine stille Helferin geworden. Ohne mein Geheiß kümmerte sie sich um Nicky, wenn sie spürte, daß Thomas mich allzusehr in Anspruch nahm. Sie unterstützte mich, wo sie konnte.

Nachdem wir die nötigste Arbeit erledigt hatten, setzten wir uns in die Leseecke. Ich hatte den Kindern über längere Zeit aus demselben Buch vorgelesen und dachte mir, daß uns die Geschichte am besten von unseren trüben Gedanken ablenken würde.

Als wir uns setzten, nahm Thomas das Kissen, das Bo normalerweise benützte, in die Hand und wollte es auf die Seite legen. In diesem Augenblick sprang Nicky auf, entriß Thomas das Kissen und lief damit schreiend zur Tür. Er hämmerte dagegen und rief dabei: «Was ist das für ein Buchstabe? Was ist das für ein Buchstabe?» Er drehte sich um, und da waren tatsächlich Tränen auf seinen Wangen. Ich hatte ihn noch nie weinen gesehen. «Hallo, kleiner Junge», piepste er in hohen Tönen. «Hallo, kleiner Junge. Du bist ein netter Kerl, Nicky. Du bist trotzdem ein netter Junge.»

«Machst du dir Sorgen um Bo, Nicky?« fragte ich ihn. Ich versuchte ihn zu beschwichtigen. Er hörte mir jedoch nicht zu, sondern begann wie wild in seiner Spielecke zu wühlen. Er warf alles in hohem Bogen hinter sich und suchte ganz offensichtlich nach etwas Bestimmtem. Er fand es auch. Triumphierend schwang er Bos Valentins-Büchlein über dem Kopf. Er brachte es zu uns an den Tisch.

Er war jetzt hellwach. Alles Träumerische war von ihm abgefallen. Tränen rannen ihm immer noch über die Wangen, sonst gab es keinerlei Anzeichen, daß er weinte. Er begann zielstrebig zu blättern.

«Hund», sagte er laut und deutlich und schaute uns an. Er kam zu meinem Stuhl und zerrte mich am Ärmel zum Buch. Er nahm meine Hand und drückte sie auf das Bild. «Hund. Hund. Was ist das für ein Buchstabe?» fragte er in der gewohnten Weise.

Dann kam die nächste Seite dran. «Katze. Was ist das für ein Buchstabe? Katze.» Er schaute mich an, dann wieder das Bild. So ging er durch das ganze Büchlein.

Galten alle diese Anstrengungen Bo? Vielleicht hatte die Spannung, die ihre Abwesenheit bewirkte, in seinem Hirn etwas ausgelöst. Wer weiß!

Nicky nahm auch Verbindung mit Claudia auf. Er ging auf sie zu, blieb aber auf halbem Weg stehen und starrte sie an, als sähe er sie heute zum ersten Mal. Er stellte sich auf die Zehenspitzen und fuhr ihr ganz sanft über Haar und Gesicht. Dabei fragte er: «Was ist das für ein Buchstabe?»

Er setzte sich wieder vor sein Büchlein und blätterte es nochmals durch. Manchmal schaute er auf und blickte uns nachdenklich an. Wir hatten im Augenblick einen normalen kleinen Jungen vor uns, der uns wahrnehmen konnte. Wenn ich nur gewußt hätte, was er wollte!

Er schaute sich erneut suchend im Zimmer um. Langsam, aber bestimmt schritt er auf den Schaukelstuhl zu. Im Nu hatte er seine Kleider abgestreift, setzte sich auf den Stuhl und begann zu schaukeln. Ich war verblüfft. Seit Monaten hatte er das nicht mehr getan. Es war aber heute ein deutlicher Unterschied zu früher: kein irres Gelächter, kein zielloses Gerenne dabei.

«B-I-N-G-O», sang er mit klarer Stimme. «Und B-I-N-G-O war sein Name.»

Er lächelte uns engelhaft an, wie einer, der von weit her kommt und sich freut, ein bekanntes Gesicht zu sehen. Freundlich winkte er uns zu und sang weiter.

Ich wußte nicht, ob ich einschreiten oder ihn gewähren lassen sollte. Nicky löste mein Dilemma. Er hob eine Hand flatternd dem Licht zu, und das Lied erstarb auf seinen Lippen. Er war in sich selbst eingekehrt, er weilte nicht mehr unter uns. Ich hatte zu lange gewartet.

Bo kam auch am nächsten Tag nicht. Ich hatte vergeblich versucht, ihren Vater telefonisch zu erreichen. In der Lehrerschaft vermieden wir das Thema Bo. Begegnete ich Edna auf dem Flur, setzten wir beide ein gekünsteltes Lächeln auf und ließen es dabei bewenden. Auch mit Dan berührte ich das heiße Eisen nur ganz oberflächlich. Es war, als ob wir alle auf etwas warteten.

Die Gestalt erinnerte mich an jemanden. Eine Ähnlichkeit wie aus einem Traum, greifbar und doch verschwommen. Hatte ich sie nicht schon gesehen? Aber wo? Dieses Mädchengesicht mit der altmodischen Frisur, den runden Brillengläsern, die ihr etwas Eulenhaftes verliehen. Ein Bild wie aus dem Album meiner Großmutter.

Wortlos durchquerte sie mein Klassenzimmer, machte vor

meinem Tisch halt und musterte mich von oben bis unten. «Ich heiße Libby. Ich bin Bos Schwester.»

Sie waren eineiige Zwillinge. Jedenfalls stand das in den Akten. Ich bin nicht sicher, ob ich in ihr Bos Schwester erkannt hätte. Bestimmt aber hätte ich nie und nimmer auf eineiige Zwillinge geschlossen. Dieses ernste Gesicht hinter den dicken Brillengläsern hatte nichts von Bos Aura um sich. Das lebendig Sprühende fehlte in diesem Kind, das aussah, als trüge es die Last der ganzen Welt auf den Schultern.

«Was kann ich für dich tun, Libby?»

«Ich möchte die Hausaufgaben für meine Schwester abholen.»

«Ach so.» Wir schauten uns an. «Wie geht es Bo?»

«Sie kommt nicht mehr in die Schule.»

«Du meinst, sie kommt diese Woche noch nicht.»

«Sie kommt überhaupt nie mehr.»

«Wer hat diese Entscheidung getroffen?»

«Bo. Aber mein Vater hat gesagt, daß ich ihre Aufgaben holen soll.» Sie warf den Kopf zurück und sagte: «Du bist nicht so hübsch, wie meine Schwester gesagt hat.»

Nachdem Bo drei Tage nicht mehr erschienen war, kam Mr. Sjokheim in die Schule. «Ich weiß nicht, was ich mit ihr machen soll», sagte er, als wir auf Edna und Dan warteten. «Ich bin am Ende meiner Weisheit. Sie schaut sich nicht einmal die Aufgaben an, die ihr Libby bringt. Sie quält sich den ganzen Tag mit dem Gedanken, wieder in die Schule zu müssen. Ich weiß, daß es nicht in Ordnung ist, sie zu Hause zu behalten, aber was soll ich denn tun?»

Es war ein schwieriges Gespräch. Dan sprach schon bald von psychiatrischer Intervention, und zwar von einer internen Abklärung. Er fuhr gleich zu Anfang mit schwerem Geschütz auf. Eine solche Möglichkeit gab es aber in der nächsten Umgebung nicht. Sie hätte in die Universitätsklinik zurückgehen müssen, wo man sie damals neurologisch abgeklärt hatte. Mr. Sjokheim suchte mit allen Mitteln nach Alternativen. Er kam mit unzähligen Vorschlägen, die meisten absolut undurchführbar.

Als wir auf Bos Benehmen in der Schule vor ihrem Zusammenbruch zu sprechen kamen, konnte es sich Edna nicht verkneifen, alles was sie störte, aufzuzählen: Bos Lernunfähigkeit, ihr mangelndes Durchhaltevermögen, ihre motorische Überaktivität usw., usw. Sie malte Bo in den düstersten Farben.

Edna hatte nicht in allem Unrecht. Bo hatte tatsächlich Mühe im Klassenverband und benahm sich, das konnte niemand bestreiten, oft wie ein verhaltensgestörtes Kind. Sie brauchte Hilfe. Und doch sprachen wir am effektiven Problem vorbei. Weshalb waren wir denn so sicher, daß Bo die Schuld an diesem Zusammenbruch hatte? Hatten wir nicht alle Scheuklappen vor den Augen?

Wir hatten versagt, nicht Bo. Dan, Edna, ich und das ganze stupide Schulsystem. War die Reaktion des Kindes nicht im Gegenteil absolut normal? Das Kind hatte sich drei Jahre lang bemüht, etwas zu erreichen, was es nicht erreichen konnte. Wäre Bo blind, taub oder einarmig gewesen, hätte es keiner von uns gewagt, sie für ihr Unvermögen haftbar zu machen. Keinem von uns wäre es eingefallen, ihr die Verantwortung für den Zusammenbruch in die Schuhe zu schieben. Vielmehr wären wir uns brutal vorgekommen. Aber weil sie eine Behinderung hatte, die niemand sehen konnte, saßen wir wie die Götter über sie zu Gericht.

Mir wurde richtig schlecht bei dem Gedanken, was hier vor sich ging. Daß ausgerechnet über Bo der Stab gebrochen wurde, über Bo, die das höchste Gut besaß, das Erziehung überhaupt vermitteln konnte, nämlich Menschlichkeit; das wollte mir nicht in den Kopf.

Ich war in mancher Hinsicht keine sehr mutige Person. In meinem Beruf hätte man das sein müssen. Wenn ich nur den Mut gehabt hätte, meine Gedanken an Ort und Stelle auszusprechen! Oder wenn ich wenigstens demonstrativ das Zimmer verlassen hätte. Aber ich fand keine Worte, und meine Füße versagten mir den Dienst. Ich würde also zu einem anderen Zeitpunkt handeln müssen. Während der ganzen Verhandlung saß ich da, stumm wie ein Fisch.

Es referierten eigentlich ausschließlich Edna und Dan. Mr. Sjokheim sagte kaum etwas. Seine Augen waren klar und sanft, ein warmes Braun. Er wehrte sich nicht. Schließlich sagte Edna, Bos Störung sei zu groß, als daß sie in einer normalen Klasse bleiben könne. Es müßte etwas anderes für sie gefunden werden.

Mr. Sjokheim sank in sich zusammen und barg das Gesicht in den Händen. Ich ahnte sofort, daß er weinen würde. Ein peinliches Gefühl überkam mich, wie immer, wenn ein Erwachsener Tränen vergoß. Ich holte Papiertaschentücher.

«Es tut mir leid, es tut mir leid», versuchte er dauernd seine Tränen zu entschuldigen. «Aber ich weiß wirklich nicht, was ich tun soll.»

«Ich kann das gut verstehen», sagte Dan, «das Gespräch muß eine Qual für Sie sein.»

Niemand sprach. Mr. Sjokheims Demütigung lastete auf uns. Ich versuchte krampfhaft, meine schwere Zunge zu lösen, aber kein Laut drang aus meiner Kehle. Nachdem Mr. Sjokheim sich wieder aufgefangen hatte und nur noch das zerknüllte Papiertaschentuch von seiner Krise zeugte, schloß Dan die Zusammenkunft mit der Bemerkung, daß Bo so schnell wie möglich wieder zur Schule gehen müsse, was auch immer wir langfristig mit ihr vorhätten, sonst entstehe zusätzlich zu ihren vielen anderen Problemen noch eine Schulphobie.

Als die anderen gegangen waren, bat ich Mr. Sjokheim, noch etwas zu bleiben. Das einzige, was ich anbieten konnte, war Schokoladenpulver zum Anrühren. Ich wärmte Wasser mit einem Tauchsieder und braute das ganze in einem Mayonnaise-Glas zu einer klumpigen heißen Schokolade, die wir aus Pappbechern schlürften.

Wir sprachen nicht viel. Ich hatte ihn eigentlich fragen wollen, wie es Bo ging und ob er herausgefunden hatte, was an jenem Morgen in der Schule geschehen war. Aber ich fand die richtigen Worte nicht. Ich wollte ihm auch sagen, daß ich Bo nicht als einen hoffnungslosen Fall betrachtete wie Edna. Es gelang uns aber nur, über Nebensächlichkeiten zu reden. Seine Stimme war immer noch belegt.

«Hören Sie», sagte ich endlich, «wir schaffen das schon, alles wird in Ordnung kommen.»

«Meinen Sie?»

«Ich glaube schon. Wir müssen sie aber unter allen Umständen zuerst in die Schule zurückbringen. Jeder Tag, den sie zu Hause bleibt, erschwert die Sache.»

«Ich weiß nicht, ob ich sie dazu überreden kann. Ich werd's auf jeden Fall versuchen.»

Aber am Freitag war immer noch keine Bo zu sehen.

22

Auch am Montag nachmittag erschien Libby, um die Hausaufgaben für Bo abzuholen. Ich hatte ihr gleich am Anfang klarzumachen versucht, daß Bo von mir bisher nie Aufgaben gekriegt habe. Sie kam trotzdem jeden Abend und wollte welche mitnehmen.

Libby war heute später als sonst. Ich glaubte schon, sie hätte kapiert, daß es bei mir nichts zu holen gab, als sie doch noch auftauchte.

«Ich möchte die Hausaufgaben für meine Schwester abholen.»

Ich lächelte. «Ich hab aber immer noch keine.»

Sie musterte mich scharf durch ihre Brille.

«Wie geht es Bo?» fragte ich.

«Gut.»

«Wir vermissen sie sehr. Kommt sie morgen wieder zur Schule?»

«Nein. Ich hab dir schon einmal gesagt, daß sie überhaupt nie mehr kommt.»

Wir sahen uns herausfordernd an. «Nie mehr?»

Libby erwiderte nichts. Was für ein merkwürdiges Kind! Sie konnte mir endlos lange in die Augen sehen, ohne mit der Wimper zu zucken. Sie traf keinerlei Anstalten, wieder zu gehen, also schob ich ihr einen Stuhl hin.

«Sag mal, Libby, was machst du eigentlich am liebsten?» fragte ich, weil mir sonst nichts einfiel.

«Spielen.»

«Was denn zum Beispiel?»

«Mit der Puppe.»

«Wie heißt deine Puppe?»

«Sie hat keinen Namen.»

«Wahrscheinlich nennst du sie einfach ‹Baby›, wie ich das früher gemacht habe, ja?»

«Ich sag ihr überhaupt nichts, sie ist doch nur eine Puppe.»

«Ach so.»

Das war in der Tat eine zähflüssige Konversation. Ihr Blick war die ganze Zeit starr auf mich geheftet. Dieses Kind trieb mich noch zum Wahnsinn. Wie war sie doch Bo unähnlich!

Ich arbeitete an meinen Korrekturen weiter. Sie stand daneben und sah mir zu.

Ich klappte die Hefte zu und entschloß mich, den Stier bei den Hörnern zu packen. «Libby, ich muß unbedingt etwas wissen, vielleicht kannst du mir dabei helfen. Weißt du, was letzte Woche in Mrs. Thorsens Zimmer geschehen ist?»

«Sie kommt nicht mehr in die Schule zurück.»

«Gut, aber weißt du, weshalb?»

«Ja.»

«Sagst du's mir?»

Keine Antwort.

«Ich muß es aber wissen, Libby. Ich kann Bo sonst nicht helfen.»

«Bo und ich, wir erzählen unsere Geheimnisse niemandem.»

«Dir hat sie's doch auch gesagt.»

«Das ist etwas anderes. Wir sind doch Zwillinge. Wir erzählen uns alles.»

«Lib, hör mir jetzt mal gut zu. Du kannst Bo nicht genügend helfen. Sie braucht auch Erwachsene, die ihr beistehen.»

«Ich und Bo, wir sind die einzige richtige Familie, die wir haben. Unser Daddy ist auch nur adoptiert.»

Ich mußte lächeln. «Ich weiß das, aber ich muß noch viele andere Sachen wissen.»

Zum ersten Mal zögerte Libby ein bißchen und schaute auf die Seite. «Weißt du, was ich einmal gemacht habe?»

«Was denn?»

«Ich habe sie angespuckt.»

«Wen? Bo?»

«Die alte Dame. Ich habe sie angespuckt. Nachher hab ich ihr in der Pause gesagt, ich ginge aufs Klo, ich bin aber zurück ins Zimmer gegangen und hab ihr aufs Pult gespuckt.»

«Von welcher alten Dame sprichst du denn?»

«Von Mrs. Thorsen.»

Erregt beugte sich Libby zu mir. «Ich werde dir sagen, was sie Bo getan hat.» Ihr kleines Gesicht war jetzt ganz nahe, und ich konnte plötzlich sehen, wie ähnlich es Bo war.

«Sie hat Bo gezwungen zu lesen. Sie mußte vor der ganzen Klasse aufstehen und vorlesen. Zuerst aus den großen, schwierigen Büchern, bei denen ich schon Mühe habe. Bo kann diese natürlich nicht lesen. Und alle lachten. Früher haben sie Bo nie ausgelacht, erst jetzt. Die alte Dame gab ihr immer doofere Bücher in die Hand und zwang sie, daraus zu lesen. Wenn es nicht ging, sagte sie jeweils: ‹Geht es immer noch nicht, liebe Bo?›

Und als sie bei dem Lesebuch angelangt war, das sie eigentlich lesen kann, war Bo viel zu aufgeregt und verschüchtert, um überhaupt noch einen Buchstaben zu kennen. Alle lachten, und sie weinte. Aber Mrs Thorsen erlaubte ihr immer noch nicht, sich zu setzen. Das sollte Bo ein für allemal eine Lehre sein. Bo mußte sich erbrechen. Sie hat Bo dazu gebracht, sich vor der ganzen Klasse zu erbrechen und hat sich nicht einmal dafür entschuldigt.»

«Ist das wirklich passiert?»

«Ich schwör's. Du kannst fragen, wen du willst. Nancy Shannon oder Mary Ann Marks oder sonst jemanden. Du kannst auch Robby Johnson fragen. Er ist ein Pfadfinder und lügt nie.»

Sie zitterte vor Entrüstung: «Ich hasse sie. Ich werde ihr eines Tages mitten ins Gesicht spucken.»

Und Libby konnte hassen, das sah man an ihren funkelnden Augen!

«Bo ist nicht dumm», sagte sie, «sie ist genauso gescheit wie die andern auch. Sie kann nur nicht lesen, weil sie verwundet worden ist.»

Ich nickte. «Ja, ich weiß.»

Libby lehnte sich zurück. Das Wichtigste war gesagt. «Bo kommt nicht mehr in die Schule, und ich finde das auch richtig.»

«Da bin ich nicht mit dir einverstanden. Ich bin der Meinung, sie muß wieder zur Schule, aber wir müssen vieles für sie ändern.»

«Genau. Ich bin der Meinung, jemand sollte Mrs. Thorsen mit einem Auto überfahren.»

Ich betrachtete das Kind, das vor mir stand. Wozu konnte doch Haß einen Menschen verleiten!

Unsere Konversation versiegte. Libby wurde wieder einsilbig. Es war schon vier Uhr dreißig, und ich wollte nach Hause. Ich begann die Schularbeiten weiterzukorrigieren.

«Ich muß unbedingt heute fertig werden», sagte ich zur Erklärung.

Libby blieb sitzen und nahm meinen Wink mit dem Zaunpfahl nicht zur Kenntnis. Schließlich klappte ich die Hefte zu und sagte: «Du mußt jetzt nach Hause, Libby.»

Libby rührte sich nicht. Wie wenn ich in einer Sprache gesprochen hätte, die sie nicht verstand.

«Torey?»

«Ja.»

«Wird sie immer so bleiben?»

«Was meinst du denn, Libby?» Sie sah plötzlich hilflos aus.

«Wird Bo immer so bleiben, wie sie jetzt ist?»

Eine Vision aus einem Traum, dieses Mädchen. Aus einer längst vergangenen Zeit. Ich hatte das Gefühl, die Gestalt könnte sich jeden Moment in Luft auflösen.

«Ich meine», sie mußte sich überwinden zu sprechen, schluckte und setzte noch einmal an: «Ich meine, mit Bo steht es wirklich schlimm. Schlimmer als die meisten Leute merken. Sie kann überhaupt nichts. Sie kann nicht einmal die einfachsten Baby-Bücher lesen, die ich schon vor zwei Jahren lesen konnte. Sie kann nicht mal ihren Namen schreiben. Oder ihre Schnürsenkel binden. Es ist wirklich schlimm, ganz schlimm.»

Ich war von Mitleid erfüllt für dieses siebenjährige Mädchen. Wie konnte ein so kleines Kind mit diesem enormen Problem fertig werden?

Ich setzte mich zu ihr. Sie sah mir voll in die Augen: «*Ist* Bo nicht normal?»

Wieviel Überwindung mußte diese Frage Libby gekostet haben. Obwohl sie für Bo auf die Barrikaden gegangen war, nagten Zweifel an ihr.

Ich war für einen Augenblick sprachlos. Libby faßte mein Schweigen als Bestätigung ihrer eigenen Befürchtungen auf und erhob sich zum Gehen.

«Libby, komm zu mir, Liebes.» Ich hielt sie an der Hand zurück.

«Ist sie wirklich nicht normal?» fragte sie noch einmal.

Ich schüttelte den Kopf. «Nein, Bo ist normal.» Ich faßte sie um die Schultern und drückte sie sanft auf den kleinen Stuhl neben mir. «Du kennst Bos Schwierigkeiten besser als alle anderen. Sie hat eine Hirnverletzung, und das ist etwas anderes, als wenn jemand nicht normal ist. Durch diese Verletzung ist ihr das Lernen erschwert. Es ist aber durchaus möglich, daß sie eines Tages lesen lernen wird. Ich habe in medizinischen Büchern von solchen Fällen gelesen. Vielleicht wird sie es nie so gut können wie du, aber wenn sie älter wird, besteht die Möglichkeit, daß ihr Hirn neue Wege findet. Aber das heißt nicht, daß Bo dumm ist. Du hast absolut recht, wenn du sie in diesem Punkt verteidigst. Du weißt ja selbst, wie gut sie in Mathematik ist. Und was noch viel wichtiger ist: ihr menschliches Verständnis und ihr Mitgefühl. Wir haben hier in der Klasse einen Jungen, der nicht sprechen kann, und du müßtest einmal sehen, wie Bo ihn versteht! Sie liest in den Herzen der Menschen wie ich und du in Büchern lesen, und glaub mir, Libby, das ist viel, viel wichtiger als alles, was man in der Schule lernt.»

Libby atmete tief ein. Ich hielt meinen Arm fest um ihre Schultern.

«Warum hat sie diese Schwierigkeiten und ich nicht?»

«Das kann niemand sagen, Liebes. Wir können nur Vermutungen anstellen.»

«Mein Vater sagt, daß ihr Kopf verletzt war. Er sagt, das könne man auf den Röntgenaufnahmen sehen.»

Ich nickte. «Das habe ich auch gehört.»

Libby hielt den Kopf immer noch gesenkt, den Blick starr auf den Boden geheftet. Ganz sachte griff sie nach meiner Hand, die auf ihrer Schulter lag. Es war nur der Hauch einer Berührung. «Ich weiß, wie es passiert ist», sagte sie fast tonlos. «Mein Vater, mein richtiger Vater, hat Bo oft geschlagen. Auch meine Mutter hat uns viel geschlagen. Aber mein Vater nahm manchmal den Stock, wenn wir nicht gehorchten.»

Sie stockte und fuhr dann fort: «Wir müssen oft unfolgsam

gewesen sein. Bo hat er aber öfter geschlagen als mich. Manchmal hat er sie so verprügelt, daß sie sich nicht mehr rührte und nicht einmal mehr weinte. Ich konnte sie dann schütteln, soviel ich wollte, sie war wie tot.»

Libby fuhr sich mit der Hand über den Arm. «Mein Vater hat mir einmal diesen Arm gebrochen. Meine Mutter hat ihn darauf in einen Kissenbezug gewickelt, aber er tat mir so weh, daß ich schrie. Ich konnte nicht anders. Sie mußte mich zum Arzt bringen. Mein Vater hat gesagt, ich müsse sagen, ich sei die Treppe hinuntergefallen. Auf keinen Fall dürfe ich die Wahrheit sagen. Dabei hatten wir gar keine Treppe zu Hause. Ich habe ihm gehorcht. Einmal hat er mich auch ans Bett gebunden. Aber das mit Bo war viel schlimmer. Ich hatte solche Angst, damals.»

Libby schaute mich an. «Manchmal träume ich von meinem alten Zuhause und wache auf vor Angst. Ich muß dann sogar weinen. Ich denke, vielleicht finden sie mich und nehmen mich mit.» Nachdenklich fuhr sie fort: «Am Tag vermisse ich sie manchmal. Ich stelle mir dann so schöne Sachen vor. Aber nachts nie. Wenn ich aus den schrecklichen Träumen erwache, kann ich nicht wieder einschlafen. Ich krieg immer Kopfweh, und es wird mir schlecht. Mein Daddy muß dann kommen und bei mir sitzen. Ich weiß nicht, ob Bo sich an all das erinnert. Sie spricht nie darüber.»

«Du weißt doch, daß dein Daddy so etwas nie zulassen würde», sagte ich. «Er würde euch von niemandem holen lassen. Er liebt euch. Ihr seid jetzt seine kleinen Mädchen, und er würde euch um keinen Preis weggeben. Da könnt ihr ganz sicher sein. Du mußt das auch Bo sagen.»

Sie nickte. «Ich weiß das eigentlich schon. Manchmal weiß ich es ... Aber manchmal vergeß ich's.»

Wie aus einer längst vergangenen Zeit blickten mich ihre Augen an. «Bestimmt hat das mein Vater getan. Bestimmt hat er Bo so zugerichtet, daß sie jetzt nicht lesen und die anderen Sachen machen kann.»

«Wir können das nicht wissen. Wir werden es nie wissen.»

«Ich weiß es aber», sagte sie mit Bestimmtheit, «und wenn ich groß bin, werde ich ihn finden. Ich werde ein langes Messer mitnehmen und es ihm mitten in den Bauch stoßen. Ich werde ihn töten. Garantiert. Ich werde ihn töten für das, was er Bo angetan hat. Und mir. Niemand wird mich daran hindern.»

Was hätte ich darauf sagen sollen? Der unselige Keim von Haß und Zerstörung hatte sich schon in diesem siebenjährigen Kind festgesetzt.

Wir saßen wortlos nebeneinander. Libby schaute auf die Uhr und sagte: «Ich muß jetzt gehen, sonst machen sie sich Sorgen.»

«Soll ich dich nach Hause fahren?»

Sie schüttelte den Kopf und ging auf die Tür zu: «Ich gehe gern zu Fuß.»

«Libby», rief ich, bevor sie ganz verschwunden war, «auf Wiedersehn.»

Sie drehte sich noch einmal um und schenkte mir so etwas wie ein Lächeln. «Auf Wiedersehn.»

23

Jeden Abend, bevor ich in mein kaltes und dunkles Haus trat, glomm in mir ein Fünkchen Hoffnung, daß Joc mich vielleicht doch auf der Türschwelle erwarten würde. Aber das Haus blieb leer und düster.

Vor einer Woche war er gegangen, und ich hatte nichts mehr von ihm gehört. Kein Telephonanruf, kein Brief, einfach nichts. Er hatte nicht mal seine Schallplatten abgeholt. Als er an jenem Abend das Haus verließ, hatte ich gewußt, daß es für immer war. Eigentlich hatte ich schon vorher geahnt, daß es so enden würde. Und trotzdem hatte ich die Hoffnung nie ganz aufgegeben. Ich ließ die Fotos hängen und sandte ihm seine Schallplatten nicht nach. Meine Tür verriegelte ich nicht von innen. Falls er doch ...

Ich beglückwünschte mich selbst zu meiner Tapferkeit. Keine Tränen, keine Depressionen, keine demütigenden Anrufe. Er war gegangen. Es war vorbei. Ich hatte Stärke gezeigt, war der Situation gewachsen und hatte sie akzeptiert.

Leider stimmte das alles nicht ganz. Meine rationalen Überlegungen genügten nicht, die Leere auszufüllen, die sein Verschwinden verursacht hatte. Ich wußte nicht, was ich mit mir anfangen sollte. Die Probleme in der Schule begannen mich aufzufressen. Tag und Nacht dachte ich an Bo Sjokheim, seit niemand mehr da war, der mich am Abend ablenkte. Ich war von Unrast getrieben.

Wie Schuppen fiel es mir von den Augen, daß mein Freundeskreis ganz und gar von Joc bestimmt gewesen war. Plötzlich saß ich Abend für Abend allein zu Hause. Ich hatte nie eine Unmenge Freunde gehabt, aber während meiner Freundschaft mit Joc waren mir auch diese wenigen noch abhanden gekommen. Wir hatten nur noch mit seinen Freunden verkehrt, und so hatte ich jetzt niemanden mehr.

Billie war mein Rettungsanker. Sie lud mich am Samstag zu einem «Überlebens»-Nachtessen ein. «So ging es mir nach meiner Scheidung. Alle stellten sich als *seine* Freunde heraus. Niemand war interessiert an einer alleinstehenden Frau.»

«So schlimm ist es nun auch wieder nicht. Wir hatten irgendwie nie gemeinsame Freunde. Es waren einfach alles Bekannte, bei denen sich Joc gerne amüsierte.»

Ich bekam einen aufmunternden Klaps, als sie das Fleisch in die Pfanne schmiß: «Mach dir nichts draus, Liebste. Männer! Haben wir die überhaupt nötig?»

Ich glaube schon, dachte ich im stillen.

Ich muß zugeben, daß ich unter meiner Einsamkeit litt. Joc fehlte mir in meinem Privatleben mehr, als ich vermutet hätte. In einem hatte Joc recht behalten: es mangelte mir an Wärme und Geborgenheit. Ich brauchte einen menschlichen Kontakt. Die uralte Frage, die meine Familie schon so lange beschäftigte, tauchte wieder auf: Warum nicht heiraten? Ja, Herrgott noch mal, warum eigentlich nicht? Ich nahm mein Kopfkissen und schmiß es mit aller Kraft an die Wand. Warum war alles so schwierig?

Was sollte mit Bo geschehen? Libbys Bericht hatte mich nicht erstaunt. Ich hatte mir die Vorgänge in Ednas Schulzimmer ungefähr so vorgestellt. Ich kannte schließlich Edna, und ich kannte auch Bo gut genug.

Edna würde nichts zugeben. Sie würde sich keiner Schuld bewußt sein. Nichts und niemand könnte an ihrem Unterrichtsstil etwas ändern. Dafür war sie schon zu lange im Schuldienst, und abgesehen davon, wer in aller Welt würde es wagen, einer Lehrerin im letzten Dienstjahr Vorhaltungen zu machen? Es wäre also sinnlos, ihr die Unmenschlichkeit ihres Verhaltens Bo gegenüber vor Augen zu halten.

In Ansätzen hatte ich es trotzdem versucht. So diplomatisch wie möglich. Die Gespräche hatten aber mehr geschadet als genützt. Wir sprachen aneinander vorbei, und ich hatte nachher jeweils ein schlechteres Gewissen als zuvor.

Es waren nicht nur sachliche Gründe, die mich hinderten, mit Edna ins Gespräch zu kommen. Ich hatte Angst vor ihr und vor Auseinandersetzungen ganz allgemein. Ich konnte Streit schlecht ertragen und war bereit, dem lieben Frieden zuliebe allerhand zu schlucken. Außerdem lagen Welten zwischen unseren Ansichten. Was ich in der Schule mit meinen Schülern anstrebte, war ihr gänzlich fremd. Ich verstand sie nicht, und sie verstand mich nicht. Bei mir fiel noch negativ ins Gewicht, daß ich soviel jünger war und entsprechend weniger Erfahrung hatte. Wie oft hatte ich mich schon geirrt. Edna trat so selbstsicher auf, daß ich mich nach jedem Gespräch klein und häßlich fühlte.

Es gab tausend Gründe, weshalb ich es unterließ, diese alte, unsensible Frau dafür zur Rechenschaft zu ziehen, daß sie ein siebenjähriges Kind in die Verzweiflung getrieben hatte. Sie leuchteten auch Billie und anderen Freunden ein. Aber nachts quälte mich meine Tatenlosigkeit. Da mußte ich vor mir selbst geradestehen. Das war hart.

Weil ich mit Edna nicht zu Rande kam, hielt ich mich an Dan.

«*Wir* sind die Versager, Dan. Ich will nicht, daß Bo ein Leben lang unter etwas leiden muß, woran wir die Schuld tragen.»

Dan saß an seinem Pult. Er hatte die Hände hinter dem Nacken verschränkt und hörte mir aufmerksam zu.

«Ich frage mich oft, was eigentlich unsere Erziehungsziele sind. Den Kindern Lesen, Schreiben und Rechnen beizubringen vielleicht? Oder aus ihnen Menschen zu machen, die unsere Welt verbessern helfen?»

Dan schüttelte den Kopf. «Sei nicht romantisch.»

«Das nennst du romantisch! Wenn ich Hoffnung auf die Menschen setze und ihnen mehr beibringen möchte als bis jetzt üblich!»

Wieder schüttelte er den Kopf. «Unsere Aufgabe ist es, die Schüler zu unterrichten, Torey. Lesen, Schreiben, Mathematik und was es sonst auf dem Lehrplan noch gibt. *So* kann man die Menschen zu etwas bringen, etwas aus ihnen machen, da gibt es kein Mogeln, die Basis ist nötig.»

Ich wußte ihm nichts zu entgegnen.

«Ich geb ja zu, Torey, daß mir das, was mit Edna und Bo passiert ist, in keiner Weise gefällt. Ich wünschte auch, Edna hätte anders gehandelt. Aber so ist das Leben. Sie hat von Bo nichts Außergewöhnliches verlangt. Wenn Bo in der ersten Klasse schon zusammenbricht, wie soll sie den Druck später ertragen?»

«Vielleicht wäre es an der Zeit, unser Schulsystem in Frage zu stellen.»

«Wegen eines einzigen Kindes? Ich kann dir deine Empörung

voll nachfühlen, aber dies ist eine Schule. Ich hab dir schon vorhin gesagt, unsere Aufgabe ist das Unterrichten. Wenn ein Kind das Pensum nicht schafft, dann tut es mir leid, aber ich kann das auch nicht ändern.»

«Dan, es gibt keine Rechtfertigung dafür, daß Menschen irgendeinem System geopfert werden. Sonst ist etwas faul am System.»

«Wer weiß», sagte er niedergeschlagen, «vielleicht hast du recht.»

Die Entscheidung, was mit Bo nach ihrer Rückkehr geschehen sollte, war äußerst schwierig. Klar war nur, daß sie nicht mehr Edna zugeteilt würde. Aber wohin mit ihr? Die einzige Sonderklasse, die ganztags geführt wurde, war Betsy Kerrys Gruppe schwerstbehinderter Kinder. Da gehörte Bo auf keinen Fall hin. Es bestand die Möglichkeit, Bo in Ednas Parallelklasse zu tun, dann wäre sie aber mit Libby zusammengewesen. Außerdem wurde diese Klasse von einer jungen Lehrerin geführt, die schon mit ihren eigenen Schülern genug Probleme hatte.

Schließlich schlug ich vor, Bo den ganzen Tag über zu mir in die Klasse zu nehmen. Formell wäre sie zwar immer noch Ednas Schülerin, aber in Wirklichkeit hätte sie alle Fächer bei mir, außer Musik, Turnen, Zeichnen und Lebenskunde. Sicher war das keine Ideallösung, aber wir hofften, Bo damit zu entlasten und ihr eine intensivere Spezialschulung zukommen zu lassen.

Am Dienstag war immer noch keine Bo da. In der Mittagspause rief ich Mr. Sjokheim im Büro an. Er entschuldigte sich damit, daß er es nicht übers Herz gebracht habe, Bo unter Zwang in die Schule zu schleppen. Er teilte mir mit, daß er mit einem Psychologen einen Termin für die nächste Woche abgemacht habe. Ich war der Meinung, daß das nicht genügte, und sagte ihm das auch. Jetzt mußte endlich gehandelt werden. Wir hatten schon zu lange zugewartet. Bo mußte in die Schule zurück, und zwar gleich. Ich fragte, ob ich am Abend vorbeikommen könne. Wir verabredeten uns auf sieben Uhr dreißig.

Jetzt war meine Zeit zum Handeln gekommen. Jetzt mußte ich den andern die Stirn bieten. Was ich Bo heute abend versprechen würde, mußte ich nachher auch halten. Wie groß die Widerstände auch sein mochten. Sonst machte ich mich mitschuldig an dem Unrecht, das Bo widerfahren war. Dieser Gedanke war mir unerträglich. All das ging mir durch den Kopf, als ich durch die Frühlingsnacht zu den Sjokheims fuhr.

Mr. Sjokheim begrüßte mich an der Tür. Libby war im Wohnzimmer und trocknete sich gerade ihr vom Waschen noch nasses Haar. Ohne Brille war die Ähnlichkeit mit Bo unverkennbar. Sie war ernst wie immer und erwiderte mein Begrüßungslächeln nicht.

Mr. Sjokheim führte mich in Bos Schlafzimmer. Ich spürte ein unangenehmes Kribbeln in der Magengegend. Die Tür war offen, aber Unsicherheit ließ mich zögern. Was sollte ich sagen? Ich hatte Herzklopfen. Libbys wachsame Augen folgten mir. Mit gespielter Selbstsicherheit lächelte ich Mr. Sjokheim zu und trat ein.

Bo saß in einem gelben Pyjama auf dem Bett. Sie trug ihr langes dunkles Haar offen und starrte mich ohne ein Lächeln mit ihren nachtschwarzen Augen wortlos an. Auf ihrem Gesicht war aber auch nicht das kleinste Zeichen der Freude wahrzunehmen.

«Hallo, Bo», sagte ich.

Keine Antwort. Ihr Atem ging fast keuchend.

«Bo, grüß dich.»

«Hallo, Torey.»

Ich ging auf sie zu. «Ich vermisse dich, Bo. Ich mußte dich unbedingt sehen. Wir vermissen dich alle.»

Wieder keine Antwort. Nur diese pechschwarzen, unergründlichen Augen. Sie gab sich kühl und distanziert. Sie kam mir keinen Schritt entgegen.

«Darf ich mich zu dir setzen?» fragte ich.

Sie nickte, rückte aber sofort zur Seite, als ich mich neben sie aufs Bett setzte.

«Bo, wir möchten, daß du wieder zu uns kommst.»

Sie schaute mich mit Libbys Augen an. Voller Haß. Ich hätte weinen können.

«Ich komme nie mehr zurück.»

«Ich weiß, daß du das denkst.»

«Ich denke das, weil es eben stimmt. Ich komme nie mehr zurück.»

«Du machst mich traurig, wenn du nicht kommst. Auch Nicky vermißt dich. Und Tom und Claudia. Wir brauchen dich, Bo. Ohne dich macht unsere Klasse keinen Spaß.»

«Ist mir egal.»

Wie sehr müssen wir dich verletzt haben! Ich konnte die Tränen kaum mehr zurückhalten. Ich wandte meinen Kopf zur Seite, damit sie mein Gesicht nicht sehen konnte.

Ein dumpfes, stetiges Rascheln durchbrach die Stille. Ich suchte nach dem Grund. Vor dem Fenster bei Bos Bett stand ein Blumenkistchen mit Narzissen. Inmitten der braunen, verwelkten Stengel stand eine einzige gelbe Blume in voller Blüte und pochte beharrlich an die Scheibe. Bo hielt den Kopf gesenkt und zeichnete mit dem Zeigefinger Muster auf das Bettlaken.

«Bo, wir sind im Unrecht. Wir hätten dich nicht auf diese Weise behandeln dürfen. Es war falsch von uns, dich glauben zu machen, Lesen sei etwas so Wichtiges. Es ist nicht wichtig.»

«Natürlich ist es wichtig.» Trotz und Wut klangen aus ihrer Stimme. Sie glaubte wohl, ich wollte ihr etwas vormachen.

«Das stimmt nicht. Wir hätten dir das nie einreden dürfen. Es ist unser Fehler.»

«Klar ist Lesen wichtig. Sie hat die Kinder dazu gebracht, mich auszulachen. Sie hat gemacht, daß ich mich vor der ganzen Klasse erbrechen mußte. Ich gehe nie mehr zu ihr zurück. Ist mir ganz egal, was alle sagen. Ich laufe fort, wenn man mich zwingt. Auch wenn du's bist.»

«Bo, hör mir mal zu, bitte!»

«Nein! Geh weg. Ich werde *nicht* zurückgehen. Und ich will

nicht, daß du hier bist. Geh und laß mich allein.»

«Bo.»

«Hast du nicht gehört, was ich sage?» Sie hatte Tränen in den Augen. «Warum gehst du nicht? Ich will dich nicht mehr sehen.» Sie vergrub das Gesicht im Kopfkissen. Wie ein Überzug breitete sich ihr schwarzes Haar darüber.

Ich fühlte mich hilflos wie noch nie. Poch, poch, poch, hörte ich die gelbe Narzisse am Fenster. Ich hatte den Impuls, Bo in meine Arme zu schließen und damit alle schrecklichen Erinnerungen auszulöschen; sie war so klein und hilflos. Ich hätte meine Unsicherheit allzu gerne mit einer Umarmung zugedeckt und mich der Illusion hingegeben, daß Probleme so einfach aus der Welt zu schaffen sind. Wir Erwachsenen gefallen uns in der Rolle des Hexenmeisters, der alles kann. Ich wußte natürlich, daß das nicht stimmte, und Bo wußte es offensichtlich auch, denn als ich sie berühren wollte, schrie sie: «Geh endlich weg!»

Ich zog meine Hand wieder zurück. Libby stand bei der Tür. Sie war nur halbbekleidet, und ihr Haar war immer noch feucht. Wir tauschten einen langen, schweigenden Blick. Ich vermochte ihre Gedanken jedoch nicht zu lesen. Nach einer Weile verschwand sie wieder.

Ich strich Bo nochmals sanft über den Rücken. Zuerst wehrte sie sich gegen die Berührung, als ich aber nicht nachließ, entspannte sie sich plötzlich unter meinen Händen. Sie hatte ihr Gesicht noch im Kissen vergraben.

«Bo? Setz dich doch zu mir, bitte.»

Mit großer Anstrengung richtete sie sich auf und rückte näher zu mir. Ich wagte nicht, ihr allzu nahe zu kommen; so stützte ich ihr lediglich den Rücken mit meinem Arm.

«Ach, Bo, was haben wir dir getan!»

Sie hielt den Blick gesenkt.

«Ich bitte dich um Verzeihung.»

Sie sah mich an.

«Wofür?»

«Daß wir dich glauben machten, so unwichtige Dinge seien wichtig. Wir haben viele Fehler gemacht. Wenn Leute in einer kleinen Welt leben, erscheinen ihnen Kleinigkeiten ungeheuer wichtig. Es war gemein von uns, so zu tun, als sei uns das Lesen wichtiger als du selbst. Das stimmt überhaupt nicht.»

«Aber ich kann doch wirklich nicht lesen.»

«Ich weiß, daß du's nicht kannst. Und ich streite auch nicht ab, daß es eine nützliche Sache ist, aber vielleicht lernst du's später noch. Wer weiß. Aber auch wenn du nie lesen lernst, ist das nicht so schlimm. Mir würde das überhaupt nichts ausmachen. Irgendwie kämen wir auch so zu Rande. Um glücklich zu sein, muß man nicht lesen können.»

Ihre Augen waren dunkle, unergründliche Teiche.

Ich lächelte. «Übrigens kannst du etwas, was viel wichtiger ist als lesen.»

«Was denn?»

«Du schaust die Menschen auf eine besondere Weise an und spürst gleich, was sie fühlen. Wie mit Thomas und seinem Teddybär. Du weißt, was die Leute glücklich oder traurig macht. Und du liebst die Menschen. Das ist viel, viel wichtiger als lesen. Vergiß das nie. In unserer heutigen Welt brauchen wir Menschen, die lieben können, mehr als alles andere. Solche, die lesen können, gibt es genug.»

Bo schaute mich unverwandt an. Ich sah mein Spiegelbild in ihren Augen. Sie fuhr sich mit einer Haarsträhne über die Lippen. «Aber ich möchte trotzdem lesen lernen.»

Ich fühlte mich müde und alt. «Du weißt, daß ich alles tun würde, um dir diesen Wunsch zu erfüllen. Alles in der Welt würde ich hergeben dafür.»

Sie schien verwirrt und unsicher geworden.

«Bo, ich will nichts anderes, als daß du glücklich bist. Du mußt mir das glauben. Wenn der liebe Gott mir meine Fähigkeit zu lesen raubte, um sie dir zu geben, würde ich mich darüber freuen.» Ich fand keine Worte mehr, meine Gefühle mitzuteilen.

Bo runzelte die Stirn: «Aber...» Sie drehte den Kopf zu der Narzisse vor dem Fenster, und dann schaute sie auf ihre Hände hinunter. «Wenn das so wäre, könntest du nicht mehr meine Lehrerin sein. Und das möchte ich nicht.»

In der Dämmerung konnte ich gerade noch erkennen, wie ein Lächeln sich in ihre Augen stahl. Sie neigte sich zu mir und streichelte meine Hand.

24

Bo kam wieder in die Schule, aber es kostete sie große Überwindung. Sie schrie und weinte, als ich sie am nächsten Tag um zwölf Uhr mit Billie zu Hause abholte. Auf der kurzen Fahrt erbrach sie sich in eine Tüte, und ich mußte sie mit Gewalt in unser Schulzimmer schleppen. Aber Bo war wieder in der Schule; das war die Hauptsache.

Kaum war sie im Zimmer und hatten sich die anderen etwas beruhigt, ging ich ein großes Wagnis ein. Ich nahm alle Schulbücher, die mir Edna für Bo gegeben hatte, tat meine dazu und warf sie allesamt in den Mülleimer. Ich zerriß Seite um Seite der wunderschön illustrierten Fibeln und ließ die Fetzen einzeln in den Eimer schweben. Thomas und Nicky waren fasziniert. Claudia, unser Bücherwurm, war starr vor Entsetzen. Bo beobachtete das Geschehen von weitem.

«Was machst du da?» wagte Thomas endlich zu fragen.

«Ich schaff das alles fort. Bo liest vorerst nicht mehr.»

«Was?» rief Thomas staunend aus. Plötzlich war bei ihm der Groschen gefallen, und strahlend anerbot er sich: «Kann ich dir helfen?»

«Nein, das erledige ich selbst.»

Bo näherte sich. «Aber das ist doch eine Schule, da muß man

lesen lernen», gab sie ihrer Mißbilligung Ausdruck.

«Muß man nicht. Bo jedenfalls muß nicht mehr lesen. Und nicht mehr schreiben», sagte ich bestimmt.

Verwundert fragte Tom: «Was wird sie denn machen?»

«Vieles.» Die letzte Seite flatterte gerade in kleinen Stücken in den Eimer. «So, das hätten wir!»

Zögernd kam Bo näher und schaute auf die Fetzen zu ihren Füßen. Sie schaute mich an, aber ihre Augen waren nicht glücklich.

«Hast du Angst?»

Sie schien etwas sagen zu wollen, aber es kam kein Laut über ihre Lippen.

«Ich weiß, wieviel dir daran liegt, lesen und schreiben zu können wie die andern. Ich geb dich nicht auf, du mußt keine Angst haben. Ich bin sicher, daß du es später einmal lernen wirst. Aber jetzt ist nicht der richtige Augenblick dafür.»

Immer noch der traurig finstere Blick.

Ich setzte mich auf einen Stuhl und nahm Bo auf meinen Schoß. «Du mußt mir vertrauen. Ich erzähl dir jetzt eine kleine Geschichte, damit du mich besser verstehst.»

Sie sah mich mit großen, fragenden Augen an.

«Erinnerst du dich noch daran, wie wir im letzten Dezember die Hyazinthen pflanzten?»

Sie nickte.

«Dann weißt du auch noch, daß wir sie zum Wachsen in den Kühlschrank legten?»

Zustimmendes Nicken.

«Und was geschah mit ihnen, während sie im Kühlschrank waren?»

Bo dachte einen Augenblick nach und sagte: «Sie haben Wurzeln geschlagen.»

«Genau. Und hast du die Wurzeln sehen können? Hast du damals überhaupt irgendeine Veränderung an ihnen entdecken können?»

Sie schüttelte den Kopf.

«Aber sie haben doch nachher geblüht, stimmt's?»

«Ja.»

Ich lächelte. «Und wahrscheinlich weißt du auch, was geschehen wäre, wenn du sie gezwungen hättest, im Dezember zu blühen, ja? Was wäre wohl passiert, wenn du die kleine Blumenzwiebel aufgerissen hättest, um das schlafende Blümchen freizulegen? Hättest du es zum Blühen bringen können?»

«Nein, es wäre gestorben.»

«Ja, es wäre gestorben. Auch wenn du es noch so gut gepflegt hättest. Die Blume war nicht zum Blühen bereit, und du hättest sie umgebracht.»

Sie hing mir an den Lippen.

«Die Menschen sind wie diese Hyazinthenzwiebeln. Alles, was uns übrigbleibt, ist, den Menschen eine Umgebung zu verschaffen, in der sie wachsen und gedeihen können. Aber jeder einzelne Mensch ist für seine Entwicklung selbst verantwortlich, er bestimmt Zeit und Dauer seines Wachstums. Wir verletzen die Struktur, wenn wir uns einmischen. Auch wenn wir dies mit bester Absicht tun. Und manchmal geschieht das Wachsen im Verborgenen, wie bei den Zwiebeln im Kühlschrank. Wir sehen nichts, und doch geschieht etwas.»

Ernst und still hörte sie mir zu.

«Vertrau mir doch, Bo. Ich möchte dir noch etwas Zeit zum Wachsen lassen. Du wirst das Lesen schon lernen, aber erst dann, wenn es für dich Zeit ist dazu. Verstehst du, was ich meine?»

Sie nickte verständig. «Du steckst mich in den Kühlschrank, damit ich Wurzeln schlagen kann.»

Die große Lesekrise hatte somit ein Ende gefunden. Bo war jetzt den ganzen Tag über bei mir und ging anderen Beschäftigungen nach. Wir betrieben Mathematik und kümmerten uns hauptsächlich um die naturwissenschaftlichen Fächer, bei denen man vieles mit den Sinnen erfassen konnte. War das Lesen unumgänglich, setzte ich Thomas als Bos offiziellen Vorleser ein. Es war seine Aufgabe, Bo alles vorzulesen, was sie selbst nicht lesen konnte, aber wissen mußte. Ich hatte Thomas erklärt, daß Bo ganz von ihm abhängig sei, wie ein Blinder von seinem Hund. Ich hatte ihm eingeschärft, Bo nie in eine Patsche geraten zu lassen oder ihr sofort herauszuhelfen. Thomas nahm seine Aufgabe ernst und stand Bo bei, wo er konnte.

Jeden Tag arbeiteten Bo und ich an den kleinen, praktischen Verrichtungen, die ihr aufgrund ihrer Hirnschädigung schwerfielen. Bo konnte zum Beispiel die Schnürsenkel nicht binden und die Uhrzeit nicht lesen. Ich schaffte mir sogar eine Blindenuhr an, damit sie nicht auf Zahlen angewiesen war.

Die übrige Zeit war mit den verschiedensten Ämtchen ausgefüllt. Bo wurde unser Mädchen für alles. Sie half Nicky mit seiner Montessoritafel, fütterte die Tiere, putzte die Käfige, goß die Pflanzen und verteilte die Schulaufgaben. Ich hatte die Arbeitsmäppchen der Nachhilfeschüler, die am Morgen kamen, mit unterschiedlichen Farben markiert, damit Bo die richtigen Aufgaben ins richtige Mäppchen legen konnte. Wir legten auf einem Teil des Spielplatzes Blumenbeete an. Bo hackte, grub und säte nach Herzenslust. Sie half Thomas bei der Errichtung einer Wetterstation, in der Regen, Temperatur, Feuchtigkeit und Wind gemessen wurden. Sie lernte nichts Außergewöhnliches. Unsere Bemühungen würden sie wahrscheinlich nie zum ersten weiblichen Präsidenten der Vereinigten Staaten oder zur ersten Marsbewohnerin machen. Meine Ambitionen gingen lediglich dahin, aus Bo ein lebenstüchtiges Mädchen zu machen, das seine Fähigkeiten nutzen lernte. Das schien mir wichtig genug.

Für Bo war die Schreckenszeit vorbei, für mich begann sie erst. Ich war aus dem Busch hervorgekommen und hatte mich aufs offene Feld gewagt. Jetzt mußte ich auch bereit sein, die Konsequenzen zu tragen. Ich schlich im Schulhaus herum, in ständiger Angst, Dan oder Edna entdeckten meine vermessene Tat. Schließlich befand sich Bo immer noch unter Ednas Fittichen. Sie war offiziell ihre Schülerin, und ich war mir meines Vergehens bewußt, wenn ich Bo den Lernstoff, den Edna mir gegeben hatte, nicht beibrachte. Auch Dan würde an meinem eigenmächtigen Vorgehen keine Freude haben. Über mir hing das Damoklesschwert!

Schlimmer noch als die Angst vor Edna, Dan und der Außenwelt überhaupt plagte mich die Angst vor mir selbst. Würde ich standhaft genug sein, meine Handlungsweise vor potentiellen Gegnern zu vertreten? Die Durchführung meiner Pläne mit Bo war im Vergleich einfach. Bo glaubte noch immer an meine Allmacht, und wenn wir in der abgeschlossenen Welt unseres Klassenzimmers waren, fühlte ich mich sicher. Alles schien dort möglich.

Obwohl ich mich in letzter Zeit vorwiegend mit Bo beschäftigt hatte, vergaß ich die andern Kinder nicht.

Von den dreien gab mir Claudia am meisten zu denken. Sie ließ sich am wenigsten in die Klasse integrieren. Sie blieb zwar nach der Schule oft noch bei mir im Zimmer, aber wir kamen selten so richtig ins Gespräch. Unsere Beziehung erinnerte mich an ein Erlebnis aus meiner Collegezeit. Auf einer zoologischen Exkursion hatten wir in einer Mondnacht das Balzen von Kranichen im Moor beobachtet: auf, ab, hin und zurück, fasziniert, ängstlich, sich nähernd, aber nie zu nahe. Claudia und ich kamen mir genauso vor wie jene tanzenden Kraniche. Mir ging durch den Kopf, daß das vielleicht bei «normalen» Kindern immer so war. Vielleicht lernte ein Lehrer seine Schüler üblicherweise nicht mit jener beinahe brutalen Offenheit kennen, die im Umgang mit gestörten Kindern die Regel war. Ich konnte das nicht beurteilen, weil ich selten mit «normalen» Kindern gearbeitet hatte. Jedenfalls wünschte ich meine Beziehung zu Claudia zu vertiefen.

In der letzten Zeit hatte Claudia ungeheuer an Gewicht zugenommen. Anscheinend kommt das bei sehr jungen Müttern häufig vor, aber damals war mir dieses Phänomen unbekannt und beunruhigte mich. Zu Hause vegetierte Claudia dahin. Eingeschlossen, von der Außenwelt abgeschirmt wie die verrückten Verwandten aus einem Roman, die man in irgendeinem Schloßgemach versteckte, damit keine Schande über die ehrbare Familie kam. Claudia hatte keine anderen Kontakte als Schule, Fernsehen, Bücher und ihre vierjährige Schwester Rebecca.

Ich hatte auf dem Gebiet der Schwangerschaft nur mangelhafte Kenntnisse und stand der Sache ziemlich hilflos gegenüber. Ich versuchte, mittels Leihbüchern aus der Bibliothek und Gesprächen mit einem mir bekannten Arzt meine Lücken zu füllen. Eine Stütztherapie für Claudia konnte ich nirgends finden und hatte die Hoffnung auch aufgegeben, noch rechtzeitig so etwas zu organisieren. Hilfe konnte also nur von uns kommen. Eine schwierige Situation, der ich mich kaum gewachsen fühlte.

Wie an so vielen Nachmittagen nach Schulschluß war Claudia noch im Zimmer geblieben und half mir beim Aufräumen. Später schlug sie ein Magazin auf, das sie unter dem Pult hervorgezogen hatte.

«Was ist das für ein Heft?» fragte ich.

Sie zeigte es mir und forderte mich auf, den Leserbrief einer Frau zu lesen, die keinen Orgasmus haben konnte.

«Ich möchte wissen, was ein Orgasmus ist. Aber ganz genau.»

Der Ball war an mich weitergereicht worden, und ich konnte jetzt zusehen, was ich damit anfing. So etwas hatten wir im Seminar nicht gelernt. «Das ist gar nicht so einfach zu erklären. Es ist eine Empfindung, ein ganz bestimmtes körperliches Gefühl, das sich einstellt, wenn die Frau sexuell erregt ist. Meistens während des Geschlechtsverkehrs.»

«Aber wie ist das Gefühl? Schmerzt es?»

«Nein, eher wie elektrisierende, rhythmische Impulse.» Ich überlegte, wie ich mich besser ausdrücken könnte. «Es ist ein sehr schönes Gefühl, das den Menschen Lust bereitet.»

«Wirklich, etwas Schönes?»

Ich nickte.

Sie sah mich skeptisch an und las die Spalte im Magazin nochmals durch.

«Du willst damit sagen, daß der Geschlechtsverkehr mit einem Jungen etwas Gutes sein soll?»

Wieder nickte ich.

Claudia machte ein ungläubiges Gesicht. Sie blickte wieder auf den Leserbrief und schien ihn jetzt mit anderen Augen zu lesen. «Dann ist es ja ganz normal, daß der Mensch den Wunsch nach Geschlechtsverkehr hat. Das hab ich wirklich nicht gewußt. Ich dachte, das müsse man einfach einem Jungen zuliebe tun, damit er ein Mädchen gern hat und es nicht verläßt. Nie hätte ich gedacht, daß es etwas Schönes sein soll.»

Eine leise Trauer überfiel mich, als ich sah, wie ketzerisch ihr meine Worte vorkamen. Claudia seufzte und sagte: «Mensch, hab's aber wirklich nicht genossen. Es war schrecklich. Es tat auch weh.»

«Bei dir ist eben viel schiefgegangen. Sex ist nicht einfach eine körperliche Betätigung. Du warst viel zu jung, Claudia. Dein Körper war zwar reif, aber deine Gefühle noch nicht. Wahrscheinlich ist es Randy nicht besser ergangen. Ich hoffe, daß auch du das Schöne daran erkennen wirst, wenn du älter geworden bist.»

Claudia fingerte abwesend an den Ecken des Magazins herum. «Überall tun sie so, als ob Sex etwas ganz Tolles sei. Am Fernsehen, im Film, überall. Sie tun so, als ob alles ganz einfach sei mit einem Jungen; alles geht glatt, alle sind glücklich, keine Probleme weit und breit. Das ist in Wirklichkeit aber nicht so.»

«Da hast du recht», pflichtete ich ihr bei.

Man hörte nur das Kratzen ihrer Fingernägel auf dem Glanzpapier des Magazins. «Ich fühle mich manchmal so einsam. Oft denke ich, daß ich schon mein ganzes Leben einsam gewesen bin. Ich glaube, ich bin so geboren worden. Wie ein unscheinbares, winziges Pünktchen auf einem großen Bogen Papier komme ich mir manchmal vor. Umgeben von nichts als Leere.»

Sie seufzte wieder. «Randy war so nett. Weißt du, was er getan hat? Er hat mir im McDonald's Milkshakes und andere gute Sachen gekauft. Einfach so. Ich mußte ihn nicht mal darum bitten. Randy war so gut zu mir.»

Ein Mädchen, das seine Seele für einen Milkshake bei McDonald's verkaufte! Und die Umwelt glaubte noch, ein solches Mädchen habe keine Hilfe nötig.

Schweigen breitete sich im Zimmer aus, aber es war nicht spannungsgeladen. Wir fühlten uns beide wohler als sonst. Ich schaute zum Fenster hinaus. Windig und grau. Claudia beobachtete mich.

«Torey?»

«Ja, Claudia?»

«Bin ich ein schlechter Mensch?»

Ich schüttelte den Kopf. «Nein. Das gibt es nicht, schlechte Menschen.»

Claudia stützte den Kopf in die Hände. Sie war weit weg und blickte durch mich hindurch.

«Du glaubst doch auch, daß ich schmutzig bin, nicht wahr? Wegen dem, was ich gemacht habe.»

«Nein.»

Stille. «Ich glaube das aber», sagte sie langsam. «Manchmal dusche ich mich dreimal am Tag und fühle mich immer noch schmutzig.»

25

Nach diesem Gespräch mit Claudia versuchte ich noch einmal, ihre Eltern von der Notwendigkeit therapeutischer Hilfe zu überzeugen. Ich wollte ihnen klarmachen, daß Claudia Unterstützung brauchte, die ich ihr im Schulzimmer nicht bieten konnte. Claudias Probleme lagen viel tiefer. Ihre Mutter gab mir gegenüber endlich zu, daß Claudia Hilfe benötige; sie konnte sich aber dem Vater gegenüber nicht behaupten. Dieser war nach wie vor völlig uneinsichtig. Da Claudia in der Schule keine Schwierigkeiten machte, waren mir die Hände gebunden, und ich konnte nicht eingreifen.

Ich verbrachte meine Mittagspause wieder einmal im Schulzimmer, weil ich mit meiner Arbeit im Rückstand war.

Plötzlich ging die Tür auf, und herein kam Mrs. Franklin. Besser gesagt, sie steckte nur den Kopf herein und fragte schüchtern: «Stör ich Sie?»

«Kommen Sie doch herein.»

Meine Einladung freute sie offensichtlich. Sie ließ sich nicht noch einmal bitten, sondern sagte, Nicky stolz vor sich herschiebend: «Ich wollte Ihnen zeigen... Nicky kann... Nun, ich glaube, vielleicht wird es doch besser mit ihm.»

Sie hob Nicky auf den Tisch und zog ihm Schuhe und Socken aus. Nicky kicherte dabei unentwegt. Ich legte mein angebissenes Sandwich auf die Seite und setzte mich so hin, daß ich einen guten Blick auf die Darbietung hatte.

«Nicky, schau mal her.» Sie schüttelte seine nackte Zehe. «Dieser kleine Kerl geht auf den Markt.»

Nicky beugte sich voller Interesse über seine Zehen und begann aufgeregt mit den Händen zu flattern. Wieder schüttelte Mrs. Franklin liebevoll seine Zehe.

«Komm, Nicky, zeig deiner Lehrerin, was du kannst. Tu's deiner Mami zuliebe. Dieser kleine Kerl...»

Ich begann die Szene mit Spannung zu verfolgen. Wir beugten uns alle über Nickys nackten Fuß.

Seine Hände hörten allmählich auf zu flattern, und er griff nach der Zehe. «Dieser kleine Kerl geht auf den Markt», sagte er klar und deutlich. «Dieser kleine Kerl bleibt zu Hause, und dieser kleine Kerl geht in den Wald!» Nicky quietschte vor Vergnügen.

Mrs. Franklin strahlte über das ganze Gesicht. «Genau so hat er es früher auch gesagt.» Sie verstummte. «Bevor er älter wurde. Als er noch ein kleines Baby war. Mach's noch einmal Nicky, für Mami.»

Nicky hob seinen Fuß begeistert in die Luft, griff voller Übermut an seine Zehen und sprach dabei das Verslein, das seine Mutter ihm vorgesagt hatte.

Wir bestaunten seine Leistung wie ein Weltwunder. Mrs. Franklin überschäumte vor Glück. Immer wieder sagte sie: «Genau so hat er es früher gesagt. Das ist das erste Mal, daß er wieder mit uns spricht.»

Ihre Worte rührten mich. Hätte Liebe diesen Jungen heilen können, wäre er längst gesund gewesen. Wir wußten, daß diese lichten Augenblicke noch keine Heilung bedeuteten, aber wir klammerten uns dankbar an jeden Strohhalm.

Nicky hüpfte vom Tisch hinunter und durchs Zimmer. Mrs. Franklin schaute mich erwartungsvoll an und sagte: «Er macht Fortschritte, finden Sie nicht?» Ihre Stimme zitterte vor neu erwachter Hoffnung. «Das ist ein gutes Zeichen, nicht wahr?»

«Jeder kleine Fortschritt zählt», entgegnete ich.

«Vielleicht bringen wir ihn noch soweit, daß er Mama sagt. Wenigstens ein einziges Mal. Glauben Sie nicht auch?»

Ich nickte.

Thomas blühte auf. Bei ihm waren die Fortschritte am sichtbarsten. Er hatte fast alle seine unangenehmen Eigenschaften verloren. Sogar das Fluchen hatte sich auf ein Mindestmaß reduziert. Aber was am allerwichtigsten war: wir bekamen seine Ausbrüche allmählich in den Griff. Sie stellten sich zwar hin und wieder noch ein, aber sie waren nicht mehr so heftig und leichter unter Kontrolle zu halten. Es genügte bereits, ihm zu sagen, er solle sich hinsetzen, bis er sich gefaßt habe. Seit dem unseligen

Geburtstagsfest war er nie wieder gewalttätig geworden.

Die Freundschaft mit Bo trug viel zu seiner Besserung bei. Seine Rolle als Bos Vorleser hatte ungeahnt positive Auswirkungen auf beide Kinder. Thomas nahm seine Aufgabe ungeheuer wichtig. Sie hatte sein Selbstgefühl gestärkt und ließ ihm auch weniger Zeit, sich in Zornesausbrüche hineinzusteigern.

«Ich muß mich zusammennehmen», erklärte er mir eines Nachmittags. «Bo verläßt sich ganz auf mich. Ich kann nicht mehr so wütend werden, weil ich immer auf sie aufpassen muß. Ich bin aber wirklich ein guter Freund, findest du nicht auch?» Da konnte ich ihm voll beistimmen.

Die einzige Schwierigkeit, die wir noch nicht bewältigt hatten, war die Beziehung zu seinem toten Vater. Er wußte wohl, daß sein Vater nicht mehr lebte, und doch sprach er fast täglich von ihm, wie von einem Lebenden. Ich war zum Schluß gekommen, daß Thomas sich diese Phantasien zur Lebensbewältigung zurechtgelegt hatte. Dagegen hatte ich nichts einzuwenden, ich hatte sogar Verständnis dafür. Schwierig wurde es nur, wenn er die Umwelt in sein Phantasiereich miteinbezog. Oft machte er ganz realistische Bemerkungen, und ich wußte nicht, wie ich darauf reagieren sollte. Anfangs ignorierte ich sie einfach und hoffte, daß er sie mit der Zeit lassen würde. Meine Rechnung ging aber nicht auf. Immer wieder sprach er so selbstverständlich von seinem Vater, daß ich im Ernst befürchtete, er könne Wirklichkeit und Wahn nicht mehr auseinanderhalten. Die Kinder, mit denen er im Bus fuhr, begannen ihn auszulachen und sprachen von seinem «Superdad». Das war schlimm; es mußte etwas unternommen werden.

Thomas sorgte selbst für eine Möglichkeit zum Eingreifen. Eines Nachmittags brachte er eine große Gipsfigur, die einen Stierkämpfer darstellte, mit in die Schule. Ich hatte genau solche Figuren schon in den Schaufenstern von Kunstgewerbeläden gesehen. Er hatte sie offensichtlich eigenhändig angemalt. Die Farben waren schreiend und ungenau aufgetragen.

«Schaut mal her», rief er und pflanzte die Statue vor uns auf den Tisch. Nicky und Bo inspizierten das Objekt von allen Seiten. Claudia war noch nicht da. «Es ist ein Stierkämpfer, wie der Großvater meines Vaters. Genau so.»

«Mensch, das ist aber ein riesiges Ding», sagte Bo bewundernd.

«Sieht gut aus, findest du nicht?»

«Klasse!»

Thomas setzte eine wichtige Miene auf. «Ich weiß etwas, was du nicht weißt», wandte er sich an mich.

«Was denn?»

«Mein Vater hat diese Figur für mich gemacht. Mein richtiger Vater.»

Ich schenkte ihm einen ungläubigen Blick, sagte aber nur: «Aha.»

«Klar. Für mich ganz allein hat er die gemacht. Zuerst hat er sie modelliert, dann im Ofen gebrannt, und dann hat er sie angemalt.»

«Toll», meinte Bo. Sie kam aus dem Staunen nicht heraus. «Er hat einfach einen Klumpen Lehm genommen und daraus diesen Stierkämpfer geformt? Das ist ja einsame Spitze.»

«Genau so hat er es gemacht.»

«Dein Vater ist ja ein richtiger Künstler. Wenn nur mein Vater mir auch so etwas machen könnte. Da hast du aber wirklich Glück. Mein Dad kann nicht mal etwas schön anmalen.»

«Mein Vater ist eben ein ganz besonderer Typ. Er macht mir alles, was ich will. Ich sehe ein Spielzeug im Schaufenster, das mir gefällt, und schon macht er's mir. Er hat mir mindestens schon fünfhundert Sachen gemacht.»

«Würde er mir auch etwas machen?» fragte Bo.

Claudias Interesse war jetzt auch geweckt worden. «Was soll das sein?» fragte sie.

«Ein Stierkämpfer», antwortete Bo. «Thomas' Vater hat ihn gemacht.»

Claudia machte keinen Hehl aus ihrer Skepsis.

«Ach, geh doch, Thomas, du lügst. Das Ding hat nicht dein Vater gemacht. Die gibt's überall, sie werden in der Fabrik hergestellt.»

«Natürlich hat er diese Figur gemacht. Er hat sie im Laden gesehen und dann kopiert.»

«Das kannst du mir nicht erzählen. Wahrscheinlich hast du's selbst gemacht. Ein Blinder kann sehen, daß diese Arbeit nicht von einem Erwachsenen stammt. Du weißt ganz genau, daß du lügst.»

Flammende Röte überzog Thomas' Gesicht. «Du glaubst wohl, du hättest die Weisheit mit Löffeln gefressen! Mein Vater hat diesen Stierkämpfer gemacht, ob's dir nun paßt oder nicht.»

«So, genug jetzt, ihr zwei», griff ich beschwichtigend ein. «Macht euch an eure Schulaufgaben. Tom, du stellst die Figur aufs Fenstersims.»

«Sie nennt mich einen Lügner, und du schimpfst nicht mal mit ihr.»

«Wir sprechen darüber, wenn du dich beruhigt und die Figur weggestellt hast.»

«Die ganze Zeit nimmst du sie in Schutz. Ich werde nicht tun, was du sagst.»

«Thomas», sagte ich scharf.

«Halt die Klappe! Alle hacken auf mir rum. Ich red überhaupt nicht mehr mit dir.»

Ich versuchte ihm nochmals gütlich zuzureden. Die andern Kinder gingen auf Distanz. Alle spürten, daß ein Gewitter im Anzug war; Thomas war wie ein Vulkan vor dem Ausbruch. Nur Claudia mochte das Feld noch nicht räumen. Sie schien ein Vergnügen daran zu haben, es mit Thomas auf eine Konfrontation ankommen zu lassen. Erst auf einen Wink meinerseits bequemte sie sich, ihre Arbeit aufzunehmen.

Thomas blitzte mich wütend an, während ich die Figur aufs Sims stellte. Schließlich setzte er sich.

«Gut, jetzt können wir miteinander reden», sagte ich.

«Ich hab aber keine Lust. Du bist immer auf der Seite der andern. Nie auf meiner.»

«Erklär doch mal, wie du die Sache siehst.»

«Das hast du ja gehört, oder bist du taub? Sie hat gesagt, ich bin ein Lügner, sie hat sich lustig gemacht über meine Figur, und du hast nichts dagegen unternommen. Und so was soll eine Lehrerin sein.»

«Claudia hat nur gesagt, dein Vater habe die Figur nicht gemacht.»

«Aber er hat sie gemacht. Er hat sie für mich gemacht, weil er weiß, daß ich spanische Sachen gerne mag.»

Es war schwierig, jetzt die richtigen Worte zu finden.

«Tom?» sagte ich ruhig. Eher beschwichtigend als fragend.

«Manchmal ist das Leben nicht ganz so, wie wir es uns wünschen, nicht wahr?»

Er schüttelte trotzig den Kopf, sagte aber immer noch nichts.

«Wir müssen dann oft kleine Geschichten erfinden, damit es erträglicher wird. Das macht auch nichts, wenn es nicht zu weit geht. Wenn wir aber anfangen, selber an unsere Geschichten zu glauben, und sogar andere zwingen, sie zu glauben, dann ist das nicht mehr richtig. Diese Geschichten sind nur für uns selbst gemeint.»

«Es ist aber *keine* Geschichte», knurrte er.

«Tom.»

«Es ist keine!» wiederholte er starrköpfig.

Ich zog es vor, nichts mehr zu sagen, und so breitete sich eisiges Schweigen zwischen uns aus.

Plötzlich murmelte er: «Ich wünschte so sehr, daß er sie für mich gemacht hätte.» Er sprach so leise, daß ich ihn kaum hören konnte.

«Ich versteh dich gut, Tom.»

Seine Augen waren voller Trauer. «Ich vermisse ihn. Warum mußte er fortgehen?» Er weinte nicht, aber abgrundtiefer

Schmerz schwang in seiner Stimme mit. Ich fuhr ihm zärtlich übers Haar.

Thomas wandte sich zu mir. Er sah durch mich hindurch in die Ferne. «Er ist tot. Du hast das gewußt, nicht? Mein Vater ist tot.»

«Ich weiß.»

«Ich versuchte, nicht hinzuhören. Ich hielt die Ohren zu. Aber sie schrien so laut. Ich und César waren auf dem Sofa.»

«César?»

«Mein Bruder. Wir schliefen beide auf dem Sofa. Sie hielt diese Pistole in der Hand. Ich weiß nicht, woher sie die hatte. César sprang auf, als er das sah. Er weinte. Sie sagte: ‹Leg dich sofort wieder hin, sonst wirst du was erleben.› Mein Vater schrie sie an, er schrie und schrie . . .»

Thomas starrte immer noch wie gebannt auf einen weit entfernten Punkt.

«Soviel Lärm war da. Ich konnte nichts dagegen machen. César lag wieder neben mir auf dem Sofa und schrie so laut. Meine Ohren taten mir weh . . . Ich dachte, es sei mein Blut. Ich dachte, ich blute, und rannte . . . es war so warm . . . direkt in mein Ohr, und ich konnte es immer noch hören. Das Blut machte soviel Lärm.»

Thomas erwachte wie aus einer Trance. «Wo ist César hingegangen? Wo ist er?» Plötzlich fiel sein Kopf vornüber auf den Tisch, als wäre er zu schwer geworden.

Ich hörte meinen eigenen Atem.

Jede Stille setzt sich aus vielfältigen Geräuschen zusammen. Ich hörte den Wind um die Ecke säuseln, die Vögel im Käfig zwitschern, Claudia mit ihren Buchseiten rascheln und Bo und Nicky im Hintergrund murmeln. Und trotzdem herrschte Stille.

Thomas fragte mich eindringlich: «Warum müssen die Menschen sterben, Torey?»

«Ich weiß es auch nicht, Thomas.»

«Ich wünschte, es gäbe keinen Tod.»

«Das wünsche ich manchmal auch.»

Thomas richtete seinen Blick auf den Stierkämpfer auf dem Sims. «Er ist nicht von meinem Vater. Ich habe ihn selbst gemacht.» Seine Stimme war leise und sanft. «Es war blöd von mir zu behaupten, mein Vater hätte die Figur gemacht. Er hätte sie gar nicht machen können. Er ist ja jetzt in Spanien und sucht ein Haus für mich und für ihn. Wahrscheinlich hat er bereits etwas gefunden und holt mich bald zu sich.»

Eine einsame Träne rollte die Wange hinunter auf seine Hand.

26

Am ersten April tauchte Edna bei mir auf. Ich wußte sofort, daß es kein Freundschaftsbesuch war.

«Zeig mir bitte Bo Sjokheims Lesebücher.»

«Sie sind nicht hier.»

«Würdest du die Güte haben, mir zu sagen, wo sie sich befinden? Woraus liest sie denn bei dir? Ich möchte die Bücher unverzüglich sehen.»

«Ich habe keine Lesebücher.»

Ednas zorniges Gesicht flößte mir Furcht ein. Kalte Schauer rieselten mir den Rücken hinunter. So mußte es wohl Bo zumute gewesen sein. Ich schrumpfte in ihrer Gegenwart zu einem kleinen Zwerg zusammen und mußte meinen ganzen Mut aufbringen, um ihr in die Augen zu schauen.

«Ich darf wohl annehmen, daß du mit ihr den Stoff behandelst, den ich dir gegeben habe», fragte sie mit gespielter Höflichkeit.

«Nein.» Ich schüttelte den Kopf. «Das mach ich nicht.»

«Was fällt dir eigentlich ein? Du weißt ganz genau, daß Bo Sjokheim meine Schülerin ist. Du hast absolut kein Recht, dich einzumischen.»

«Bo ist noch nicht reif, lesen zu lernen, Edna.»

«Und wer sagt das. Etwa du?»

Jetzt war die Stunde der Abrechnung gekommen, die ich schon seit drei Wochen gefürchtet hatte. Mir brach der kalte Schweiß aus, obwohl ich darauf gefaßt gewesen war.

«Ich werde dir mal was sagen, und du hörst mir zu, ob es dir paßt oder nicht. Wir haben hier eine Schule und keinen Babysitter-Dienst für kleine Dummköpfe. Unsere Aufgabe ist es, Schule zu geben und nichts anderes.»

Ich rang krampfhaft um Haltung. Wenn ich nur nicht weinen mußte.

«Wenn die Kinder das Schulpensum nicht schaffen, sollen sie woanders hingehen; das ist meine Meinung. Sie sollen dort hingehen, wo sie hingehören.» Sie war rot im Gesicht und zitterte. «Du quälst diese Kinder, indem du ihnen sagst, sie seien gleich wie die anderen. Sie werden gehätschelt und gepflegt, nur damit sie später wieder ihresgleichen zeugen und immer so fort. Keine Menschenseele hat einen Nutzen davon. Was lehrst du deine Kinder überhaupt? Ich finde es eine Anmaßung, daß du dich eine Lehrerin nennst.» Sie wandte sich zum Gehen. «Ich hab deine weiche Tour ein für allemal satt! Ich warne dich, entweder du nimmst den Stoff mit Bo durch, den ich bestimmt habe, oder es geschieht etwas!»

Die Tür fiel krachend ins Schloß.

Um neun Uhr fünfzehn erschien Dan Marshall und sagte: «Edna ist über eine Stunde bei mir im Büro gewesen, Torey. Und sie hat eine Stinkwut, kann ich dir sagen. Sie hat irgend etwas von einem Lernstoff gefaselt, den du nicht mit Bo behandeln würdest. Sie hat sogar behauptet, du würdest Bo nicht lesen lehren.»

Ich hatte einen richtigen Klumpen im Magen.

«Es liegt mir eigentlich nicht, meine Nase in anderer Leute Angelegenheiten zu stecken, aber ich muß unbedingt wissen, was du hier mit Bo treibst. Edna wird sonst nicht lockerlassen.»

Ich versuchte, ihm so gerade wie möglich in die Augen zu blicken. «Es stimmt, was sie sagt, Dan. Ich lehre Bo nicht lesen.»

Er fiel regelrecht in sich zusammen. «Du kannst sagen, was du willst, nur das nicht, ich bitte dich.»

Peinliches Schweigen.

«Dan?»

Er schaute mich an.

«Ich kann einfach nicht. Bo ist noch nicht soweit, daß sie lesen lernen kann. Oder schreiben. Aber wir lernen andere Sachen miteinander und kommen bestens voran. Sie ist ein kluges Kind mit großen Fähigkeiten. Du mußt mir vertrauen.»

«Es ist nicht eine Frage des Vertrauens, Torey. Wir tragen unseren Schülern gegenüber eine große Verantwortung. Unsere Verpflichtung ist es, den Kindern einen ganz bestimmten Stoff beizubringen. Und deshalb müßte –»

«Aber Bo *kann* den Lehrplan nicht einhalten. Weder ihr noch mir mangelt es an gutem Willen.»

Dan schüttelte verständnislos den Kopf. «Was macht sie denn bei uns an der Schule, wenn du sie nicht für fähig hältst, die regulären Klassen zu besuchen? Das heißt doch ganz einfach, sie gehört nicht hierher. Du mußt dich, um Himmels willen, entscheiden, Torey. Einerseits erzählst du uns ständig, wie normal sie ist, andrerseits willst du uns weismachen, daß sie den Lernstoff nicht bewältigen kann. Entweder sie ist eine normale Schülerin und bewältigt das normale Pensum, oder sie muß in eine Sonderschule. Du kannst einfach nicht auf zwei Hochzeiten tanzen.»

«Überleg dir doch, was du sagst. Was denn für eine Sonderklasse? Denkst du etwa im Ernst an Betsy Kerrys Klasse? Du weißt so gut wie ich, daß nicht einmal die Summe der IQs all ihrer Schüler an Bos IQ heranreicht. Du bist bald so schlimm wie Edna.»

Wir stritten weiter wie zwei Kampfhähne. Wir waren uns im Grunde genommen nicht gram, und wahrscheinlich lagen unsere Ansichten gar nicht so weit auseinander. Trotzdem erzielten wir keine Einigung.

Mich widerte die Situation an. Wie ich da im Flur stand und Wortgefechte führte, statt im Klassenzimmer meine Kinder zu betreuen. Ich haßte meine Stimme, wenn ich mich ereiferte, und die Gefühle, die diese Wortkaskaden in mir auslösten. Aber was hätte ich anderes tun sollen, als stur meinen Standpunkt zu vertreten.

Schließlich verlor ich die Nerven. Statt ruhig und sachlich alle stichhaltigen Argumente aufzuzählen, statt ihm klarzumachen, was Bo außer Lesen alles konnte, wurde ich immer erregter und flüchtete mich in Sarkasmen. Dan seinerseits rächte sich mit einer autoritären Haltung.

«Wir werden eine Entscheidung treffen müssen. Und wenn ich dafür Birk Jones herbeischaffen muß. Ich kann die Sache nicht länger anstehen lassen.»

«Mach das nur. Das paßt mir ausgezeichnet.»

«Also gut.» Wir standen uns noch eine Weile schweigend gegenüber und wünschten im stillen verzweifelt, der andere möchte doch nachgeben. Doch wir trennten uns wie zwei störrische Esel.

Ich sah ihm nach, wie er den Flur hinunterschritt. Ich hatte immer noch einen Klumpen im Magen, und aus meinem Klassenzimmer drang wildes Geschrei. Trotz meiner Erregung war mir bewußt, daß wir die Angelegenheit maßlos aufgebauscht hatten und sie uns zu entgleiten drohte.

Was für ein entsetzlicher Tag. Ich hatte schon viel Schwieriges in der Schule erlebt, aber so schlimm war es noch nie gewesen.

Die eigentliche Ursache unserer Meinungsverschiedenheiten über Bos Ausbildung waren die Mängel des neuen Schulgesetzes. Ich hatte mich mit diesem Gesetz nie anfreunden können, obwohl es wunderbar idealistisch klang. Für viele Kinder war es zwar ein Segen, besonders für solche mit einem körperlichen

Gebrechen. Niemand hätte einen Nutzen davon gehabt, diese Kinder gesondert zu schulen. Da war das neue Gesetz, das keine Absonderung mehr zuließ, durchaus sinnvoll. Für die geistig und seelisch behinderten Kinder jedoch brachte es keine Erleichterung, sondern neue Schwierigkeiten. Das Selbstbewußtsein eines Kindes, das trotz größter Anstrengungen immer der schwächste Schüler seiner Klasse bleibt, wird unweigerlich gebrochen. Die Konsequenzen für später sind katastrophal. Wie konnten schwierige Schüler wie die meinen in einer regulären Klasse richtig betreut werden? Für diese Kinder mußte das Gesetz ein langsames Absterben bedeuten.

Das war der Grund, weshalb Bos Fall mir soviel Schwierigkeiten bereitete. Hätte es in unserem Schulkreis eine ganztägige Sonderschule gegeben, wäre ich die erste gewesen, Bo dort unterzubringen. Als ich vorgeschlagen hatte, sie den ganzen Tag bei mir unterzubringen, hatte mir eine Ersatz-Sonderschulung vorgeschwebt, mangels anderer Möglichkeiten. Der Haken war nur, daß mir das neue Schulgesetz die Kompetenz entzogen hatte. Die Paragraphen erfaßten eine Klasse wie die meine nicht – wir existierten laut Gesetz überhaupt nicht!

Nach der Schule saß ich im Lehrerzimmer und versuchte, meine Erregung mit einer kühlen Cola zu dämpfen, als Billie mit einem Arm voller Bücher hereinstürmte und die ganze Last neben mir aufs Sofa knallte. Sie schaute mich forschend an. «Was ist dir denn heute über die Leber gekrochen? Du setzt vielleicht eine Leichenbittermiene auf!»

Ich schüttete ihr mein Herz aus.

Billie streichelte zärtlich meine Hand, während ich sprach. Ich konnte die Tränen nicht mehr zurückhalten.

«Wenn es nur wieder heute früh wäre und ich alles rückgängig machen könnte. Wenn ich nur diesen Druck von mir wegkriegen würde. Billie, ich bin für solche Konflikte nicht gemacht. Ich halt das nicht aus.»

Billie tröstete mich: «Niemand ist für so was gemacht, meine Liebe. Für seine Meinung gradezustehen, ist nicht einfach, das kostet jeden etwas.»

«Vielleicht würden die Leute mehr wagen, wenn man ein angenehmeres Gefühl dabei hätte. Mir wird richtig schlecht davon.»

Sie lachte laut auf. «Da kenne ich ein gutes Mittel. Um die Ecke wartet ein saftiger Hamburger auf dich. Komm, wir gehen!»

«Billie, nimm mir's nicht übel, aber ich –»

«Ach, komm doch», sagte sie und gab mir einen freundschaftlichen Puff, «mach doch nicht so ein Gesicht. Mein Vater pflegte in solchen Situationen zu sagen, entweder überlebst du das Drama oder nicht. Wenn du's überlebst, wirst du glücklich sein. Wenn du stirbst, kommst du in den Himmel oder in die Hölle. Im Himmel bist du glücklich, und sonst wirst du dich in guter Gesellschaft befinden.»

Darauf hatte ich keine Antwort.

Die Kinder sorgten dafür, daß ich nicht zuviel Zeit zum Grübeln hatte. Sie rückten die Angelegenheit unwillkürlich in die richtigen Proportionen.

Am nächsten Abend half mir Claudia, die Überreste eines wissenschaftlichen Versuchs zusammenzuräumen. Wir spülten Reagenzgläser und Röhrchen im Ausguß.

«Erinnerst du dich noch an unser letztes Gespräch?» fragte sie. «Als du mir das vom Geschlechtsverkehr erklärtest?»

«Ja, ich erinnere mich gut.»

«Ich hab mir einiges durch den Kopf gehen lassen. Muß man verliebt sein in einen Jungen, um den Geschlechtsverkehr schön zu finden?»

«Ich glaube schon, daß das hilft.»

«Ich bin wahrscheinlich nicht verliebt gewesen in Randy. Nicht richtig. Ich weiß nicht. Was ist Liebe?»

Ich versuchte, mir mit der nassen Hand eine Haarsträhne aus

dem Gesicht zu wischen. «Das ist eine ganz schwierige Frage, auf die es viele Antworten gibt.»

Sie schüttelte den Kopf. «Sex und Liebe, das ist alles so kompliziert. Und niemand kann es mir erklären. Meine Mutter spricht die ganze Zeit nur von Engeln und Glockengeläute. Bei ihr klingt alles nach Hochzeit.»

Ich lächelte und schrubbte weiter.

«Torey?»

«Ja, was ist?»

«Wie alt warst du, als du das erste Mal mit einem Jungen schliefst?»

Der private Charakter der Frage ließ mich zuerst ein bißchen zögern. «Ich war neunzehn Jahre alt.»

«Fandest du es schön?»

Ich nickte.

«Warst du verliebt?»

Alte Erinnerungen stiegen in mir auf. Die Zeit der Studentenunruhen. College. Es war lange her. «Ja, ich war verliebt.»

«Wo hast du ihn kennengelernt? Seid ihr zusammen in die Schule gegangen?»

«Früher, ja. Ich dachte, er sei der tollste Junge auf der ganzen Welt. Ich liebte ihn sehr.»

Claudias Augen bekamen einen träumerischen Ausdruck. «Wo ist er denn jetzt?»

«Damals war Krieg. In Vietnam. Er war Helikopterpilot.» Ich mußte tief Atem holen. «Er kam nie mehr zurück.»

Traurigkeit erfüllte den Raum. Wir schwiegen eine Weile. Claudia schaute mich gebannt an, mit großen romantischen Augen. Ihr Gesicht war jetzt beinahe schön.

«Wie hieß er, Torey?»

«Rolf. Rudolf eigentlich. Aber wir nannten ihn Rolf.»

«Erzähl mir doch bitte, wie es war. Bitte.»

Und das tat ich auch.

Wir hatten die Gefäße schon längst gespült und eingeräumt.

Aber immer noch waren wir in das Gespräch vertieft. Claudia legte auf einmal die Hände auf den Bauch. «Es bewegt sich. Ich spür's. Leg mal deine Hand auf diese Stelle.»

Auch ich spürte sofort die Bewegungen des Kindes im Mutterleib.

Claudia fragte mich dabei eindringlich: «Glaubst du, daß ich auch einmal so werde wie du?»

«Wie meinst du das?»

«Glaubst du, daß ich je glücklich sein werde?»

27

Als letzte Instanz wurde schließlich Birk Jones eingeschaltet. Edna und ich waren auf keinen grünen Zweig gekommen, und Dan weigerte sich, überhaupt noch auf dieses Thema einzugehen. Der Tag, an dem Recht gesprochen wurde, war auf den nächsten Dienstag festgelegt worden.

Die sechs Tage bis zu diesem Datum waren eine reine Tortur für mich. Nicht nur mußte ich Dan und Edna dauernd aus dem Weg gehen, sondern ich zermarterte mein Hirn mit immer denselben Gedanken.

Die Sache war ungeheuer komplex geworden. Ich fragte mich immer wieder, ob mein Standpunkt vertretbar war. Trübte vielleicht blinder Idealismus mein Bild? Rannte ich gegen Windmühlen an? Oder war ich ethisch verpflichtet, so zu handeln? Wie schwer war es, das alles auseinanderzuhalten.

Ich nahm Ermüdungserscheinungen an mir wahr. Es drängte mich deshalb, die Angelegenheit entweder fallenzulassen oder voll in Angriff zu nehmen. Ich verfiel sogar auf den Gedanken, Bo einem anderen Lehrer zu übergeben. Sollte der doch fertigbringen, was Edna und mir nicht gelungen war. Ich wußte im

Innersten natürlich, daß dies keine Lösung war, aber ich war so müde geworden, daß mir allmählich alles gleichgültig wurde.

Schließlich kam ich auf den schlimmsten Gedanken, den ich überhaupt haben konnte. Ich fragte mich in diesen schrecklichen Tagen, ob Bo die Mühe wirklich wert sei. Öfter ertappte ich mich dabei, wie ich Bo ansah und dachte: Bedeutet sie mir eigentlich soviel? Ist sie nicht ein Kind wie alle andern auch? Niemand würde mir Vorwürfe machen, wenn ich sie abschob. Bo war liebenswürdig und munter wie immer und ahnte nicht, was für Entscheidungen bevorstanden.

Ich haßte mich für diese Gedanken. Aber sie waren nun einmal da, und das einzige, was ich dagegen tun konnte, war, an die Zukunft zu denken. Nicht an Bos Zukunft, sondern an meine eigene. Und die sah düster genug aus.

Joc war bereits einen ganzen Monat fort. Es schien mir eine Ironie des Schicksals, daß auch die Beziehung zu ihm wegen dieses kleinen Mädchens auseinandergegangen war. Wenn ich nur auf einer Waage hätte ablesen können, ob der Preis, den ich in diesem Konflikt zahlte, nicht zu hoch war.

Endlich war der Tag der gefürchteten Aussprache gekommen. Sie war auf ein Uhr dreißig angesetzt. Eine Kollegin betreute meine Klasse. Wir trafen uns alle vier in Dans Büro. Wie Birk so schön zu sagen pflegte: eine Familienzusammenkunft. Dem Ton, den er anschlug, konnte ich entnehmen, daß er vorhatte, den Streitfall hier und jetzt aus der Welt zu schaffen.

Es war eine ruhige Begegnung. Birk befragte zuerst Edna. Wie sah sie die Angelegenheit? Wo wich ihre Meinung von der meinen ab? Wo, glaubte sie, waren Bos größte Probleme? Wie war sie darauf eingegangen? Was störte sie an meiner Methode?

Ich beobachtete Edna, als sie die Fragen beantwortete. Sie sprach ruhig und beherrscht. Ich hatte das Gefühl, eine andere Person sitze da vor mir. Wo waren nur die unsympathischen Züge geblieben, die ich zuvor an ihr wahrgenommen hatte? Zum ersten Mal sah ich die Falten um ihre Augen und auf ihrer Stirn. Wie waren sie dorthingekommen? Was hatte sie wohl für ein Leben gelebt? Sie sah aus wie die Großmutter von nebenan. Groß, vollbusig und grauhaarig. Ihre Worte klangen lieb und vertrauenerweckend. Wie schwierig war es doch, das wahre Gesicht eines Menschen zu erkennen!

Danach richtete Birk dieselben Fragen an mich. Er hörte mir aufmerksam zu, den Kopf in die Hände gestützt, und sog an seiner kalten Pfeife.

Schließlich war die Reihe an Dan. Wie hatte er die Sache bis jetzt angegangen? Was schrieb das neue Schulgesetz in solchen Fällen vor? Wie wurden solche Vorkommnisse in der Praxis gehandhabt?

Dann verlangte er Bos Akten und las Blatt für Blatt genau durch. Grabesstille. Edna veränderte ihre Stellung auf dem Stuhl, und ich nahm das schmatzende Geräusch wahr, als sie ihre schweißnasse Haut vom Kunstlederpolster abhob. Ich starrte gedankenverloren aus dem Fenster.

Geräuschvoll klappte Birk den Ordner zu, wandte sich mir zu und fragte: «Könnten wir uns noch schnell unter vier Augen sprechen?»

Ich hatte ein mulmiges Gefühl in der Magengegend, als müßte ich vor dem Jüngsten Gericht erscheinen.

Dan und Edna begaben sich auf den Flur. Wenn sie nur hier bleiben würden. Ich wollte um keinen Preis mit Birk allein sein. Aber die Tür ging zu, und ich begann mich in das Unvermeidliche zu schicken.

Birk lächelte mir väterlich zu. «Was ist eigentlich los hier bei euch?» Immer noch der freundliche Blick.

Verblüfft entgegnete ich: «Aber wir haben dir doch alles erzählt.»

«Warum habt ihr die Sache soweit kommen lassen? Weshalb konntest du dich nicht mit Edna darüber einigen? Ich versteh nicht, weshalb es nötig war, mich einzuschalten.»

«Ich weiß es selbst nicht so genau.»

«Dan wollte mir weismachen, du wünschtest gar keine Lösung.»

«Ich? Natürlich will ich eine.» Pause. Meine Nerven waren zum Zerreißen gespannt. Ich würde meine Fassung nicht mehr lange bewahren können. Wenn ich doch verurteilt werden sollte, dann bitte so schnell wie möglich.

«Wo liegt denn das Problem?»

Meine Widerstandskraft war zusammengebrochen. Ich mußte meinen ganzen Willen aufbringen, um nicht in Tränen auszubrechen. «Ich kann es einfach nicht tun.»

«Was kannst du nicht tun?»

«Bo aufgeben!» rief ich verzweifelt.

Birk nickte und klopfte seine Pfeife auf dem Tisch aus. Ich versuchte, mich in die Nase zu zwicken, damit ich nicht weinen mußte.

«Was möchtest du denn tun?»

«Ich möchte Bo behalten, sonst nichts. Ich möchte mit ihr einen veränderten Lehrplan durchführen. Ich möchte einfach weiterversuchen.» Als er nicht gleich antwortete, fühlte ich mich gedrängt, fortzufahren. «Birk, wir bringen dieses Kind um, glaub mir. Und ihr verlangt noch von mir, daß ich die Rolle des Henkers spiele. Ich kann einfach nicht. Mir ist alles egal, aber ich werde nicht zulassen, daß man dieses Kind zugrunde richtet. Nie und nimmer.»

Klopf, klopf, klopf hörte ich die Pfeife auf der Tischplatte.

Ich richtete mich gerade auf: «Laß mir noch ein bißchen Zeit, Birk. Du kennst mich doch. Ich bin kein Spring-ins-Feld, der Kopf und Kragen riskiert. Du kannst sicher sein, ich setze alles daran, daß sie wieder eine normale Klasse besuchen kann. Auch, daß sie lesen lernt. Aber nicht gerade jetzt. Vielleicht schon im nächsten Monat, vielleicht auch erst im Herbst. Aber jetzt auf keinen Fall. Sie kann es im Augenblick einfach nicht, und ich kann sie nicht dazu zwingen.»

Birk antwortete immer noch nichts. Seine ganze Aufmerksamkeit war auf seine Pfeife gerichtet. Wie bei einem feierlichen Ritual klaubte er sorgfältig Tabak, Pfeifenstopfer und Streichhölzer aus der Tasche und breitete alles umständlich vor sich aus. Sein Schweigen verwirrte und ängstigte mich.

«Bitte, vertrau mir», versuchte ich es noch einmal.

«Sag mal ehrlich, glaubst du, daß das Kind eine Chance hat, lesen zu lernen?»

War das eine Fangfrage? Ich war auf der Hut.

«Keine gute, hab ich den Eindruck», antwortete ich.

«Dieser Meinung bin ich auch. Bei einer solchen Verletzung sind die Prognosen nicht gut. Besonders, da es noch immer keine Anzeichen gibt, daß der Schaden sich auswächst.» Birk fummelte ununterbrochen an seiner Pfeife herum. Jetzt schaute er mich an. «Warum denn all diese Aufregung? Mir scheint, du hast einen vernünftigen Weg gewählt.»

Ich war wie vom Blitz getroffen. Ich muß ihn mit offenem Mund angestarrt haben.

Die Erleichterung nach der vorangehenden Spannung kam so plötzlich und unvermutet, daß mir nun wirklich die Tränen kamen. Ich fühlte mich kraftlos wie ein Ballon, aus dem die Luft entwichen war. Die Belastung war so groß gewesen, daß ich den guten Ausgang nicht gleich so verdauen konnte.

«Dein Vertrauen in unser Schulsystem scheint mir nicht allzu groß zu sein, hab ich recht?» fragte er.

«Das stimmt.»

«Vergiß nie, daß viele von uns sich ehrlich bemühen, du bist nicht allein. Du mußt nur die richtigen Leute finden und etwas mehr Vertrauen haben, Torey.»

«Ich setze mein ganzes Vertrauen in meine Kinder.»

«Das glaub ich dir.»

Ich brauchte noch einen Augenblick, bis ich mich gefaßt hatte. Zum Schluß dankte ich ihm und entschuldigte mich für die Mühe, die ich ihm bereitet hatte.

«Ich muß dich noch um etwas bitten, Torey. Ich möchte, daß dieses Gespräch unter uns bleibt. Edna werde ich alles erklären. Laß die Sache ruhen und geh einfach wieder deiner Arbeit nach.»

Ich nickte.

Die Kinder arbeiteten fleißig, als ich wieder ins Klassenzimmer zurückkehrte. Claudia las in einem Buch, und Thomas saß über eine Rechenaufgabe gebeugt. Nicky und Bo knieten am Boden und bemalten zusammen ein riesiges Zeichenpapier, das sie vor sich ausgebreitet hatten. Ich nahm ein Kissen aus der Leseecke und machte es mir in ihrer Nähe bequem.

«Willst du uns helfen?» fragte Bo. «Wir malen einen Blumengarten. Komm, mach doch mit.»

«Ich möchte lieber zusehen.»

Die Sonne schien ins Zimmer, und Hunderte von Staubflöckchen tanzten in der Luft. Während ich Nicky und Bo beobachtete, fiel mir das Bild mit dem Paradiesvogel wieder ein, das Bo mir im Januar geschenkt hatte. Ich lächelte still vor mich hin.

«Wo warst du vorhin?»

«Ach, ich mußte nur schnell was erledigen.»

«Thomas hat gesagt, daß du nicht wiederkommst.»

«Ich komme immer wieder zu euch, Bo.»

Sie beugte sich lächelnd über das Papier. «Ich weiß, daß du nicht fortgehst.»

«Bo, wie geht es Libby?»

«Gut.»

«Als du fort warst, hat sie mich jeden Abend besucht.»

«Sie hat mir's gesagt. Einmal hat sie deshalb sogar ihre Ballettstunde versäumt. Daddy hat es herausgefunden und Libby bestraft. Das hat ihr aber nicht viel ausgemacht. Ich glaube, Libby wäre am liebsten selbst in unsere Klasse gekommen.»

«Ich hab Libby gern.»

Bo nickte. «Libby ist aber nicht so wie ich. Sie ist klug und kann alles.»

«Und du etwa nicht?»

Sie schenkte mir ein schelmisches Lächeln. «Ich kann *fast* alles.»

«Das dachte ich mir doch.» Ich betrachtete eingehend das Gemälde am Boden. «Würden nicht Paradiesvögel in diesen Garten passen?»

Nach reiflicher Überlegung sagte Bo: «Ich weiß nicht so recht. Nicky, was meinst du, gehören Vögel auf unser Bild?»

Nicky grinste verständnislos.

«Darf ich ein paar Vögel auf euer Bild malen?» fragte ich.

«Klar. Da über den Blumen ist noch Platz.»

Ich nickte zufrieden. «Ich habe große Lust, Paradiesvögel zu malen.»

28

Der April kam mit seinen milden Frühlingstagen. Die Osterferien gingen vorüber. Der Flieder blühte. Die Natur war in voller Entfaltung. Als ich an einem Samstagnachmittag zu Hause an meinem Schreibtisch saß und auf den Kalender schaute, wurde mir plötzlich bewußt, daß das Schuljahr bereits in sechs Wochen zu Ende ging.

Nicky machte langsame, aber sprunghafte Fortschritte. Es kam immer öfter vor, daß er mit uns sprach, richtig sprach. Ich hatte im Laufe der Zeit ein paar Tricks herausgefunden, um seinen Realitätssinn zu wecken und ihn zu einer Kommunikation zu überlisten. Bei den Kinderverslein zum Beispiel konnten wir auf Nummer sicher gehen. Man brauchte ihn nur an den Zehen zu schütteln, und schon kam ein zusammenhängender Vers. Das begeisterte unser Grüppchen ungemein, obwohl die Methode ihre Nachteile hatte, wenn man bedenkt, daß jedesmal die

Schuhe ausgezogen und die Zehen gekitzelt werden mußten!

Auch auf anderen Gebieten machte Nicky sichtbare Fortschritte. Mit Claudias Hilfe war es gelungen, ihm die selbständige Benützung der Toilette beizubringen. Wenigstens beinahe. Seine Konzentrationsfähigkeit hatte stark zugenommen. Als er frisch in unsere Klasse gekommen war, hatte er sich kaum mehr als ein, zwei Minuten auf eine Sache einstellen können. Wenn ihn hingegen jetzt etwas interessierte, gelang es ihm, bis zu einer halben Stunde dabei zu verweilen. Zum größten Teil war das Bos Verdienst. Seit sie nicht mehr lesen mußte, hatte sie Nicky mit unendlicher Geduld in verschiedene Aktivitäten eingeführt. Sie hatte nicht lockergelassen, bis er die einzelnen Tätigkeiten ganz sicher beherrschte. Sie machten alles zusammen: malen, Montessori-Aufgaben lösen, kochen, die Tierkäfige putzen, Puzzlespiele zusammensetzen, Bücher einreihen und überhaupt das Zimmer in Ordnung halten. Nicky hatte durch ständige Übung gelernt, einige dieser Aufgaben selbständig oder mit nur geringer Hilfe auszuführen.

Viel wichtiger aber war, daß seine Fortschritte in der Schule auch zu Hause ihren Niederschlag gefunden hatten. Mrs. Franklin berichtete, Nicky sei jetzt fähig, seine Kleider auf Geheiß aufzulesen, und er könne sich sogar manchmal an Familienunternehmungen beteiligen. Er sagte zwar immer noch nicht Mama, aber Mrs. Franklin war überglücklich, daß er mit den anderen Kindern Ostereier gesucht und geholfen hatte, Salat für das Osterabendessen zuzubereiten. Bestimmt keine Heldentaten für einen fast achtjährigen Jungen, aber für Nicky grenzte es an ein Wunder.

Auch Thomas zeigte sich von der besten Seite. Seit vier Wochen war er kein einziges Mal explodiert. Ein Rekord! Er hatte das Fluchen sozusagen eingestellt. In den Schulfächern hatte er große Fortschritte erzielt. Obwohl er im Lesen noch nicht ganz soweit wie seine Altersgenossen war, hatte er doch tüchtig aufgeholt.

Mit der Mathematik tat er sich schwerer. Er zeigte eindeutig eine mathematische Lernschwäche. Er konnte noch so lange über einer Rechnung brüten, er verstand sie einfach nicht. Die in einen Text eingekleideten Rechnungen machten ihm am meisten zu schaffen. Stand da zum Beispiel, Janet habe zehn Äpfel und möchte ihren fünf Freundinnen gleich viele geben, war Thomas aufgeschmissen. Wenn ich ihn hingegen fragte, was zehn geteilt durch fünf ergebe, wußte er die richtige Antwort sofort.

Trotz dieser Schwierigkeiten war Thomas ein eifriger Schüler, besonders in allen naturwissenschaftlichen Fächern. Fast jeden Tag brachte er irgend etwas mit, das er uns zeigen wollte, oder er erzählte Geschichten von Vulkanen, Dinosauriern und Freiluftballonen. Sein Herz hing im besonderen an einigen alten geographischen Zeitschriften, die ich in der hintersten Ecke des Zimmers verstaut hatte. Über die Gräber in China, die Füchse auf der Insel Gull und den Nordpol wußte er besser Bescheid als ich.

Der Schatten von Thomas' Vater war immer noch wahrnehmbar, wenn auch nicht mehr so deutlich wie zuvor. Ich hatte den Vorschlag gemacht, den Jungen in eine Therapie zu schicken, was mit der Begründung abgelehnt wurde, er habe bei mir so große Fortschritte gemacht, daß sich eine weitere Betreuung erübrige.

Claudia war nach wie vor eine hervorragende Schülerin: gründlich, ordentlich und konzentriert. Wir hatten den für die sechste Klasse vorgeschriebenen Stoff schon längst durchgearbeitet, und ich benutzte die verbleibende Zeit, um ihre Allgemeinbildung zu fördern und sie ihren Neigungen nachgehen zu lassen. Das war es also nicht, was mich an Claudia beunruhigte, sondern daß sie keinerlei therapeutische Hilfe gefunden hatte. Ich mußte ohnmächtig zusehen, wie die Zeit verrann, in der Gewißheit, auf einem Pulverfaß zu sitzen.

Und Bo. Sie war jetzt den ganzen Tag über bei mir und hatte in mancher Hinsicht Fortschritte gemacht, obwohl sie durch ihre Hirnverletzung immer noch stark behindert war. In Mathematik gelang es ihr sogar, ihre Altersgenossen zu überflügeln, wenn die Aufgaben mündlich gelöst werden konnten. Das Erlernen von Lesen und Schreiben war und blieb eine unüberwindbare Hürde.

Bo teilte Thomas' Begeisterung für naturwissenschaftliche Experimente. Seit wir das Lesen auf Eis gelegt hatten, beschäftigte sie sich immer mehr mit dieser Materie. Als Grundlage diente uns ein Buch, das eigentlich für größere Kinder mit Leseschwierigkeiten konzipiert war. Alle Versuche waren mit genauen Illustrationen versehen, so daß Bo nach wenigen Erklärungen meinerseits selbständig arbeiten konnte. Sie war so begeistert, daß sie später unbedingt Wissenschaftlerin werden und in einem Laboratorium mit Tieren und Chemikalien experimentieren wollte. Ich ließ ihr diesen Glauben. In ihrer Freizeit saßen Bo und Thomas vor den geographischen Zeitschriften, Thomas las ihr den Text Wort für Wort vor, so daß sie Gräber, Füchse und Eisberge bald in- und auswendig kannte.

Mit den praktischen Verrichtungen jedoch kamen wir nur im Schneckentempo vorwärts. Sie konnte die Uhrzeit jetzt auf die Viertelstunde genau ablesen, aber exakter ging's einfach nicht. Die Schnürsenkel konnte sie immer noch nicht binden, was uns beiden sehr zu schaffen machte. Ich wußte nicht, ob diese Schwierigkeit auf eine feinmotorische Schwäche zurückzuführen war oder auf die Unfähigkeit, die Gestalt einer Masche zu erkennen. Wir übten unermüdlich an allen möglichen und unmöglichen Objekten: an Schuhen, Montessori-Tafeln und an eigens von mir zu diesem Zweck gebastelten Modellen. Als sie endlich eine lose Masche aus Stoffstreifen fertiggebracht hatte, schlang sie sich das windschiefe Gebilde triumphierend um die Taille und lief den ganzen Tag damit herum.

Ich erfand laufend «Basis-Leseübungen» für Bo, in der Hoffnung, dies würde ihr später den Wiedereinstieg ins Leseprogramm erleichtern. Sie lernte zum Beispiel die Namen der anderen Kinder nicht, indem sie sie entzifferte, sondern indem sie die Buchstaben zählte und darauf achtete, aus wieviel hohen und niedrigen Buchstaben das Wort zusammengesetzt war. Wir klapperten die ganze Nachbarschaft nach Straßenschildern und Wegweisern ab und versuchten mit allerlei Tricks herauszubekommen, was auf ihnen stehen mochte. Bo war Feuer und Flamme. Würde sie es auch kaum je zu einer Wissenschaftlerin bringen, ein ausgezeichneter Detektiv würde sie allemal.

Das Schuljahr näherte sich dem Ende. Ich starrte auf den Kalender und wünschte mir nichts sehnlicher als mehr Zeit. Noch ein Jahr, ein Vierteljährchen, einen Monat wenigstens... Alle Jahre wieder überkam mich der unbezähmbare Drang, die Zeit aufzuhalten, das unerbittlich vorwärtsrollende Rad zurückzudrehen.

Claudia fehlte schon seit fünf Tagen in der Schule. Kinder aus Sonderklassen pflegen den Unterricht erfahrungsgemäß überaus regelmäßig zu besuchen. Claudias Abwesenheit gab mir deshalb zu denken.

Am zweiten Tag ihrer Abwesenheit rief ich bei ihr zu Hause an. Niemand meldete sich. Ich beauftragte daher die Schulsekretärin, es während der nächsten Tage immer wieder zu versuchen, aber die Familie schien verreist zu sein. Es kam mir schon deshalb merkwürdig vor, daß sie mich nicht benachrichtigt hatten, aber ich maß der Angelegenheit keine allzugroße Bedeutung bei.

Nach einer Woche erschien Claudia wieder. Sie sah mitgenommen aus; kreideweiß, fast gespenstisch durchsichtig, mit dunklen Augenringen.

«Wir haben dich vermißt», begrüßte ich sie.

Sie gesellte sich zu mir. Ich war gerade mit den Vögeln beschäftigt. Das Weibchen hatte Eier gelegt, die nicht befruchtet worden waren, und ich versuchte, sie aus dem Käfig zu angeln, bevor sie verdarben. Claudia beobachtete mich eine Weile und streckte dann die Hand aus, um die Eier in Empfang zu nehmen.

«Soll ich dir etwas sagen?»

«Was denn?»

«Ich gehe jetzt zum Psychiater.»

Ich schaute sie an. Etwas in ihrer Stimme ließ mich aufhorchen. Freude, Hoffnung, Erleichterung? Ich war nicht sicher.

«Er heißt Dr. Friedman. Er ist wirklich nett.»

«Das ist ja prima.»

Sie schwieg erwartungsvoll. Wieder spürte ich ihr heftiges Verlangen nach Kommunikation, das mir schon bei unserer ersten Begegnung aufgefallen war. Obwohl sie nicht direkt lächelte, wirkte sie glücklich. «Ich bin froh darüber», sagte sie, «so froh.»

Am Nachmittag arbeitete Claudia wieder im gewöhnlichen Trott. Sie hatte sich schnell zurechtgefunden, aber ihr Aussehen ließ mir keine Ruhe. Sie sah krank aus und schien übermüdet. Ich überraschte sie dabei, wie sie über dem Geographiebuch einnickte.

Ich fand erst später Zeit, mich mit ihr zu unterhalten. «Fühlst du dich nicht gut, Claudia?» fragte ich und setzte mich zu ihr.

«Doch, doch», sagte sie schnell.

«Vielleicht bist du zu früh wieder in die Schule gekommen. Du solltest dich mehr schonen.»

«Ich war nicht krank.» Sie unterbrach ihre Arbeit und schaute zu mir auf. «Ich war im Spital, weil ich mir das Leben nehmen wollte.»

Von Gefühlen überwältigt, stand ich auf und ging zum Fenster.

«Ich hielt es einfach nicht länger aus», sagte Claudia tonlos.

Der Regen trommelte auf das Dach. Kalte Frühlingsnässe.

«Sie brachten mich ins Spital. Und jetzt gehe ich zu Dr. Friedman. Er hat mich im Spital betreut. Ich mag ihn gern. Aber er hat mir Pillen gegeben, die mich so müde machen, daß ich am liebsten schlafen würde. Wenn ich mich daran gewöhnt habe, wird es besser, sagte er. Ich möchte einfach schlafen.»

Ich wandte mich von ihr ab und schaute dem Regen zu.

«Ich gehe jetzt jede Woche zum Psychiater. Mutter fährt mich hin. Letzte Woche durfte ich mir sogar ein Geschenk aussuchen. Vielleicht spricht sie selbst einmal mit Dr. Friedman, hat sie gesagt. Sie hat mir auch versprochen, daß wir einmal miteinander zum Esssen ausgehen. Siehst du, so schlimm ist es gar nicht.»

«Ich bin froh, daß es dir besser geht, Claudia.»

Stille. Ich warf einen Blick auf die anderen Kinder. Sie malten alle drei friedlich an einer Zeichnung. Sie nahmen keine Notiz von uns.

«Weißt du, wie ich es gemacht habe?»

Ich schüttelte den Kopf.

«Ich stülpte mir eine Plastiktüte über den Kopf und schnürte sie fest zu. Vorher hatte ich meine Tür verriegelt, damit mich niemand finden würde. Aber es hat mich doch jemand gefunden.»

29

Der Mai ist der Monat der besonderen Anlässe. Muttertag, 1. Mai, Schuljahresende. Die fünfte Klasse führte ein Theaterstück auf. Die ganze Schule nahm an einer «Talentshow» teil. Kindergarten- und Erstklaßschüler gaben Lieder und Gedichte für die Mütter zum besten. Dutzende von kleinen, mit Papierblumen geschmückten Köpfen hüpften während Wochen vor unserer Glastür auf und ab.

Nur wir beteiligten uns nicht. Mit meinen früheren Klassen hatte ich immer eine Theateraufführung für die Eltern auf die Beine gestellt. Wie sollte ich aber mit meinen vier Schülern ein Stück inszenieren, wenn zwei nicht lesen konnten, einer sich zu sprechen weigerte und eine im achten Monat schwanger war!

Drei der Kinder waren zufrieden, daß wir nichts vorhatten.

Nur Bo war untröstlich. Wäre sie in Ednas Klasse geblieben, könnte sie jetzt eine Waldblume sein, Papiertulpen ins Haar stecken und singen «Der Mai ist gekommen, die Bäume schlagen aus». Libby hatte ihr den Text beigebracht, und gnadenlos waren wir von nun an Bos eher erbärmlichem Gesang ausgeliefert. Schlimmer noch, sie brachte auch Libbys Papiertulpen mit. Nachdem sie einfach nicht lockerlassen wollte, verlor ich allmählich die Geduld und herrschte sie an: «Geh doch zu Edna zurück, wenn du unbedingt so eine dämliche Blume sein willst, aber laß mich damit in Frieden.» Sie brach in Tränen aus und schmollte. Ich bereute meinen harschen Ton und entschuldigte mich.

Das Thema war damit noch nicht erledigt. Eines Nachmittags brachte ich meine Gitarre mit.

«Jetzt weiß ich, was wir tun könnten!» schrie Bo aufgeregt. «Ich hab eine Idee. Wir spielen in der Talentshow mit. Wir vier. Und du spielst Gitarre dazu.»

Ich zuckte zusammen. Der bloße Gedanke, auftreten zu müssen, verursachte mir Lampenfieber.

«Ich finde das doof», sagte Thomas, «was sollen wir denn in dieser Show machen?»

«Singen natürlich, Dummkopf», antwortete Bo.

«Nicht ich bin dumm, du bist es. Wenn du dir einbildest, wir könnten an dieser albernen Talentshow etwas vorsingen, dann spinnst du. Wir haben ja gar kein Talent.»

Bo war zerschmettert. Ihre Traurigkeit war so überwältigend, daß Thomas etwas nachgab.

«Nun, vielleicht war die Idee nicht *wirklich* dumm.»

Bo hatte den Kopf in beide Hände gestützt. Ganz beleidigte Leberwurst.

Versöhnlich sagte ich: «Ich weiß ja, wie gerne du etwas tun möchtest, Bo. Aber im Moment geht das einfach nicht. Nicky kennt nur ein einziges Lied, und ich glaube kaum, daß ‹Bingo› für eine Show das richtige wäre. Claudia bekommt bald ihr Baby. Also bleiben nur noch Thomas, du und ich.»

«Ich mach auf keinen Fall mit!» meldete sich Thomas bestimmt.

«Dann bleiben nur noch du und ich. Das wäre eine magere Darbietung. Zudem spiele ich nur für den Hausgebrauch Gitarre. Ein Auftritt liegt nicht drin.»

«So schlecht singen wir nun auch wieder nicht», murmelte Bo verbissen. «Aber niemand will mitmachen, das ist der Punkt.» Vorwurfsvoll schaute sie mich an. «Wir hätten auch Tulpen ins Haar stecken können und so.»

Thomas machte eine unmißverständliche Grimasse, aber ich schaute ihn strafend an.

«Wenn ich in der richtigen ersten Klasse wäre, dann könnte ich in einem Stück mitmachen. Dann hätte ich meine eigenen Blumen und alles andere auch. Wenn ich nur in der richtigen ersten Klasse hätte bleiben können.» Plötzlich liefen ihr Tränen über die Wangen. «Du wolltest ja, daß ich in diese Klasse mit den dummen Schülern komme. Jetzt werde ich nie in einem Stück mitspielen können. Das alles ist nur dein Fehler.» Zitternd vor Wut wandte sie uns den Rücken zu und stampfte durchs Zimmer in die entfernteste Ecke, vergrub ihr Gesicht in den Händen und schluchzte herzzerbrechend.

Überrascht schauten wir ihr nach. Einen solch heftigen Ausbruch hätte ich nicht erwartet. Keiner rührte sich.

Es war hart, mit sieben Jahren in eine Klasse wie diese verbannt zu sein. Hart, so wie alle andern sein zu wollen und nie ganz zu verstehen, weshalb es nicht gelang. Ich hatte Bo unterschätzt. Ich hatte geglaubt, es genüge, sie vom Leistungsdruck, den Kränkungen und Demütigungen zu befreien. Das erwies sich als falsch. Sie fühlte sich hier bei mir zwar sicherer, und alles ging leichter, aber es war eine Notlösung. Bos innigster Wunsch war und blieb es, «richtige» Erstkläßlerin zu sein. Sogar Edna hätte sie dabei in Kauf genommen.

Mir taten ihre Worte weh. Am deprimierendsten war die bittere Erkenntnis, daß ich mich selbst überflüssig machen mußte. Trotz meiner Wehmut griff ich kräftig in die Saiten. Thomas wünschte sich «Er hält uns alle an der Hand». Er sang dieses Lied besonders gern, weil wir für jeden von uns einen eigenen Vers gedichtet hatten.

Ich beobachtete sie liebevoll, meine kleinen, inbrünstigen Sänger. Nicky, der arme, verschlossene, zauberhafte Nicky. Bo mit ihren dunklen Augen, in denen sich das Lächeln der anderen Kinder spiegelte, während auf ihren Wangen die Tränen trockneten. Thomas, draufgängerisch und empfindsam, den ich mehr liebte als je ein Kind zuvor. Und Claudia, die schüchterne, ernste, unglückliche Claudia mit ihrem dicken Bauch. Für mich war sie schön, unbeschreiblich schön.

Plötzlich sah ich alles verschwommen. Sie waren so schön, und ich war so hilflos. Es gab viel zuviel zu tun hier, jedenfalls für eine Person. Nicht einmal eine ganze Armee von Helfern, eine Ewigkeit an Zeit und alle Gelehrten einer Universität würden ausreichen, um Nicky, Bo, Tom oder Claudia glücklich zu machen. Mein Hals war plötzlich wie zugeschnürt, und ich brachte keinen Ton mehr hervor.

Bo berührte sachte meinen Arm. «Warum weinst du, Torey?»

«Ich weine nicht, Liebes, meine Augen brennen ein wenig.»

Sie glaubte mir nicht. «Nein, nein, du weinst. Sag mir doch, warum.»

Ihre Hartnäckigkeit entlockte mir ein Lächeln. «Ich bin einfach traurig, daß du bei den Veranstaltungen nicht mitmachen kannst.»

«Aber Torey, deswegen mußt du doch nicht weinen! So schlimm ist das nun auch wieder nicht. Eigentlich ist es mir egal.»

«Das ist es dir nicht, Bo. Und mir auch nicht. Traurige Momente im Leben gibt es immer wieder, und man muß sich auch nicht schämen, deshalb zu weinen. So werden die Schmerzen weggeschwemmt.»

«Kommt, hört doch auf!» sagte Thomas mit belegter Stimme.

«Singen wir weiter, sonst packt mich auch noch das heulende Elend.»

30

Der Mai brachte eine große Hitze mit sich. Unser Zimmer lag auf der Sonnenseite und wurde nachmittags ungemütlich heiß. Deshalb arbeiteten wir öfter an einem schattigen Platz im Freien.

Claudia und Nicky waren mit dem Montessori-Material beschäftigt. Bo arbeitete etwas abseits im Garten bei den Salat-, Spinat-, Erbsen- und Radieschenbeeten. Sie las emsig Ungeziefer von den Spinatblättern. Ich lag wohlig im Gras, während Thomas mir aus dem Lesebuch vorlas. Ich vernahm alles mögliche und unmögliche über Durchschnittstemperaturen im Januar in Leningrad und Florida und darüber, ob Hunde die angenehmsten Haustiere seien oder nicht.

Die warme Maisonne tat meinen wintermüden Knochen unendlich gut. Ich zog die Sandalen aus und döste vor mich hin. Im Halbschlaf bekam ich mit, daß Nicky auf die Toilette mußte und Claudia ihn ins Haus begleitete.

Bo rief aufgeregt: «Ich hab schon zwölf Käfer.»

«Was für welche?» fragte ich schläfrig.

«Ich weiß nicht. Spinatkäfer, wahrscheinlich.»

«Zeig mal», mischte Thomas sich ein.

«Du liest jetzt zuerst fertig», ermahnte ich ihn.

«Ich bewahre die Käfer für dich auf, Tommy. Kann ich ein Glas holen, um sie reinzusperren?»

«Natürlich, und schau doch bitte mal nach, was Claudia und Nicky treiben. Sie sind schon so lange weg.»

«In Ordnung.» Bo rannte los.

Ich legte mich wieder hin und schloß die Augen. Man hörte es

Thomas' Stimme an, daß er lieber etwas anderes getan hätte. Im Takt schlug er mit seinen Schuhen gegen meinen bloßen Fuß.

Unsere Idylle wurde jäh zerstört. «Torey, Torey, komm schnell.» Das war Bos Stimme. «Hilfe, Nicky ist etwas passiert!»

Ich sprang auf und rannte los. Thomas folgte mir dicht auf den Fersen. «Was ist geschehen?» fragte ich, während wir zum Haus stürmten.

«Ich weiß nicht», schluchzte Bo.

Nicky und Claudia waren im Klassenzimmer. Letzte Woche hatten Arbeiter angefangen, die Decken der Schulzimmer zu isolieren. Offensichtlich hatten sie angenommen, unser Schulzimmer werde nicht benützt, denn eine riesige Isolierscheibe aus Fiberglas lehnte gegen den Schrank neben dem Waschbecken.

Nicky stand gebannt vor dieser spiegelnden Fläche. Sein ganzer Körper zitterte in maßloser Erregung. Wie früher flatterte er wild mit den Händen und bewegte rhythmisch seinen Kopf, einer hypnotisierten Schlange gleich. Zwischendurch packte er seine nackten Oberarme und zerkratzte sie mit den Nägeln. Lange Striemen zogen sich über die Haut.

Claudia war totenblaß: «Ich wußte nicht, was machen. Plötzlich fing er damit an und schrie wie am Spieß, wenn ich ihn wegziehen wollte. Er scheint mich nicht einmal mehr zu kennen», jammerte sie.

«Nicky!» Ich legte meine ganze Autorität in dieses eine Wort.

Keine Reaktion. Meine Stimme drang nicht zu ihm durch. Er war in einer anderen Welt und lebte nur noch in seinem Spiegelbild. Dann faßte er ein Büschel von seinem Haar und riß es mit einem Ruck aus.

Ich wollte ihn an der Schulter packen. Das war ein Fehler. Er schrie hysterisch auf, als ich ihn berührte, und stob kreischend davon, sein schwarzes Haar büschelweise auf dem Boden zurücklassend. Sein Kopf baumelte schlaff hin und her, als wäre er eine Stoffpuppe.

Sollte ich ihm nachjagen oder nicht? Einerseits befürchtete

ich, er könnte sich Schlimmeres antun, als nur Haare auszureißen, andererseits drehte er vielleicht vollends durch, wenn ich ihn verfolgte. Ich zog Bo und Thomas ins Zimmer und verriegelte die Tür, zum ersten Mal seit Monaten.

Jetzt kam die Sache mit den Kleidern. Er zog alles aus: Schuhe, Socken, Hemd. Aber nicht mit der wendigen Sicherheit wie sonst; er riß sich alles vom Leib, genau wie vorher die Haare vom Kopf. Die Knöpfe seines Hemdes flogen nach allen Seiten. Binnen Sekunden war er nackt, bis auf die Trainingshose, die zu elastisch war, um sie zu zerreißen. Wir kriegten ihn nicht zu fassen, weil er sich wie ein wild gewordener Kreisel um seine Achse drehte.

«O Gott», hörte ich Bo traurig murmeln. Sie sprach mir aus dem Herzen. Die leise Hoffnung, Nicky entwickle sich langsam, aber stetig zu einem normalen Jungen, schwand dahin.

Vorsichtig versuchte ich, mich an ihn heranzupirschen. Doch entwischte er mir immer wieder. Falls jemand auf dem Flur sein markdurchdringendes Geschrei hörte, mußte er annehmen, es handle sich um ein verwundetes wildes Tier.

Es war entsetzlich, Nicky zuzuschauen. Der Rückfall kam zu unerwartet, nach all den Monaten der Fortschritte. Er war für uns alle ein Fremder geworden.

Ich versuchte, mich von hinten anzuschleichen, während er wie versteinert vor der glänzenden Scheibe stand. Er spürte meine Absicht und stürzte mit einem gellenden Schrei davon. Mit vor Schrecken weit aufgerissenen Augen standen die andern dicht aneinandergedrängt an der Tür. Thomas hatte auf mein Geheiß die Deckenlampe gelöscht, da grelles Licht Nickys Anfälle noch verschlimmerte. Im nüchternen Tageslicht wirkte die Szene noch unheimlicher als zuvor.

Nicky blieb vor dem Fenster stehen. Er bedeckte sein Gesicht mit den Händen und stieß einen hohen Schrei aus, der allmählich in ein heiseres Stöhnen überging. Mit langsamen, kratzenden Bewegungen zog er nun die Fingernägel über seine Wangen. Immer wieder. Rote Spuren wurden auf der dunklen Haut sichtbar. Blut sickerte zwischen seinen Fingern hervor.

Thomas und ich versuchten nun mit vereinten Kräften, den blutüberströmten Nicky in die Enge zu treiben. Endlich hatte ich ihn gefaßt, und wir stürzten in einem wilden Knäuel zu Boden. Ich hatte aber den Dämon in ihm noch nicht besiegt. Seine Nägel krallten sich in meine Wange. Ich wußte nicht, war es mein Blut oder seins, das mir übers Kinn rann. Als ich versuchte, das Blut abzuwischen, biß er mich in den Arm. Nun drückte ich ihn so fest an mich, daß er sich nicht mehr rühren konnte.

Ineinander verschlungen blieben wir am Boden sitzen. Nicky wand sich noch immer. Der Aufruhr in seinem Innern hatte sich noch nicht gelegt, aber ich spürte, daß sein Widerstand sich abschwächte. Ich ließ ihn erst los, als er wieder zu sich gekommen war. Er ratterte kichernd seine Sportnachrichten und Wetterberichte herunter, während ich ihn ankleidete. Erleichtert atmeten wir auf. Alles war besser, als was zuvor geschehen war.

Den Rest des Nachmittags waren wir auf der Hut, die angeschlagene Stimmung nicht etwa durch zuviel Lärm oder Fröhlichkeit zu gefährden. Tom und Bo trugen die Glasfiberplatte in den Flur hinaus. Ich ging mit Nicky auf die Toilette, um ihm und mir das getrocknete Blut von Gesicht und Haar zu waschen. Wir sahen aus wie Krieger nach einer Schlacht.

Als seine Mutter ihn abholen kam, versuchte ich ihr den Zwischenfall so schonend wie möglich beizubringen. Enttäuschung spiegelte sich auf ihrem Gesicht, und Tränen traten ihr in die Augen, als sie mit Nicky an der Hand das Zimmer verließ.

Zu meinem größten Erstaunen zeigte sich Claudia durch Nickys Rückfall am meisten betroffen. Sie war völlig verzweifelt und wurde das Gefühl nicht los, sie sei an allem schuld. Ich versuchte vergeblich, sie zu beschwichtigen. Erst jetzt merkte ich, wie sehr die ruhige, ernste Claudia Nicky ins Herz geschlossen hatte.

Ihre Erregung hatte sich im Laufe des Nachmittags nicht gelegt, und so hielt ich sie nach der Schule noch etwas zurück, indem ich sie bat, mir beim Aufräumen zu helfen.

«Warum hat er das getan?» fragte sie. «Er war doch völlig normal, als ich mit ihm hineinging. Wirklich. Wir waren auf der Toilette und wollten dann hier noch schnell meinen Pullover holen.»

«Du brauchst dir keine Vorwürfe zu machen. Kein Mensch kann sagen, was mit ihm los war. Vielleicht war's die Spiegelung auf der Glasfiberplatte, wer weiß?»

«Aber weshalb?»

«So ist er nun eben.»

«Wird er je anders werden?»

Ich zuckte mit den Achseln. «Ich weiß nicht, jedenfalls nicht viel anders.»

Sie starrte mich an, ernst und durchdringend. «Wie kannst du das nur aushalten? Immer da sein und nichts tun können dagegen. Ich könnte das nicht, auf keinen Fall.»

Ich schaute sie an. «Ich *kann* aber etwas tun. Ich kann jeden Tag etwas für mich tun, etwas für Nicky tun. Jeden Tag nehmen, wie er kommt, Claudia, das habe ich gelernt, deshalb kann ich's auch aushalten. Keine großen Ziele vor Augen, Schritt für Schritt, Tag für Tag.»

Sie fuhr gedankenverloren mit der Hand über die Tischdecke. «Sind alle deine Kinder so? So wie Nicky, meine ich.»

Ich wußte nicht recht, worauf sie hinauswollte.

«Fehlt ihnen allen etwas? Hier drinnen, wo man nicht hineinsehen kann. Auch Tom und Bo?»

Ich kam gar nicht dazu, die Frage zu beantworten. Claudia fuhr gleich weiter. «Sie sind verrückt, nicht wahr?» sagte sie leise, ohne Verachtung. «Mein Vater sagte einmal zu mir, in diesem Zimmer seien nur verrückte Kinder.»

«Du kannst das so ausdrücken, wenn du willst. Es stimmt und stimmt auch wieder nicht.»

«Sie sind aber anders, als ich dachte. Ich stellte mir vor, verrückte Leute seien bösartig und gefährlich. Wie zum Beispiel

Jack the Ripper. Ich hatte Angst vor ihnen. Aber das stimmt alles nicht. Nicky ist kein schlechter Mensch und Tom und Bo doch auch nicht.»

«Nein, sie sind bestimmt keine schlechten Menschen.»

«Aber gut sind sie auch wieder nicht, sonst hätten die Leute keine Angst vor ihnen.»

«Niemand ist gut oder schlecht, Claudia. Das sind doch nur leere Worte.»

Ihre Augen bohrten sich in meine. «Wir Menschen sind einander alle ziemlich ähnlich, nicht wahr? Da gibt es keine großen Unterschiede.»

Schweigend arbeiteten wir weiter. Fünfzehn bis zwanzig Minuten vergingen so.

«Claudia, erinnerst du dich noch an das, was ich dir über dein Baby gesagt habe? Was du mit ihm machen solltest?»

«Ja.»

«Ich mache mir immer noch Sorgen.»

«Das mußt du nicht, Torey.»

«Ich möchte nicht, daß dein Kind einmal hier in diesem Zimmer sitzen muß.»

Sie runzelte die Stirn. «Das wird nicht geschehen.»

«Das denken alle Mütter. Nickys Mutter dachte das auch. Alle Mütter lieben ihre Kinder. Aber manchmal, wenn die Erwachsenen Schwierigkeiten haben, leiden die Kleinen darunter.»

«Mir wird das nicht passieren.»

«Auch Bos Eltern haben das gedacht, und doch haben sie ihr fast den Schädel eingeschlagen. Sie hatte das nicht verdient. Niemand verdient so etwas. Du denkst doch nur an dein eigenes Glück, wenn du dich weigerst, das Baby wegzugeben. Denk doch auch mal an *sein* Glück. Ich weiß, es ist schwer. Halte dir immer Bo vor Augen oder Tommy mit seinem toten Vater oder Nicky, wie er heute nachmittag war. Ich möchte dein Kind nicht hier sehen, Claudia. Manchmal, wenn ich mir so überlege, was du alles vor dir hast, mache ich mir solche Sorgen. Das ist alles, was ich dazu zu sagen habe. Ich werde dir nicht weiter damit in den Ohren liegen.»

Claudia erhob sich und ging zum Fenster. Ich sah ebenfalls hinaus. Auf dem Rasen unten lagen Thomas' Lesebuch und meine Sandalen. Eine Blüte war auf das offene Buch gefallen.

«Manchmal fühle ich mich uralt, wie eine Großmutter», sagte Claudia leise.

31

Nun mußte entschieden werden, was mit den Kindern im nächsten Jahr geschehen sollte. Ich blieb zwar in derselben Schule, wurde aber wieder ganztags als Nachhilfelehrerin eingesetzt. Ein Gerücht ging um, wonach einige Sonderklassen eröffnet werden sollten, aber ich hatte weder Stellenausschreibungen gesehen, noch war ich direkt angefragt worden.

Claudia war kein Problem. Der Übertritt in die siebte Klasse ihrer alten Schule würde nahtlos über die Bühne gehen. Ich war froh, denn sie mußte unbedingt wieder mit ihren Altersgenossen zusammengebracht werden.

Auch Thomas würde hoffentlich wieder in eine Normalklasse eintreten können. Seine Zukunft erfüllte mich mit Zuversicht. Er war ein lieber, sensibler Junge und hatte mittlerweile gelernt, mit seiner Aggressivität umzugehen. Bestimmt würde er den Anforderungen einer fünften Klasse gewachsen sein. Was er jetzt brauchte, waren gleichaltrige Freunde. Unterstützt vom Nachhilfelehrer seiner alten Schule, würde Thomas den Wiedereinstieg in die Alltagswelt schaffen.

Was aber sollte mit Nicky geschehen? Wie sein Ausbruch letzte Woche bewiesen hatte, mußte er ständig unter Kontrolle sein. Hier konnten wir aber auf die Dauer unmöglich Spezialprogramme für ihn zusammenschustern. Er brauchte eine richtige Sonderklasse für Kinder mit ähnlichen Schwierigkeiten, wo er gezielt im sprachlichen und praktischen Bereich gefördert werden konnte. Die Schule mußte auch den Sommer über für ihn offen sein, da sich Kinder wie Nicky keine Ferien gestatten konnten.

Leider gab es im Schulkreis keine geeignete, öffentliche Klasse für Nicky, und erst nach langem Suchen entdeckte Mrs. Franklin eine kleine Privatschule in einer Nachbargemeinde. Ich nahm sie unter die Lupe, und was ich sah, gefiel mir.

Bos Zukunft war noch nicht zur Sprache gekommen. Da sie auf Ednas Liste war, ging mich ihre Einteilung eigentlich nichts an. Die Sache war für mich erledigt, deshalb kümmerte ich mich auch nicht weiter darum. Ich hielt es für selbstverständlich, daß Bo in die zweite Klasse versetzt und einen großen Teil des Tages bei mir verbringen würde. Beide Zweitklaßlehrerinnen waren gut, eine sogar ganz ausgezeichnet. Ich freute mich bereits darauf, mit ihr zusammen Bos Stundenplan auszuarbeiten.

Nach der Schule saß ich mit Billie im Lehrerzimmer, als Dan hereinkam. Er goß sich eine Tasse Kaffee ein und setzte sich neben mich auf das Sofa. Wir plauderten eine Weile unbeschwert miteinander.

«Wann treffen wir uns eigentlich, um Bo Sjokheims Einteilung zu besprechen?» fragte ich beiläufig, als eine Gesprächspause entstand. «Ich glaube, Ella Martinson wäre eine ideale Lehrerin für sie. Wie es jetzt aussieht, könnte ich Bo etwa drei Stunden pro Tag intensiven Nachhilfeunterricht geben. Den Rest der Zeit könnte Ella sie sicher übernehmen, meinst du nicht auch?»

Gebannt starrte Dan in seine Kaffeetasse, wie ein Wahrsager, der die Zukunft aus dem Kaffeesatz liest. Er antwortete nicht.

«Bist du etwa nicht einverstanden mit Ella?»

Dan errötete zusehends. «Wir lassen Bo die erste Klasse nochmals repetieren.»

«Was?»

«Komm, wir besprechen die Angelegenheit woanders.»

Wir gingen in mein Zimmer. Was Dan eben gesagt hatte, schien mir einfach unglaublich. Ich hoffte immer noch, ich hätte mich verhört.

«Was willst du damit sagen? Wir haben ja noch gar nicht über Bos Einteilung gesprochen!»

Dan ließ sich in ein Kinderstühlchen sinken. «Ich wollte es dir schon lange sagen...»

«Aber?»

«Edna, Bos Vater und ich haben beschlossen, Bo nicht zu versetzen. Es gibt keine andere Möglichkeit. Da sie das Erstklaß-pensum in keiner Weise erfüllt hat, kommt eine Versetzung nicht in Frage.»

Ich war sprachlos.

Beschwichtigend hob Dan die Hand. «Bevor du loslegst, denk einmal darüber nach, was für eine Alternative wir gehabt hätten.»

«Was für ein lausiger Trick! Du wußtest haargenau, daß ich mein Einverständnis für so was nie und nimmer geben würde, und deshalb habt ihr alles hinter meinem Rücken eingefädelt.»

«Bos Vater hat bereits eingewilligt. Er hält unsere Entscheidung für absolut richtig.»

«Dan, das könnt ihr nicht machen. Das geht einfach nicht.»

Er würdigte mich nicht einmal eines Blickes.

«Sie wird im September acht Jahre alt. Schon jetzt ist sie einen Kopf größer als die anderen Erstkläßler.»

«Aber sie kann nicht lesen, Torey. Wir müssen auch an Ella denken. Die Belastung wäre zu groß.»

«An Bo hingegen denkst du nicht! Mit unseren blöden Ideen haben wir sie ja sowieso schon beinahe umgebracht. Und jetzt soll sie es verkraften, auch noch ein zweites Mal sitzenzubleiben. Das Kind hat ein physisches Gebrechen. Du kannst sie in der ersten Klasse behalten, bis sie eine grauhaarige Großmutter ist, und sie lernt vielleicht trotzdem nie lesen.»

Dan ließ den Kopf hängen. «Mach es mir doch nicht so schwer, Torey.»

«Ich will es niemandem schwermachen. Tief drinnen mußt du doch wissen, daß das eine Fehlentscheidung ist. Sonst hättest du mit mir auch nicht so lange Versteck gespielt. Das Kind wird bestraft, nur weil es anders ist und wir ihm nichts beibringen können. Das ist die Wahrheit, und alles andere sind nichts als billige Rechtfertigungen.»

«Aber sie *ist* anders, wie du ja selber zugibst.»

«Das stimmt. Aber sie ist nun einmal hier, und es wäre langsam an der Zeit, daß wir uns ihrer Behinderung anpaßten. Warum nehmen wir ihre Lesetexte nicht auf Band auf? So könnten wir sie mündlich abfragen. Wie oft soll ich dir noch sagen, daß Bo nicht dumm ist. Sie hat ganz einfach eine Behinderung. Kein Lehrer kann das ändern, und wenn sie ein Leben lang in der ersten Klasse sitzt.»

Aber alle Mühe war umsonst. Die Würfel waren längst gefallen. Bo hatte einfach das Pech, daß man ihr die Behinderung nicht ansah und sie deshalb kein Mitleid erweckte.

Dan schüttelte müde den Kopf. «Tut mir leid, daß du dich so aufregen mußt, aber ich möchte nicht weiter darüber diskutieren. Es war ein gemeinsamer Entschluß von Edna, Mr. Sjokheim und mir, und dabei bleibt's.»

Ich starrte ihn an. Wie gerne hätte ich ihn gehaßt, so wie ich Edna letzten April gehaßt hatte. Aber ich fühlte nichts mehr. Ich war zu müde, um weiterzukämpfen.

«Jetzt ist Ednas Stunde doch noch gekommen. Die ganze Zeit über hast du mir zu verstehen gegeben, es sei richtig, Bo nicht mit dem Erstklaßstoff zu belasten, obwohl du wußtest, daß Edna die Trümpfe schon lange in der Hand hielt.»

«Torey, das ist nicht wahr, und du weißt das auch.»

«Hoffentlich habt ihr euch wenigstens gut amüsiert auf meine und Bos Kosten!»

Eine Mauer des Schweigens umgab uns. Auf noch Schlimmeres gefaßt, duckte sich Dan soweit als möglich in sein Stühlchen.

Ich sagte nichts mehr. Ich gab auf, ich streckte die Waffen. Der lange, harte Kampf hatte mich zermürbt, und außerdem erkannte ich die Ausweglosigkeit jeglichen Bemühens. An der Entscheidung gab es nichts mehr zu rütteln.

Mein Blick schweifte über den Paradiesvogel auf dem Anschlagbrett, über die Tierkäfige, den Schrank, unter dem sich Bo versteckt hatte, und landete wieder bei Dan.

«Weiß sie es schon?»

«Ich bin nicht sicher. Ich glaube aber nicht.»

«Falls ihr geglaubt habt, *ich* würde ihr die Hiobsbotschaft übermitteln, seid ihr auf dem Holzweg. Diese Schmutzarbeit überlasse ich euch!»

Müde und abgeschlagen ging ich nach Hause. Meine Widerstandskraft war gebrochen. Ich konnte mich nicht mehr aufraffen, weiterzukämpfen. Ich stand auf verlorenem Posten, und zudem war ich keine ausgesprochene Kämpfernatur. Zum ersten Mal, seit Joc fort war, vermißte ich ihn schmerzlich. Ich hatte ein so starkes Bedürfnis nach Trost und Geborgenheit, daß ich weinen mußte. Ich wollte um keinen Preis mehr die Starke spielen.

Später wärmte ich mir ein Glas Milch und gab einen Löffel Honig hinein: ein altbewährtes Schlafmittel. Während ich wartete, bis die Milch etwas abgekühlt war, dachte ich an die Zeiten, in denen ich noch nicht unterrichtet hatte. Die unschuldigen Zeiten. Ich hatte die Schule satt.

Am schlimmsten war der nächste Morgen. Bo wußte offensichtlich noch nichts. Fröhlich wie immer ging sie ihren Aufgaben nach, und ich suchte krampfhaft nach einem Einfall, der die bevorstehende Enttäuschung etwas mildern könnte. Ein Plan begann in meinem Kopf zu reifen.

«Bo, komm doch mal her», sagte ich. «Heute machen wir etwas anderes, du und ich.»

«Was denn?» fragte sie mißtrauisch.

Ich legte ein Buch auf den Tisch und sagte: «Das werden wir zusammen lesen.»

Ihre Augen wurden groß und dunkel, Tränen liefen ihr über die Wangen. «Ich will nicht!»

«Aber Bo», sagte ich und nahm ihr Gesicht in beide Hände.

«Ich kann es doch nicht.»

«Hör auf zu weinen. Ich werde dich nicht zwingen, etwas zu tun, was du nicht kannst. Das versprech ich dir.»

Sie putzte sich die Nase.

«Wir sind ganz unter uns, wir beide. Kommt etwas Schwieriges, machen wir es einfach zusammen.»

Noch immer hielt ich ihr Gesicht in den Händen und versuchte, den Tränenbächen mit dem Daumen Einhalt zu gebieten. Sie zitterte. «Du darfst nicht weinen, Bo.»

«Ich habe Angst. Ich kann's bestimmt nicht. Ich weiß es.»

«Ich werde dir helfen. Was wir zusammen nicht schaffen, lassen wir bleiben. Du hast mein Wort dafür.»

«Aber ich kann wirklich nicht lesen, Torey.»

Ich lächelte. «Aber *ich* kann es.»

Das Buch hieß *Dick und Jane*. Es war das gute alte Lesebuch aus dem Jahr 1956, gründete also keineswegs auf neueste pädagogische Erkenntnisse, war aber genau das richtige für uns: wenig Text und viele Bilder. Der einfache Aufbau kam meinen schulmüden Kindern entgegen; deshalb hatte ich es schon öfter benützt. Es war ein Taschenbuch, wie fast alle Vorschulfibeln. Bo schaute es schreckerfüllt an.

Ich erzählte ihr von den Kindern, die im Buch vorkamen: Dick, Jane und das Baby Sally. Sie traute mir noch nicht ganz. Ab und zu warf sie einen verstohlenen Blick auf das Büchlein.

«Du kennst das Buch noch nicht. Es heißt ‹Wir schauen und

sehen›.» Ich schlug die erste Seite auf. «Komm zu mir, wir wollen es zusammen lesen.» Sie näherte sich zögernd. Ich nahm sie auf den Schoß, und wir schauten uns das erste Bild an. Sally zieht ihre weißen Handschuhe aus und steigt in die riesigen Gummistiefel ihres Vaters. Darunter steht «schau». Ich zeigte darauf und sagte: «Das heißt ‹schau›.»

«Schau», wiederholte Bo unsicher.

Ich blätterte um. Sally und Dick im Freien. Dick spielt mit dem Wasserschlauch. Sally stapft in den großen Gummistiefeln durch die Pfützen. «Schau, schau» steht darunter. Offensichtlich sagt Sally dies zu ihrem Bruder. «Siehst du, das ist genau dasselbe Wort wie zuvor. Erinnerst du dich daran?»

«Schau», gab Bo ohne Zögern zur Antwort.

«Richtig. Diesmal steht es zweimal. Sally will die Aufmerksamkeit ihres Bruders auf sich lenken.»

«Schau nur», rief Bo aus. «Sally hat die Stiefel verloren. Bestimmt kriegt sie nasse Füße. Ihr Papi wird wütend sein, glaubst du nicht auch?» Bo mußte lachen.

«Ganz sicher. Sieh mal, was Sally jetzt sagt: ‹oh, oh, oh›. Kannst du das lesen?»

«Oh, oh, oh», kam die Antwort, wie aus der Pistole geschossen.

«Sehr gut. Was geschieht wohl auf der nächsten Seite?» Es war die letzte Seite der Geschichte. Dick kommt der Schwester mit seinem roten Schubkarren zu Hilfe. Sie läßt sich hineinplumpsen. Die Situation ist gerettet. Darunter steht: »Oh, oh, oh, schau». Keine Weltliteratur, gewiß, aber Bo war begeistert. Sie klatschte in die Hände.

«Prima, jetzt lesen wir es von Anfang an durch. Wir zwei zusammen.»

«Schau», sagten wir im Chor. «Schau, schau. Oh, oh, oh.» Und die letzte Seite: «Oh, oh, oh, schau.» Ende.

«So, jetzt versuchst du es mal selbst. Schau dir die Wörter genau an. Das lange heißt ‹schau›, das kurze ‹oh›.»

Bo hielt das Buch vor die Nase. Sie holte tief Atem. «Schau», stieß sie heiser hervor.

«Sehr gut! Und jetzt die nächste Seite.»

«Schau, schau.» Auf der folgenden Seite zögerte sie.

«Guck dir Sally genau an, Bo. Was ist ihr passiert? Was sagt sie?»

«Oh?» kam es fragend von Bos Lippen.

«Phantastisch! Wie oft sagt sie das?»

«Oh, oh, oh.»

Ich schlug die letzte Seite auf.

«Oh, oh», sagte Bo sofort. «Oh . . .» Pause.

«Wie war noch das andere Wort?»

«Schau. Oh, oh, oh, schau.»

Ich faßte sie am Kinn und drehte ihr Gesicht zu mir. «Weißt du, was du da eben getan hast, Bo Sjokheim?»

Sie schaute mich mit großen Augen an.

«Du hast diese Geschichte gelesen, oder etwa nicht?»

Sie strahlte wie ein Maikäfer.

«Ganz allein hast du die Geschichte gelesen, genau wie die andern. Daran gibt's nichts zu rütteln.»

«Ich hab sie gelesen», flüsterte sie ungläubig staunend. «Ich will sie gleich noch einmal lesen. Ohne Fehler. Du wirst sehen.»

Sie räusperte sich, wie ein Redner, der zu einem wirkungsvollen Anfangswort ansetzt. Dann legte sie los. Seite um Seite. Triumphierend rief sie mir zu: «Ich hab's geschafft, ich hab's geschafft!»

Sie sprang von meinem Schoß. «He, Thomas, Claudia. Habt ihr gehört? Ich kann lesen. Richtig *lesen*!» Sie las ihnen die Geschichte vor, wieder und wieder.

Ich beobachtete sie von meinem Stuhl aus. Lesen konnte man das eigentlich streng genommen nicht nennen, bestimmt konnte sie die Geschichte längst auswendig. Vermutlich würde sie die beiden Wörter in einem anderen Zusammenhang nicht mehr erkennen. Aber all dies spielte im Augenblick keine Rolle. Was zählte, war dieses siebenjährige Mädchen, das mir freudestrahlend mit dem Buch zuwinkte und voller Begeisterung die lapidare Geschichte von Dick und Jane in die Welt hinausposaunte. Auch Nicky, Benny und die Finken mußten zuhören. Was immer jetzt auch geschehen mochte, ich wußte, daß ich ihr das Wichtigste gegeben hatte, nämlich das Vertrauen, lesen zu können. Niemand würde in Zukunft das Gegenteil behaupten können, der Beweis war erbracht. Bo Sjokheim konnte lesen.

32

Was für eine Woche! Bo war von ihrem Erfolg berauscht. Sie legte das Buch nicht aus den Händen. Sie nahm es nach Hause, um ihrem Vater und Libby vorzulesen. Jeder Vormittagsschüler, sogar Edna, kam in den Genuß dieser Rezitationen! Thomas, Claudia, Nicky und ich konnten sie schon bald nicht mehr hören. Während ich mit anderem beschäftigt war, schlich sich Thomas manchmal von hinten an und flüsterte: «Schau, schau. Oh, oh, oh.» Es klang unanständig, wie er es sagte, und ich reagierte mit gutmütigem Schimpfen und der Drohung, es sei gefährlich, wenn Schüler ihre Lehrer in den Wahnsinn trieben.

Immer aber mußte ich an Bos Rückversetzung denken. Mir war bange vor dem Tag, an dem sie es erfahren würde. Ich konnte nur hoffen, daß das Erfolgsgefühl anhalten und sie darüber hinwegtrösten würde.

Am Freitag hatte ich Geburtstag, und ich versprach den Kindern, einen Kuchen mitzubringen. Wir planten eine Geburtstags-Lesefeier.

Neue Aufregung am Donnerstag. Mit großem Hallo kam Thomas ins Zimmer gestürzt.

«Ratet mal, was los ist!»

«Was ist denn los?» fragte ich.

«Ich werde umziehen!» Er schoß durch das Zimmer und sprang auf das Pult, an dem ich gerade beim Korrigieren saß. Er rutschte darüber hinweg auf seinen Stuhl, die Hefte landeten in meinem Schoß.

«Was wirst du?»

«Umziehen! Mein Onkel holt mich zu sich nach Texas!»

Die anderen scharten sich um ihn.

«Ist das der Onkel, bei dem du früher schon gewohnt hast?» fragte ich mißtrauisch.

«Nein, nein! Mein Onkel Jago, der Bruder meiner Mutter. Er will, daß ich bei ihm wohne, richtig mit seiner Familie! Jawohl! Die Zeit der Pflegefamilien ist jetzt vorbei.» Vor Begeisterung tanzte er auf dem Tisch herum.

«Tom, das ist wirklich toll!»

«Freust du dich auch darüber?»

«Aber sicher, Tom.»

Bo boxte ihn ins Bein. «Ich freue mich aber nicht.»

«Bo», sagte ich überrascht. «Das ist doch das Schönste, das Tom geschehen konnte.»

«Aber ich möchte nicht, daß Tom fortgeht.» Sie schob ihre Unterlippe schmollend vor. «Ich will, daß du hierbleibst, Tom!»

Ihre Worte gingen in seinem Glückstaumel unter. Immer noch auf dem Tisch stehend, warf er fröhlich Bleistifte in die Luft und versuchte, sie zu fangen. «Jetzt gibt es morgen eine Geburtstags-Lese-Abschiedsfeier! Der Abschied aber gilt mir!»

Papierschlangen, Ballone und Hüte für alle trugen wesentlich zum Erfolg der Feier bei. Mein Kuchen stand auf dem Tisch bereit. Herr Sjokheim hatte Schokoladegebäck gestiftet. Stolz erklärte Bo, sie habe beim Backen mitgeholfen. Mrs. Franklin hatte liebenswürdigerweise Orangensaft und eine Schachtel mit gehäkelten Tier-Fingerpuppen gebracht. Claudia setzte den Plattenspieler in Betrieb, und heiße Rock-Musik ertönte. Ich hoffte, mit dieser Feier so vieles gutzumachen: alle nicht gehabten

Freuden und alle Ungerechtigkeiten, die sie hatten erfahren müssen, nur weil sie in dieser Klasse waren.

Plötzlich merkte ich, daß Thomas fehlte. «Wo ist Tom?» fragte ich Claudia, die in einem Stuhl neben dem Plattenspieler saß. Ich mußte schreien, so laut war die Musik.

«Ich weiß nicht, eben war er noch hier.»

«Bo!» Sie und Nicky hüpften wild im Zimmer herum. Das war ihre Vorstellung vom Tanzen. «Weißt du, wo Tom ist?»

«Ja», rief sie, die Musik übertönend. «Er ist im Schrank.»

«Wie? Was? In welchem Schrank? Wovon sprichst du überhaupt?»

Sie hörte auf zu tanzen. «Im Schrank dort drüben. Aber störe ihn bitte nicht, er weint.»

Ich starrte sie an. Nicky zog sie fort, er wollte weitertanzen. «Warum weint er, Bo?»

«Ich glaube, er hat jetzt schon Heimweh nach uns.»

Ich ging zum Schrank. Alle schienen sich dieses Jahr irgendeinmal zu verstecken. Vorsichtig öffnete ich die Tür einen Spaltbreit. Zusammengekauert saß Tom am Boden, das Gesicht zwischen den Knien. Ich bückte mich und sagte leise: «Tommy, was ist los?»

«Nichts, laß mich in Ruhe!»

Ich bückte mich zu ihm hinunter.

«Geh fort!»

«Also gut.» Ich stand auf.

«Nicht...», murmelte er, zu mir aufschauend. «Ich meine, nicht wirklich fortgehen.»

«Möchtest du doch lieber hierbleiben?»

Er nickte.

«Es macht schon Angst, an einen neuen Ort zu gehen.»

«Ich will nicht gehen, ich will hierbleiben.»

«Es ist ganz natürlich, daß du so fühlst.»

«Ich wollte gar nie gehen. Meine Fürsorgerin sagte, ich müsse, er sei ein Verwandter und habe ein Recht auf mich. Aber ich will nicht. Ich kenne ihn ja gar nicht und habe ihn nicht mehr gesehen, seit ich ein Säugling war. Ich will bei meinen Pflegeeltern bleiben und hierher in diese Klasse kommen. Ich will nicht mehr umziehen, davon habe ich genug.»

«Es ist schwer, sich an etwas Neues zu gewöhnen.»

«Ich will nicht gehen! Ich will hierbleiben. Aber wir Kinder haben ja keine Rechte. Die machen doch mit uns, was ihnen gerade einfällt, diese Schweine. Wenn ich groß bin, werde ich sie alle erschießen.»

Ich streckte eine Hand hinein, er nahm sie.

Thomas fing wieder an, laut zu schluchzen. Er preßte meine Hand an seine nasse Wange. Da meine Knie langsam weh taten, setzte ich mich hin, den Arm immer noch im Schrank. Ich schaute den anderen Kindern zu.

«Ich weiß gar nicht, warum ich mir je solche Mühe gegeben habe», murrte er durch die Öffnung. «Jetzt zwingen sie mich ja doch, wegzugehen. Alles was ich gemacht habe, hat keinen Sinn mehr.»

Ich drehte mich zu ihm. «Aber bestimmt war es sinnvoll, Thomas. Für mich jedenfalls, für uns alle; du und deine Versuche, dich hier zusammenzunehmen und lieb zu sein, sind uns nicht gleichgültig und werden es auch nie sein.»

«Ich frage mich, warum sich die Menschen überhaupt um ihre Mitmenschen kümmern. Zuletzt wird man doch nur verletzt. Du hast gemacht, daß ich dich gern habe. Jetzt wünsche ich, es wäre nicht so. Dann täte es auch nicht weh, von dir weggehen zu müssen. Immer muß ich Menschen verlieren. Ich werde nie wieder jemanden gern haben.»

«Menschen zu lieben tut immer weh. Da hast du recht. Aber ich glaube, das gehört auch dazu.»

«Es schmerzt zu sehr. Es lohnt sich nicht. Wenn ich nie wieder jemanden gern habe, muß ich mir auch keine Sorgen mehr machen.»

Ich beobachtete ihn, wie er so zusammengekauert im Schrank

saß. «Da hast du auch wieder recht, Tom. Wenn du nie jemanden liebst, wirst du auch nie Kummer haben. Wie langweilig wäre aber dann das Leben.»

Wieder brach er in Tränen aus. Ich verlangte zuviel, er verstand es noch nicht. Leise machte ich die Tür wieder zu, erhob mich und ging zu den andern.

Die Feier ging weiter. Thomas blieb im Schrank. Später kauerte Bo davor und sprach durch eine schmale Öffnung mit ihm. Kurz darauf kam sie zu mir.

«Thomas möchte, daß du den andern sagst, er habe nicht geweint.»

«Wie bitte?»

Sie rümpfte die Nase ob meiner Begriffsstutzigkeit. «Komm her.» Sie zog mich zu sich herunter und flüsterte mir ins Ohr: «Ich glaube, er schämt sich. Er möchte, daß du den andern sagst, er habe nicht wirklich geweint.»

Das tat ich.

Mit rotverweinten Augen kroch Thomas schließlich aus dem Schrank. «Habt ihr noch etwas Kuchen übriggelassen? Ich möchte auch ein Stück. Sicher habt ihr nicht alles gegessen.»

«Nein, nein. Es ist noch genug da, dort auf dem Tisch.»

Bevor er zugriff, wandte er sich zu mir und sagte: «Torey, viel Glück zum Geburtstag!»

Während Thomas seine Sachen zusammenpackte, standen wir um ihn herum, schüttelten ihm die Hand und klopften ihm auf den Rücken. Wir alle hatten plötzlich Hemmungen, ihn zum Abschied zu umarmen. Diese ungewöhnliche Scheu fiel erst von mir ab, als die andern heimgegangen waren und Thomas und ich zusammen zum Bus gingen.

«Mein Vater kommt mich heute holen», sagte er.

Ich schaute ihn an.

«Er ist wieder da. Er kommt heute abend und nimmt mich zu sich nach Spanien.»

Ich nickte. Wir warteten zusammen auf den Bus. Im Westen braute sich ein Sturm zusammen. Schwarze Wolken jagten am Himmel dahin. Regen lag in der Luft.

«Wir werden in Spanien zusammen leben, nur er und ich. Er hat dort ein Haus. Ich werde ein eigenes Zimmer haben. Er wird mich das Stierkämpfen lehren. Das war wahrscheinlich die letzte Schule, die ich besucht habe. Das habe ich mir schon immer gewünscht, mit meinem Vater zu leben. Jetzt wird dieser Wunsch erfüllt.»

Er schaute mich lange an. Seine dunklen Augen waren weich und nachdenklich. «Ich bin überglücklich.» Von Glück war keine Spur.

«Ich weiß, Tommy», sagte ich und fuhr ihm mit den Fingern durchs Haar.

«Ich werde mit meinem Vater zusammen leben.»

Ich betrachtete die Wolken und fragte mich, ob es anfangen würde zu regnen, bevor der Bus kam. Mein Herz schlug, als wäre ich eine weite Strecke gerannt.

«Torey?» Er zupfte mich am Ärmel. «Ich werde bei meinem Vater leben.»

Ich blickte ihm in die Augen. Pause, eine lange, lastende Pause.

«Nein, ich weiß», flüsterte er. «Ich weiß es ja. Ich werde bei meinem Onkel Jago leben. Ich werde nie bei meinem Vater leben, niemals.» Seine Sachen fielen zu Boden, als er seine Arme um mich schlang.

Der Regen kam noch vor dem Bus, aber wir schenkten ihm keine Beachtung.

33

Nun ging alles dem Ende entgegen. Es blieben uns nur noch eineinhalb Wochen. Thomas hinterließ eine große Lücke, und wir waren alle froh, auch bald gehen zu können und nicht noch lange ohne ihn weitermachen zu müssen.

Mitte der nächsten Woche erzählte Claudia von einem Fehlalarm. «Hier hat es weh getan. Meine Mutter hat auf die Uhr geschaut: Wehen alle zwanzig Minuten. Mein Vater ging mit mir ins Spital.» Sie riß die Augen auf. «Aber nichts geschah. Noch vier lange Wochen!»

Claudia schaute mich entrüstet an. «Wenn es nur schon vorbei wäre. Mein Rücken tut weh, der Bauch tut weh, die Füße, alles tut weh. Ich habe genug.»

Ich lächelte.

«Ich habe übrigens schon Namen gewählt. Wenn es ein Junge ist, heißt er Matthias und wenn es ein Mädchen ist, nenne ich es Jenny. Gefallen dir diese Namen? Was möchtest du, daß es ist?»

«Gesund.»

Sie konnte ein Lächeln nicht unterdrücken.

Ich sah Claudia nicht wieder. Das zweite Mal war's kein Fehlalarm mehr. Am nächsten Morgen in der Frühe gebar Claudia ein Mädchen, zweieinhalb Kilo schwer. Mutter und Tochter waren wohlauf. Das Baby hatte allerdings Gelbsucht und war in der Intensivstation. Es hieß Jenny.

«Jetzt ist es wieder wie früher», sagte Bo nachdenklich. «Nur Nicky und ich.»

Ich nickte.

«Und du natürlich.»

«Und ich.»

Sie öffnete ihr Lesebuch, betrachtete es eine Weile und schaute wieder zu mir auf: «Es gefällt mir schon nicht mehr so gut, ohne die anderen.»

«Mir auch nicht, Bo.»

Wir fuhren mit unserer täglichen Arbeit fort. Je weiter wir im Lesebuch vorrückten, desto mehr zeigten sich Bos alte Leseschwierigkeiten. Die Anzahl der Wörter hatte zugenommen, sie konnte sich nicht mehr nur auf die Handlung stützen. Nach vier Geschichten hätte sie sieben Wörter fließend lesen sollen. Ich hatte nie geglaubt, Bo mit diesen Bildergeschichten das Lesen beibringen zu können. Ich wollte ihr lediglich beweisen, daß sie überhaupt fähig war zu lernen. Sie brauchte vor dem neuen Schuljahr dringend eine Aufmunterung.

Nicky war so verrückt wie eh und je. Wie verloren hatte ich mich doch anfangs mit Nicky und Bo gefühlt und wie überfordert, mit zwei so unterschiedlichen Schülern gleichzeitig fertig zu werden. Jetzt, nachdem Thomas und Claudia nicht mehr da waren, hatte ich soviel Zeit, daß es ein Luxus schien, nur zwei Schüler zu haben. Von Überlastung keine Spur.

Für den Sommer hatte ich mir Pläne gemacht. Zuerst wollte ich für eine Weile nach Hause fahren, danach ein paar pädagogische Sommerkurse belegen, um nicht aus der Übung zu kommen. Umziehen wollte ich auch noch. Meine Wohnung war zu klein geworden für Bücher, Lehrmaterial und all den Kleinkram, der sich so unbemerkt ansammelt. Zudem war sie so weit von der Schule entfernt, daß ich immer das Auto nehmen mußte. Ich hatte nun eine größere, näher gelegene Wohnung gefunden und wollte noch vor Schulschluß umziehen. So verbrachte ich meine Abende meist packend.

Eines Abends Anfang Juni kam Billie zum Abendessen, um mir danach zu helfen. In der ganzen Wohnung herrschte ein solches Durcheinander, daß ich das Telefon, als es klingelte, erst gar nicht finden konnte.

«Hallo?»

Jemand weinte, schluchzte ins Telefon.

«Wer ist da?»

«Torey?»

«Ja, wer spricht denn?»

«Ich bin's, Claudia.»

«Claudia! Claudia, was ist denn los?»

Schluchzen. «Ich habe mir überlegt...» Wimmern. «Ich habe mir überlegt, wegen Jenny. Sie ist so winzig, Torey. Bis heute war sie noch im Brutkasten.» Wieder brach sie in Schluchzen aus.

«Claudia, was ist los mit dir? Was hast du?»

«Ich gebe sie weg, Torey. Ich habe heute morgen unterschrieben. Meine Mutter auch. Ich gebe sie weg.»

«Oh, Claudia...»

«Die Frau von der Agentur sagt, sie hätten einen guten Platz für sie. Ihre Mami und Papi hätten schon lange auf sie gewartet...» Nun weinte sie laut.

«Claudia, das hast du gut gemacht, ich bin stolz auf dich.»

«Ich wollte nicht, daß sie wird wie Nicky. Ich wollte ihr nicht weh tun.»

Dann kam der letzte Tag. Niemand arbeitete. In der ganzen Schule wurde gefeiert. Bo wollte den Tag in der ersten Klasse verbringen, da dort die Feier besonders schön zu werden versprach. Sie wollte nachher vorbeikommen, um ihre Sachen aufzuräumen und auf Wiedersehen zu sagen.

Nicky und ich räumten die letzten Überreste des vergangenen Jahres weg. Die offenen Bücherregale mußten zugedeckt, das Spülbecken und die Tische tüchtig geschrubbt werden. Wir kontrollierten die Schränke und legten sie mit Papier aus. Nicky war ein eifriger Helfer. Nach getaner Arbeit gingen wir im Park spazieren.

Sonst war der letzte Tag immer voller Wehmut, die jeder Abschied mit sich bringt, aber auch voller Vorfreude auf die langen Ferien. Von all dem war heute nichts zu spüren. Ich hatte nur noch einen Schüler, und den kümmerten solche Dinge nicht. Für Nicky war es ein Tag wie jeder andere auch.

Wir spazierten um den Teich herum und fütterten die immer gefräßigen Enten und Gänse mit dem übriggebliebenen Finkenfutter. Wir wateten barfuß zusammen durch das Bächlein. Nicky haschte nach den bunten Schmetterlingen. Auf dem Rückweg lutschten wir beide an einem Eis, das ich zur Krönung des Tages bei einem Straßenverkäufer gekauft hatte.

Mrs. Franklin wartete in der Schule bereits auf uns, um Nicky zum letzten Mal in Empfang zu nehmen.

«Auf Wiedersehen, Nicky», verabschiedete ich mich.

Er starrte an mir vorbei ins Leere. Mrs. Franklin drehte seinen Kopf so, daß er mich anschauen mußte. Doch er wandte seine Augen ab.

«Nicky! Auf Wiedersehen, Nicky», sagte ich eindringlich.

«Achtung Sturm! Achtung Sturm!» schrie er und stieß einen langen, durchdringenden Ton aus, ähnlich dem der Sturmwarnung am Fernsehen. Er flatterte mit den Fingern vor meinem Gesicht herum.

Mrs. Franklin lächelte entschuldigend, wir tauschten ein paar Worte, und sie berührte meinen Arm in stummem Dank. Dann war alles vorbei.

Die Sandalen in den Händen, schaute ich Mrs. Franklin und dem elfenhaften Nicky nach. Die stille, märchenhafte Schönheit umgab ihn noch immer. Ich hatte ihr nichts anhaben können.

Ich blieb in der Mitte des Zimmers stehen. Die leeren, verhüllten Regale ließen es fremd und kalt erscheinen. Die Tiere waren nicht mehr da, der Teppich war aufgerollt, die Stühle standen auf den Tischen – und trotzdem, die Wände hätten Bände sprechen können, so vieles war geschehen hier drinnen. Wie jedes Jahr tat es mir auch diesmal leid, daß es schon vorüber war.

Die Tür ging auf.

Bo.

Ohne mich eines Blickes zu würdigen, ging sie durch das Zimmer, kniete vor ihrem kleinen Schrank nieder und fing an, ihn auszuräumen. Plötzlich hielt sie inne. Was sie gerade in den Händen hielt, fiel krachend zu Boden. Sie bedeckte ihr Gesicht mit den Händen.

«Bo, was ist denn nur los?»

«Ich bin nicht versetzt worden.» Sie packte ihr Zeugnis und schleuderte es in meine Richtung. Dann fing sie an zu weinen. Sie kauerte am Boden, verbarg ihr Gesicht und weinte die bitteren, enttäuschten Tränen derer, die trotz harter Arbeit und Mühe versagen.

Ich ging zu ihr und setzte mich neben sie auf den Boden. Da wir keine Taschentücher mehr hatten, mußten wir uns mit Haushaltpapier begnügen. Bo versuchte, ihre Wut hinunterzuschlucken, und wischte unwillig die Tränen weg. «Ich glaube einfach nicht, daß ich dumm bin.»

«Das bist du auch nicht, Bo.»

«Im Kindergarten bin ich sitzengeblieben, jetzt auch noch in der ersten Klasse. Ich werde eine Million Jahre alt sein, wenn ich aus der Schule komme.»

«Du bist nicht dumm, Bo.»

«Das kommt doch auf dasselbe heraus, ob ich es bin oder nicht.»

Da mir nichts einfiel, schwieg ich.

«Sitzenbleiben tut weh. Wissen die denn nicht, wie weh es tut?» Sie schaute mich vorwurfsvoll an. «Du etwa auch nicht?»

«Ich wurde nicht gefragt.»

«Aber wußtest du es denn nicht?»

Lange Pause. «Doch.»

«Warum hast du denn nichts dagegen getan?» Sie warf mir böse Blicke zu.

«Ich konnte nicht, Bo.»

«Natürlich hättest du etwas tun können, wenn du nur wirklich gewollt hättest, das weiß ich.»

Ich schüttelte den Kopf. «Nein, Bo. Ich konnte nicht mit entscheiden. Andere haben beschlossen, daß es für dich das beste ist, die erste Klasse zu wiederholen. Nach meiner Meinung wurde überhaupt nicht gefragt.»

Sie schaute mich lange an, bevor sie sich von mir abwandte. «Du weißt genau, wie gern ich in die zweite Klasse gegangen wäre. Warum hast du dich nicht dafür eingesetzt?»

«Bo, das war einfach nicht möglich.»

«Aber warum nicht?»

Ich faßte ihr Kinn und drehte ihr Gesicht zu mir. «Hör mir jetzt einmal gut zu. Ich konnte *nichts* dagegen tun. Es gibt Dinge, die nicht in meiner Macht stehen. Das war eines davon.»

Wieder quollen Tränen aus ihren Augen, rannen über ihre Wangen und meine Hände. «Du konntest also wirklich nichts tun?»

Ich schüttelte den Kopf. Es tat weh. Uns beiden.

Wir saßen eine Weile schweigend. Ich ließ sie weinen und saß ruhig daneben. Ich war mir nicht sicher, ob sie meinen Trost wollte oder nicht.

Sie schnupfte und schluckte. Schließlich trocknete sie sich das Gesicht mit ihrem Ärmel.

«Wie sage ich das Libby?» fragte sie. «Jetzt sind wir ja keine Zwillinge mehr. Libby wird sich furchtbar aufregen.»

«Aber natürlich seid ihr noch Zwillinge. Das werdet ihr immer bleiben, was auch geschehen mag.»

«Nein, nein, wir werden nicht mehr gleich alt sein. Sie wird älter sein.»

«Das wird sie nicht. Sie wird in einer anderen Klasse sein, das ist alles. Dieses Jahr war sie ja auch in einem anderen Zimmer. Aber Zwillinge werdet ihr bleiben; wichtige Dinge wie diese können nicht einfach geändert werden. Jedenfalls bestimmt nicht von einer dummen Schule.»

Wieder schwiegen wir. Bo weinte nicht mehr, aber ich wagte

noch immer nicht, sie zu berühren. So saßen wir stumm nebeneinander auf dem Boden. Um uns war absolute Ruhe. Nur von
ferne drang unbeschwertes Kindergeschrei herein. Das leere
Zimmer bedrückte mich.

Bo hob ein Blatt auf, das sie vorher aus ihrem Schrank
geworfen hatte. Es war eine Zeichnung, die sie und Nicky
gemacht hatten.

«Ist Nicky schon gegangen?» fragte sie.

«Ja.»

«Ich habe mich ja nicht einmal richtig von ihm verabschiedet.
Er kommt nächstes Jahr nicht mehr zurück, nicht wahr?»

«Nein.»

«Und Claudia? Kommt sie auch nicht mehr?»

«Nein.»

«Und Tommy auch nicht», sagte sie traurig. «Nur ich. Nur ich
komme wieder. Nur ich allein.»

«Und ich», fügte ich bei.

Bo schaute mich an. Dann nickte sie. «Ja. Nur du und ich.» Sie
vertiefte sich in die Zeichnung.

«Du, Bo, komm wir gehen feiern!»

«Feiern?» Ärgerlich runzelte sie die Stirn. «Was gibt es denn da
zu feiern?»

Ich zuckte die Achseln. «Ich weiß auch nicht. Mir ist einfach
danach zumute.»

Keine Antwort.

«Vielleicht könnten wir den letzten Schultag feiern», schlug
ich vor. «Wir haben den ganzen schulfreien Sommer vor uns.
Wie wäre es damit?»

«Nein, ich muß doch Sommerkurse besuchen.»

«Hm, nun gut, aber es regnet nicht mehr. Es ist ein schöner
Tag. Das könnten wir doch feiern.»

«Es ist viel zu heiß. Ich schwitze.»

«Du machst es mir wirklich schwer, Bo.»

«Ist mir doch schnuppe.»

«Komm, gib dich nicht so. Weißt du was, Nicky und ich haben unten an der Ecke einen Eisverkäufer entdeckt. Wollen wir uns ein Eis kaufen gehen? Und dazu noch Butterbrezeln?»

«Ich hasse Butterbrezeln!»

«Bo! Bitte! Jetzt reicht's aber!»

Plötzlich fing sie an zu kichern. Die Spannung war gebrochen, und wir fingen beide an zu lachen. «Es ist nicht leicht, mit mir auszukommen, nicht wahr?» sagte sie.

«Du sagst es!»

«Aber ich will ganz bestimmt kein Butterbrezel-Eis. Das ist fast noch schlimmer als Sitzenbleiben.»

Wir lächelten einander zu. Sie nagte an der Unterlippe und schaute mich erwartungsvoll an: «Also, was wollen wir jetzt feiern?»

«Du bist dran, ich habe keine Ideen mehr.»

Sie zuckte die Achseln. «Ich weiß nicht. Uns, wahrscheinlich. Dich und mich. Feiern wir einfach uns.»

«Und wie machen wir das?» fragte ich.

«Keine Ahnung. Du kannst wählen.»

Ich stand auf. «Ich schaue mal nach, wieviel Geld ich habe.»

«Nein, Torey, warte.» Bo sprang auf. «Wir holen Libby auch noch.»

Ich zögerte und dachte an die Demütigung, die vielleicht in Libbys Gegenwart wieder aufleben würde. «Wäre es dir nicht lieber, wenn wir nur zu zweit wären? Schließlich –»

«Ich weiß, aber Libby ist immer so traurig, wenn die Schule aus ist. Sie mag die Schule viel besser als wir.»

«Ach so.»

«Und ich habe eine Idee.» Sie griff tief in ihre Tasche. «Ich habe noch sieben Cents. Ich könnte für uns alle Kaugummi kaufen. Wir könnten in den Park gehen und dort den Indianer-Hügel hinunterrollen.» Ihr Gesicht leuchtete auf. «Schau mal, wieviel ich habe.»

«Ja, ich dachte nur…, ich meine, ich weiß, wie du dich

fühlst... ich meine, es tut mir leid, daß ich nichts machen konnte...» Die Worte blieben mir plötzlich im Hals stecken. Wir schauten uns an. Bo klimperte mit den Geldstücken.

Sie öffnete die Hand und betrachtete die Münzen, dann lächelte sie. Es war ein ruhiges, verzeihendes Lächeln. «Mach dir doch keine Sorgen, Torey. Du machst dir immer Sorgen. So wichtig ist es nun auch wieder nicht. Komm, wir gehen!»

Epilog

Ich blieb an der Schule und begleitete Bo durch ein weiteres Erstklaßjahr. Ihre Familie ist inzwischen in den Osten der USA gezogen, und sie besucht dort eine Privatschule für Lernbehinderte. Sie hat bis auf den heutigen Tag nicht lesen gelernt, womit sich aber glücklicherweise alle abgefunden haben.

Nicky ist immer noch in der Sonderschule für autistische Kinder. Es ist noch nicht gelungen, ihn aus seiner Welt in unsere herüberzuholen. Immerhin macht er kleine Fortschritte und hat gelernt, sich verständlicher auszudrücken. Er kann jetzt auch Mama sagen.

In ihrer alten Schule war Claudia bald Klassenerste und absolvierte ihre Schulzeit mühelos. Keiner von uns weiß, wo ihre Tochter Jenny ist.

Vor kurzem las ich in einem Zeitungsbericht von einem Jungen, der vier Kinder und einen Säugling unter Lebensgefahr aus einem brennenden Haus gerettet hatte. Auf dem dazugehörigen Bild sah man den Jungen, wie er eine Ehrenmedaille für «seine selbstlose Tat im Dienste der Mitmenschen» entgegennimmt. Der Junge war Thomas.

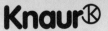

Knaur ⓡ

Taschenbücher

Mary MacCracken

Lovey

Die Verwandlung eines
»schwierigen« Kindes durch
die befreiende Kraft der Liebe

Knaur

TB 779

Hoffnung für Sorgenkinder

Lovey ist verhaltensgestört, ein in sein Gefängnis
von Einsamkeit, Angst und Zorn gesperrtes kleines
Mädchen. Die Wissenschaft nennt diese Kinder
autistisch und weiß wenig darüber; die meisten Eltern
verstecken sie; für ihre Erziehung hat der Staat kein
Geld. Sie sind auf ein Übermaß an Geduld und Ein-
fühlung angewiesen. Mary MacCracken hatte bereits
zahlreiche Erfahrungen im Umgang mit emotional
schwer gestörten Kindern gesammelt, als sie das
achtjährige schreiende, brüllende und tobende Mädchen mit dem Namen Hannah Rosnic in ihre Gruppe
aufnahm und ihm den Namen Lovey gab.
Der Weg von diesem Augenblick bis zu dem Moment,
da Lovey ihr erstes Lied singt, war weit. Man geht
ihn mit der Lehrerin, wird mitgerissen von ihrer uner-
schöpflichen Mühe, hält durch dank ihrer nie erlah-
menden Hoffnung. Was für Mary MacCracken
Gewißheit ist, erlebt der Leser wie ein Wunder:
Lovey wird ein glückliches Kind.

Clara C. Park
Eine Seele lernt leben

Die authentische Geschichte eines autistischen Kindes, das durch jahrelange, nie erlahmende Aufopferung von den Qualen seiner inneren Einsamkeit befreit wurde

TB 2308

Hoffnung für Sorgenkinder

Elly wurde als viertes Kind einer gesunden, glücklichen Familie geboren: Sie war weder debil noch im üblichen Sinn »zurückgeblieben«. Und dennoch war Elly krank. Auch mit anderthalb Jahren, wenn Kinder bereits sinnvolles Spiel, Laufen und Sprechen gelernt haben, rührte sie sich nicht aus ihrer Wiege. Ein stummes, monotones Hinundherschaukeln war ihre einzige Reaktion auf die Umwelt. Aber trotz aller negativen ärztlichen Diagnosen gab die Mutter ihre kleine Tochter nicht auf. Täglich erfand sie neue Spiele, um mit dem Kind Kontakt zu bekommen. Und so spärlich Ellys Reaktionen am Anfang auch waren, sie wurde doch mit jedem Lebensjahr wacher. Schließlich war es soweit, daß sie andere Kinder in ihrer Umgebung duldete und sich in die Gemeinschaft einzufügen begann. Ellys Seele hatte den Weg aus der qualvollen Einsamkeit gefunden.

»Für viele Eltern in aller Welt wird dieses Buch Trost und Hilfe sein. Für viele behinderte Kinder bedeutet es neue Hoffnung.« *New Statesman*